A E
& I

Melodrama

Autores Españoles e Iberoamericanos

Jorge Franco

Melodrama

Planeta

© 2006, Jorge Franco
www.jorge-franco.com

© 2006, Editorial Planeta Colombiana S. A.
Calle 73 N° 7-60, Bogotá

ISBN: 958-42-1426-8

Primera edición: abril de 2006
Segunda edición: julio de 2006

Impresión y encuadernación: Quebecor World Bogotá S. A.

Para Helena, Angie y Mónica.

1
—

Es raro, muy raro y difícil de entender, cuando a uno le dicen que está enfermo y uno se siente tan bien. La enfermedad está ahí, y sigilosa y mezquina te perfora por dentro como un preso que cava y cava todas las noches, sin hacer ningún ruido, hasta que consigue salir por la otra boca del túnel.

¿Cómo iba yo a anunciar lo que me habían anunciado a mí si con la muerte adentro seguía viéndome y sintiéndome bello? ¿Quién me iba a creer que por dentro ya me estaba empezando a descomponer? Nada delataba la enfermedad, ni siquiera la pequeña mancha en el cuello, la manchita que Perla confundió con el morado de un beso y que le produjo un ataque de celos al imaginarse otra boca en mi piel. Ella me señaló el cuello y me preguntó iracunda ¿quién te hizo esa cochinada?, y yo, que no sabía de qué me hablaba, tuve que mirarme en el espejo y buscar la mancha. Todavía era muy pequeña, mucho más pequeña que la marca de un beso. Perla insistió: ¿quién fue? La miré a través del espejo y le dije ni idea. Me dio risa y ella me pegó en la espalda. Debe de ser un barro o un pelo enterrado, dije, pero ya Perla se había ido del baño.

No fue un beso ni un mordisco de alguien que no aguantó la tentación de mi cuello. La manchita no se fue sino que aumentó. Entonces le dije a Perla debe de ser un pelo que creció para adentro y se infectó; ella alzó las cejas, frunció los labios con fastidio y dijo pues qué pelito, y me sugirió que fuera a algún sitio para que me lo sacaran. Y fui, y no era pelo, ni acné, ni el beso que imaginó Perla, ni nada que se pudiera arreglar con una crema o sacar con una pinza. Ahí siguió la manchita, el sarcoma, como dijo el médico. Parece un sarcoma de…, y me lo nombró pero lo olvidé; a mí me sonó a nombre de ajedrecista ruso, y traté de recordarlo mientras daba vueltas sin sentido por la Place des Vosges, después de que me dijeran la verdad. Me dijeron esto no es un pelo, me ordenaron varios exámenes y me pidieron que volviera en cuatro días, pero no pensé en regresar, compré Oxy 10 color piel y me tapé la mancha. No volví a hablar del asunto hasta cuando me llamaron para que fuera por los resultados.

(—¿De dónde diablos sacaste esta historia? —me pregunta.
—Me acuerdo de una parte, otra me la contaron y el resto me la invento.
—¿Y no te importa contar mentiras?
—Lo que importa es que quede una historia de nosotros. Voy a estar dentro de ella —le digo—, a mi antojo. Cuando se lea, más tarde, se creerá que quien la escribió estuvo ahí y fue testigo.
—Pero son mentiras —insiste.
—Le tengo más confianza a la imaginación que a la realidad. Además, todo el que cuenta inventa.
—Lo que yo digo: todo es mentira —dice ella.
—Eso es verdad —le digo yo).

Había una razón para estar caminando ahí bajo los arcos de los edificios que forman la Place des Vosges, y para haber llegado quién sabe cómo a mi lugar favorito de París. Salí del hospital ensordecido y sin habla, flotando en la perplejidad, embrutecido por la certeza del final, que no es la misma certeza que se tiene siempre, cuando uno, sin entender muy bien, acepta que toda vida tiene un término. Uno se relaja y olvida la certeza hasta que llegue el desenlace, confiando en que tardará en llegar. De ahí el golpe cuando se anuncia que el desenlace ya llegó y uno tiene que tragarse la certeza entera y sin masticar.

Recién llegado a París caminé varias veces por la Place des Vosges, como extranjero, con la seguridad de que algún día iba a dejar de serlo. Cuando hacía sol me echaba en la hierba frente a Luis XIII en su caballo, me quitaba la camisa para atraer a los que pasaban e invocaba a Carlos VII, a Luis XII y a Enrique II; a su viuda, Catalina de Médicis; a Enrique IV y a cuanto hijo de puta vivió en esa plaza, para que me inspiraran, contagiaran y mostraran el camino certero y tramposo para triunfar en París.

En una de las vueltas que di por la plaza, ya con la peste encima, me paró René, que trabajaba en el café Hugo, no en la casa museo del escritor sino en la esquina, en el café donde acababa de llegar a tomar su turno. Me saludó pero no le contesté. A la vuelta siguiente me tomó del brazo, me miró y algo debió ver porque me obligó a entrar, me sentó y me trajo un coñac, creo. No tuve que contarle lo que tenía para que él viera la muerte camuflada en mi belleza. Se lo confirmé al oído cuando me abrazó temblando; no sé qué le dije a René, pero a pesar de estar en servicio se sentó junto a mí y me agarró las manos. Todo el que pasó a nuestro lado nos miró, no porque les llamara la atención nuestra belleza o por ver a dos hombres tomados de la mano, pues en París uno puede amarse como le dé la gana, sino que nos miraban porque la muerte es escandalosa y antes de ser muerte ya se hace ver. Y en nuestro silencio y en el rigor de nuestras manos entrelazadas ya la muerte estaba haciendo su show.

—¿Qué vamos a hacer? —musitó René.

Yo sólo pensaba en Perla, que a esa hora andaba desentendida de mi mal, concentrada en sus *collages*, recortando fotos de su gente, silueteando al que quisiera separar de una

11

fotografía para meterlo en otra. Recortaba a Pablo Santiago y a Libia y los pegaba en una foto donde estábamos ella y yo, así quedábamos los cuatro en un retrato que nunca se tomó. Recortaba a sus hermanas de una foto sacada en Medellín y las pegaba junto al Arco del Triunfo para que pareciera que alguna vez estuvieron en París. En las fotografías de su matrimonio con Adolphe, pegó a los que no pudieron asistir a la boda; en las que le mandaron del bautizo de un sobrino, pegó a los que no fuimos; en varias, incluso, pegó sobre la foto de ella la única que tenía de Sandrita. Recortando y pegando, Perla juntaba a los vivos con los muertos, armaba la posteridad a su antojo, mezclaba lugares, creaba una nueva realidad.

—¿Qué vamos a hacer? —preguntó otra vez René.

Era muy pronto para esa pregunta y no le respondí. O sí, pero no era la respuesta que él esperaba.

—Voy a seguir caminando, René.

—Yo tengo que trabajar —me dijo.

—Lo sé —le dije—. Además, quiero caminar solo.

René me soltó las manos, yo un suspiro, alguien en el bar soltó una carcajada, Perla suelta las tijeras y se masajea la nuca, Pablo Santiago botó la arena sucia del cernedero, Sandra se pudre en un nicho, Libia tira a la caneca una caja vacía de Famogal. Suena el citófono y Anabel contesta en español: un momento, por favor, sin importarle si quien está abajo entiende o no. Llama a Perla, casi siempre a los gritos, para anunciarle que la buscan. A Perla le molestan los gritos de Anabel.

—Entonces quién te entiende —dice Anabel—. Si contesto me decís que por qué contesto si no sé contestar, y cuando no contesto me gritás que conteste porque no te aguantás el timbre.

—No te aguanto a vos, no me aguanto el timbre, no me aguanto a nadie —le dice Perla, manoteando, en dirección al citófono. Toma el aparato y escupe—: ¿quién es?

—Clémenti —contesta desde la calle el sobrino de milord.

En todo lío serio siempre hay un cojo, y en este lío el cojo es deforme. Cuando niño, a Clémenti lo atacó un guepardo y le arrancó un pedazo de cara y otro de pierna, en Kericho, Kenia, donde su familia tenía una finca en la que cultivaban té. La niñera se estaba dando un baño y les había pedido a los niños que no salieran, pero desobedecieron. Salieron y no muy lejos se encontraron con un guepardo. Eran dos niños: Clémenti y su hermano menor, Jacques, que nunca apareció, ni siquiera una pequeña parte de él. Del guepardo ni siquiera el rugido. A Clémenti le quedó una marca en la cara, no tanto como para considerarlo un monstruo, como lo veía Perla, pero sí lo suficiente como para tener un mal recuerdo del animal.

—¿Qué quiere? —le pregunta Perla, secamente.

La cojera de Clémenti no amerita un tacón más alto en el pie malo. Se balancea un poco al caminar, pero cuando está quieto se ve derecho porque se empina para evitar cualquier inclinación. Quien lo ve de paso puede pensar que es un hombre normal, sólo al detallarlo se puede suponer que lleva en el cuerpo una de esas historias que no cicatrizan.

—Necesito hablar con usted, señora —le dice Clémenti.

—Sí —le dice Perla—, pero para hablar con otro se necesitan dos, y yo no quiero hablar con usted, señor.

Nunca se gustaron. Desde el momento en que los presenté se les vio el disgusto del uno por el otro. Antes de conocerse ya los dos se consideraban rivales: Perla como nueva esposa del conde Adolphe y Clémenti como su único sobrino. Y ya que milord no tuvo hijos, Clémenti era el único heredero hasta que llegó Perla.

—No me obligue, madame —le dice Clémenti, desde abajo.

—Y usted no me amenace —le advierte Perla, arriba.

Yo era el que lo enfrentaba, sobre todo después de que murió milord. Pero cuando supo de mi desaparición, Clémenti fue mordaz, además de celebrarlo le dijo a Perla que estaba listo para comenzar a dialogar con la *señora*, y dijo "señora" en español. Luego remató diciendo que con las *señoras* es más fácil.

—Voy a traer a la autoridad —le dice Clémenti, por el citófono—, porque si no me oye a mí los va a tener que oír a ellos.

—Traiga a quien le dé la gana, Clémenti —le responde Perla—: a su madre, al presidente, al papa. Tráigame si quiere al animal ese que en mal momento lo dejó vivo.

—*Meurtrière* —le grita Clémenti.

—Malparido —le dice Perla en español, y cuelga.

Tambalea hasta una butaca, con las manos en la cabeza, y entre quejidos le pide a Anabel que le sirva un trago. Doble, precisa Perla.

—¿Quién era? —pregunta Anabel.

—El monstruo.

Anabel le sirve a Perla y se sirve otro para ella. Antes de echarse el trago a la boca, dice: a mí también me pone nerviosa.

—Quedamos tan indefensas, Anabel —dice Perla, con la mirada puesta en una de las fotos mías que hay en la nevera, una que me habían tomado en esa misma cocina, vestido de chef.

—Ese hombre no sabe cómo son dos viejas colombianas cuando las joden —dice Anabel, envalentonada.

—Se quiere quedar con todo lo que nos corresponde.

—¿Nos? —exclama Anabel, fingiendo sorpresa.

—A Vidal y a mí —aclara Perla. Y antes de que Anabel le chiste con el cuento de que hace más de seis meses no sabe nada de mí, Perla le dice—: ¡ya! No me digás nada que ya sé lo que me vas a decir.

Anabel le sonríe con sus dientes de fumadora y le pregunta: entonces qué, ¿nos van a dejar sin cinco? Perla le dice primero muertas, luego cambia el tono, lo oscurece para preguntarle a Anabel ¿vos de qué te reís? ¿Acaso no te beneficiás de todo esto lo mismo que yo? ¡Juá!, chilla Anabel y dice si ni siquiera he podido que me suscribás a la televisión por satélite, a ver si puedo ver algo en español.

—Lo hago por tu bien, desagradecida —le dice Perla—, a ver si aprendés francés.

Anabel se ríe hasta perder el aire. Mientras se sacude y se ahoga con la risa, Perla se toma otro trago sin dejar de mirarla. Apenas se recupera, Anabel le dice:

—Vos estás loca, Perla.

Perla, como una niña que no se deja vencer, le contesta:

—La loca sos vos.

Beben como locas, hasta que se les acaba la botella. Perla se para a buscar más trago, trastabilla contra las paredes, va descalza y con el pelo revuelto de tanto agarrarse la cabeza para renegar. De paso, me toma en un portarretrato y me abraza. Últimamente llora sin lágrimas, sólo con lamentos, muecas y gritos: Vidal, Vidal, Vidal de mi vida. Anabel la observa desde la cocina, lucha contra la borrachera para poder enfocar. Perla va cayendo al piso en un derrumbe lento que no le causa dolor. Queda tendida sobre el tapete con mi foto sobre el pecho, y lo último que Anabel le escucha, antes de que Perla se quede profunda, es un enredo:

—Mañana por televisión te compro el satélite de la televisión, negra inmunda.

Sueña con su papá y conmigo. Mi historia comienza con él y termina con vos, me dijo infinidad de veces, casi con rabia, con el mismo furor que heredó de Pablo Santiago, que de no haber sido obstinado no habría conquistado a Libia, un reto tan grande como el de sacar oro de ríos exangües. Él fue primero al río que a la escuela, aprendió primero a sacudir una batea que a coger un lápiz, aunque después se las ingenió para aprender a leer y escribir. Pablo Santiago buscaba oro porque no tenía otra opción y porque quien fue hombre en su familia siempre fue mazamorrero, aunque a las mujeres también les tocó después subirse la falda hasta los muslos y meterse al río con los cernederos. Hasta cuando el agua dejó de arrastrar oro y comenzó a arrastrar muertos, cientos y cientos de muertos a los que alejaban con un palo en cada puerto para que siguieran flotando hasta otro pueblo, y así sucesivamente, hasta que el río se tragara al ahogado. Pero mientras nuestros ríos tuvieron más peces que muertos, Pablo Santiago siguió bajando, así cada vez pensara que una mañana no iría más, que con el oro recogido sería suficiente para buscarse un trabajo a la sombra y con los pies secos. Eso lo pensó cuando fue muchacho y vio por primera vez a Libia mirándolo con más lástima que interés; no con grosería, porque ella tampoco era rica; no tan pobre como Pablo Santiago, pero sí más blanca, con blancura de niña fina.

Pablo Santiago se doblaba batea en mano con Libia y con el oro metidos en la cabeza, decía si puedo con uno puedo con el otro. Y a veces sí quedaba algo brillando en el cernedero y también, a veces, Libia se detenía a mirarlo con cierto interés. Para corresponder esa mirada, Pablo Santiago se compró una muda de ropa y un par de zapatos que se le convirtieron en un tormento. Siempre andaba descalzo y los callos de los pies funcionaban como suelas. Incluso una vez salió muy elegante, con el vestido nuevo pero a pie limpio, y así esperó, afuera de la iglesia, a que Libia saliera de misa. Apenas ella lo vio se cubrió la boca con la mantilla para no ofenderlo con la risa. Sin embargo, otros se rieron por el contraste de los pies y el traje. A Pablo Santiago le tocó, entonces, aprender a caminar con zapatos sin que pareciera estar siempre perdiendo el equilibrio, o caminando como un borracho. Aprendió pronto, de la misma manera que aprendió a garabatear las palabras que en notas clandestinas le hizo llegar a Libia. Notas breves, escritas con mucho esfuerzo, en las que le decía lo mucho que ella le gustaba y le contaba de sus sinceras intenciones. Incluso una vez, medio tragueado, sacó el mal poeta que todos llevamos dentro y le escribió *señora de mis desvelos, además de los pies también llevo el corazón sangrando; son tus desaires y no los zapatos los que por tu culpa me ponen a caminar cojeando.* A Libia le pareció excelente el apunte a pesar de la letra de niño. Le contó a su familia las intenciones de Pablo Santiago y todos pusieron el grito en el cielo, pero ella, a sus diecisiete años, les puntualizó que el muchacho podía ser pobre, podía ser feo, insignificante, prieto y desaliñado, pero que si se atrevía a pretenderla era ambicioso, lo que quería decir que podía llegar muy lejos, y pidió permiso para que Pablo Santiago la visitara. Le dijeron que solamente por la ventana, y que aunque no fuera a entrar tenía que hacer la visita con zapatos, que nadie dijera que la pretendía un patirrajado. Pablo Santiago pasó de las notas escritas con ortografía violenta y de los versos flojos al susurro de los postigos, a las miradas embarrotadas, a mantenerse a raya detrás de una baranda. Era poco y era mucho. En realidad era un comienzo y eso era lo que importaba, lo demás ya estaba hecho y sólo tenía que esperar a que el tiempo se lo ofreciera, tal y como lo había soñado.

La obstinación que iba a salvar a Pablo Santiago, la que heredó Perla, fue la misma que me sacó a mí de Medellín y que, desde muy niño, hizo que la ciudad me incomodara así muchos dijeran que yo era el que incomodaba a Medellín. A Perla y a mí se nos volvió una tortura vivir en una ciudad enrejada por chismes, lenguas venenosas, prejuicios, donde todo está irremediablemente sujeto al qué dirán. Perla y yo nacimos distintos de ellos y por no parecernos a nadie nos señalaron. Le dije por no parecernos a nadie al descubierto, porque en la intimidad todos son como nosotros. Perla dijo todos se sacan mocos. Y se tiran pedos, dije yo. Y miran su mierda cuando cagan. Y se masturban pensando en quien uno menos piensa.

Primero me fui yo y después salió Perla, aunque me costó trabajo convencerla para que se viniera a París. Al poco tiempo de haber salido yo, ella parecía estar dispuesta a seguirme en cualquier momento, y siempre que la llamaba me decía ya me quiero ir de esta casa, aquí estas viejas creen que yo todavía soy una niña. Les podía más la costumbre que la realidad. Perla se quejaba: se les olvidó que ya me casé, que ya tuve dos hijos y sé más de la vida que todas estas viejas juntas. Pero cuando tuve todo listo para que ella viniera, se perdió, se fue para otro lado como si estuviera arrepentida de venir a vivir conmigo a París. La busqué pero Libia me dijo que Perla se había largado, no me dijo para dónde o no le dio la gana de decírmelo, hasta que de tanto llamar y tanto insistir me contó que andaba en Puerto Berrío, no veraneando como la imaginaba sino vagabundeando. Me dijo con el veneno que le inyectaba a cada cosa que decía: se fue de sinvergüenza porque salió igual al papá y porque es como vos. Yo para joderla le dije:

—Al menos no heredó su acidez, señora —y colgué.

A Perla la desperté porque allá todavía era de noche. La llamé y le dije Perla, todo está listo para tu viaje. Ella no me oyó, o no quiso oírme, y como si la estuviera llamando de la casa vecina me pidió que la llamara más tarde. Y cuando la llamé seis horas después, no me dio tiempo de hablarle de París y del viaje, sino que comenzó a contarme que había montado un negocio. Me dijo un berraco negocio. Un estadero, bar y bailadero, que para colmo de las casualidades había bautizado Gran Salón Versalles. ¿Qué tal?, me preguntó, en algún lado leí la palabra "Versalles" y me sonó elegante, ¿a vos cómo te suena?

—Aquí hay un palacio que se llama así —le dije.

Me preguntó decepcionada ¿dónde?, y casi desesperada ¿Gran Salón Versalles? Le dije que no se preocupara que nadie le iba a quitar su nombre, y le conté que el palacio de Versalles lo había construido un rey, Luis XIV, y que albergaba cómodamente a más de tres mil personas. Perla dijo pobre a la que le toque trapearlo.

—Lo vas a conocer cuando vengás —le dije.

—Ahora no puedo, Vidal, mirá que estoy metida en esto, ¿cómo me voy a ir?

Y siguió hablándome bellezas del lugar y a mí me costaba trabajo creerle; no podía concebir su estadero, bar y bailadero distinto de una ratonera en un Puerto Berrío polvoriento y caluroso. Quedamos en volver a hablar del tema cuando la llamara, unos días después.

París, se dijo Perla cuando colgó el teléfono y pensó en mi propuesta de que cogiera un avión y se viniera conmigo. Quiso sentarse porque sintió que se iba a ir de para atrás, pero cuando buscó una silla se dio cuenta de que llevaba un rato sentada. Se puso la mano en el pecho como había visto que lo hacían en las telenovelas en situaciones de conmoción, y buscó con la mirada el ventilador para ver si estaba apagado. No sabía qué la sofocaba, si la turbación o el mediodía en Puerto Berrío.

París, dijo, nombrando el misterio para tratar de recuperar la calma. Lo único que sabía era que quedaba en Francia. Sabía que había vino francés y papas a la francesa. Sabía, porque le encantaban los hombres, que Alain Delon además de bello era francés, al igual que Jean Paul Belmondo, que no le parecía tan bello pero que precisamente por eso le encantaba. Los había visto en las películas que llevaban a los cines de Medellín, pero por apreciarlos, por disfrutarlos y suspirar por cada uno, no se fijó en cómo era París en las películas.

Se puso de pie y se paró justo frente al ventilador, se abrió más el escote y dejó que el viento le refrescara el pecho sudoroso. Le preguntó, sin mirar, a alguien que sintió merodeando por ahí, ¿será que uno sí se acostumbra a estos calores? El que andaba por ahí era el administrador del Gran Salón Versalles, que estaba cerrando las ventanas por donde entraba el sol. Perla se volteó a mirarlo, sin dejar de ponerle el pecho al viento.

—¿Qué sabés de París, Fernando? —le preguntó.

Creo que Fernando andaba por los veintitantos, era de Puerto Berrío y lo único que hacía bien en la vida era pelear.

Yo no lo conocí, y según Perla era muy hermoso. No tanto como vos, me tranquilizó, pero nunca me gustó que lo hubiera contratado, precisamente, por bello y por peleador.

—Una vez me comí una francesa que pasó por aquí —le dijo Fernando—, y a ella le gustó tanto que no se quería ir. A mí no me pareció gran cosa, le faltaba algo, no sé… algo.

—¿Qué algo? —le preguntó Perla, que se dio vuelta para ponerle la espalda al ventilador.

—Algo —dijo Fernando, acercándosele con caminado de macho de cantina.

—A lo mejor le faltaba una pierna y vos no te diste cuenta, con lo despistado que sos —le dijo Perla, preparada para atajar al semental. Fernando se detuvo y le sonrió. Perla le preguntó—: ¿y qué pasó con la francesa?

—Ahora que me acuerdo —dijo Fernando—, me parece que no era francesa sino alemana.

—¿Qué pasó con la alemana, entonces?

Fernando miró el escote de Perla, todavía empapado en sudor. Levantó los hombros sin levantar los ojos de la ranura del pecho, y le dijo:

—Se fue.

Perla le pidió que le acercara la silla, y mientras se la traía, ella le dijo:

—Cuando tengás algo más importante para contarme de Francia, me avisás.

—Lo que te tengo que contar es que quebraron dos botellas vacías de ginebra extranjera —le dijo Fernando.

—¿Quién las quebró?

—El marica ese limpiando el bar —dijo Fernando, y le puso la silla al lado, y ahí se quedó él también, muy pegado a Perla. Le comentó—: ese es el problema con los maricas, que como son nerviosos se les cae todo.

—Bueno, ya. No te quedés ahí. Andá a donde los recicladores a ver si tienen otras iguales.

—¿No me necesitás? —le preguntó Fernando.

—Aquí no —le dijo ella, y se pasó la mano por la frente. Él se retiró humillado.

Perla puso la silla más cerca del ventilador, pero no se sentó sino que se subió en ella. Se remangó la falda para refrescarse entre las piernas, y más arriba, donde nace el calor, porque ella, a sus cincuenta años, todavía tenía bríos para treparse en sillas, para dejarse trepar a alguien encima y para guerrear con los apuros de su nuevo negocio.

Pero una nueva inquietud se les atravesó a las demás. Ya no era la reputación del local, ni las deudas, ni las botellas vacías de ginebra extranjera en las que echaba ginebra nacional. Parada en la silla, con la falda levantada y con el chorro del ventilador enfriándole el coño sólo pensaba en París, y en todo lo que su viaje implicaba. De sólo imaginarlo sintió un espasmo en el cuerpo, como si le caminara por dentro un ratón.

2

La muerte que me espera, *«la mort m'attend comme une princesse à l'enterrement de ma jeunesse».* Después de varios tragos, casi a punto de cerrar el café Hugo, le recité a René la canción que tanto me gustaba, y le pregunté ¿cómo anuncia uno que se va a morir? Lo que me dijo René me entró por un oído y me salió por el otro: todavía estás vivo y es posible que puedas vivir muchos años más. A lo mejor yo me muero primero que tú. Sólo me oía a mí mismo preguntándome cómo le contaría a Perla, para empezar, y al pensarlo me imaginé todas las vueltas que todavía tendría que dar antes de conseguir el valor. Vueltas y vueltas para entender la simpleza de que la muerte propia duele porque uno piensa en los demás y en el tiempo que no nos va a tocar con ellos. Puro sentimentalismo, me dijo René, aunque solamente verte me pone sentimental. Se quedó mirándome y dijo en un mundo de feos los bellos no deberían morir. Ya no soy bello, le dije, lo fui hasta hoy. Él negó con la cabeza y dijo nada podrá acabar con tu hermosura, ni la muerte. Me dio rabia su sensiblería pero no era el momento para rabiar. Levanté la copa y brindé con el último sorbo de coñac, con la voz rajada le dije: entonces, por el más bello del cementerio.

Aún sin haber nacido, desde mucho antes, nuestras historias comenzaron a trazarse, a converger o a distanciarse para alterar lo que pudimos haber sido, si no fuera porque a los que estuvieron antes que nosotros también les cambió la vida, antes de nacer o después.

Tal vez Perla y yo no habríamos coincidido en lo que hicimos y planeamos si por allá, a mediados de los años cuarenta, Pablo Santiago no se hubiera partido en dos sacándole el oro a cuanto río había alrededor. Doblado en cada orilla por los llanos de Cuivá, por San Andrés de Cuerquia, Frontino, incluso llegó hasta El Bagre, siguiéndole el cauce al río Nechí. No dejó de preguntarse nunca y en ningún lado por qué eran tan pobres los pueblos donde había oro, por qué Yarumal era tan menesteroso si tenía la mina de filón más grande de Colombia, la Berlín, donde muchas veces fue a pedir trabajo hasta que finalmente lo aceptaron. Ya estaba cansado de estar al sol y al agua, con ganas de sombra y de estar con Libia, de casarse con ella aunque por entonces sólo se miraban de lejos. Ella, que también empezaba a sentir el cosquilleo de las hormonas, se sentía traicionada en sus pensamientos porque cuando lo miraba se imaginaba que Pablo Santiago no iba a poder salir del agua, no sería capaz de asumir lo que ella le iba a exigir más tarde: una boda grande, una casa grande y una familia para llenarla.

Libia no se alegró con el nuevo trabajo de Pablo Santiago. Pasar del río a la mina no le parecía gran cosa, así él le hubiera dicho que al menos tenía asegurado un ingreso mensual. Libia, agarrada a los barrotes de la ventana, le dijo que a los únicos que enriquece el oro es a los dueños de las minas, y Pablo Santiago entendió que no los separaba únicamente la ventana, le dijo yo no sabía que lo que querías era casarte con un hombre rico. Libia agarró con fuerza los postigos y a punto de tirarlos le dijo entre dientes no seás pendejo, Pablo Santiago, lo único que quiero es que me saqués de aquí y me des una casa para vivir. Y cerró la ventana para terminar la visita.

Pablo Santiago le cogió confianza al oficio. Del agua a la roca hay más que dureza, hay toda una labor minuciosa y él fue aprendiendo a pellizcarles el oro a las paredes en la oscuridad del subsuelo de la mina Berlín. Si antes odiaba el sol en la espalda y el río ingrato que casi siempre no aflojaba más que cascajo, abajo, en los socavones, comenzó a extrañar el aire limpio, el espacio abierto y la libertad de moverse a su antojo a lo largo de las riberas. Cambió el sonido del agua fluyendo por el martilleo contra las vetas, que además le recordaba el ventanazo de Libia en la cara.

Se fue a otro túnel a probar suerte y allí vio a un compañero muy concentrado en lo que alumbraba su linterna: un trozo de roca tan pequeño como un maní. El minero masticaba chicle y cuando detallaba algo en la piedra dejaba de masticar, la movía en los dedos y masticaba, la observaba y dejaba de masticar hasta que se sacó el chicle de la boca y lo pegó a la roca negra, alumbró el amasijo con la luz de su casco y sonrió. Pablo Santiago vio un brillo en el chicle. El minero se lo pegó en el pelo, atrás, y al mover la cabeza alumbró a Pablo Santiago y se petrificó. Se asustó tanto que arrancó de nuevo el chicle y con pelos y todo se lo extendió a Pablo Santiago, diciéndole si no contás nada te lo regalo. Alumbrado por la necesidad y por el amor a Libia, Pablo Santiago le respondió: no, con el secreto tengo.

(—¿Fue ese chicle o los que siguieron el detonante de nuestra historia? Ahora lo veo así: la vida, como si fuera agua, sigue un cauce, pero cuando el caudal encuentra bifurcaciones se mete en ellas y forma un lago o un riachuelo o, incluso, si el ramal es mayor que el cauce puede cambiarlo todo, robarse el caudal y cambiarle el destino.

—Repetime todo que no entendí nada —me dice).

Pablo Santiago nunca lo vio así, nunca utilizó la palabra hurto para referirse al oro que pegaba al chicle y escondía en el pelo. Con esto me ajusto, decía. Creía que era la vida haciendo justicia, cambiándole su destino para su beneficio y el de Libia, y a los que vendríamos después: a Perla y a mí, que me atravesaría más tarde en sus caminos como una pequeña hendidura en la tierra que se vuelve río y después lago, que reposa quieto pero intranquilo, como ahora que me preocupa Perla. La veo desesperada abriendo las puertas del armario donde guarda el trago. Casi puedo oírla gritando, casi puedo verla corriendo a la cocina, abriendo alacenas y vociferando. La veo yendo a su cuarto y tirando los cajones al piso. Ruedan dos botellas vacías.

—¡Anabel! —grita Perla a todo pulmón. La llama—: ¡Anabel!, ¡Anabel! —sigue buscando en el baño, en el ropero o donde sospeche que alguna vez guardó una botella de aguardiente. Anabel aparece en la puerta.

—*Oui?* —dice, en una mueca.

—Vieja borracha —le dice Perla—, te me tomaste todo el trago.

—*Nos* lo tomamos —le aclara Anabel—. Yo no soy como vos que bebés sola.

Perla empalidece como si el hallazgo fuera macabro. Descompuesta, revienta una de las botellas vacías contra el piso, sin importarle que una esquirla la pueda herir. Anabel se lleva las manos a la cara y exclama *mon Dieu!* Perla la mira aterrada, olvida el estruendo y le pregunta ¿qué dijiste?

—*Mon Dieu* —dice Anabel, sonriente.

—¿En qué andás, negra malparida?

—Estoy aprendiendo francés.

Cuando Perla era una niña fea, a su casa llegó una criatura más fea y negra llamada Anabel. Su papá había aparecido con ella de la mano y se la presentó a todos, dijo que de ahora en adelante la niña viviría con ellos. Después Libia lo llamó aparte y le preguntó ¿es hija tuya? Pablo Santiago le respondió que no, que iba a vivir en la casa pero que no sería una hija más. Libia regresó entonces a donde las niñas y las encontró como las había dejado: todas frente a Anabel, mirándola con odio y ella sosteniéndoles la mirada. Libia dijo ya oyeron, y eso bastó para que entendieran que no había nada que hacer para sacar a la recién aparecida. Libia le preguntó a Pablo Santiago dónde iba a dormir Anabel, si con las niñas o en el cuarto de servicio. Con las niñas, dijo el papá. Anabel no se mosqueó con la pregunta de Libia ni con la respuesta de Pablo Santiago. Las niñas no querían compartir el cuarto con ella, que por fea, que por olorosa y por oscura. Antes de acostarse, Perla le dijo a su mamá Anabel es casi negra, y Libia le respondió no, no es negra. Perla insistió es casi negra, y su mamá le dijo casi, pero no lo es. Esa noche y todas las que siguieron, Anabel durmió en un catre, en un rincón alejado de las camas, como un animalito asustado.

Ahora es Perla la que se lleva las manos a la cara para sostener la risa. ¿Vos aprendiendo francés?, pregunta. Se tira en la cama, boca arriba, agarrándose la barriga. Y Anabel, con los brazos en jarra, le dice:

—Si vos lo aprendiste a hablar en cosa de dos años, ¿por qué no lo voy a aprender yo?

Perla se echa de medio lado, se limpia las lágrimas y dice vos que sos un animal, Anabel, tenés que aprender como las loras. Luego le pregunta ¿y quién te está enseñando?

—Ya te lo dije —responde Anabel.

—No me has dicho nada.

—Te lo dije y no paraste bolas, pendeja.

—No me digás "pendeja" —le exige Perla—. Respetame.

—*Oui* —dice Anabel.

Se lo había dicho pero Perla no le puso atención. Anabel se lo contó cuando Perla, trepada en un taburete, trataba de clavar una puntilla para colgar otra foto mía: yo, de diez años, jugando con el agua de una manguera en el patio de la casa de la abuela. Anabel le dijo: dos pisos más abajo trabaja una ecuatoriana que se llama Dayessi, y Perla lo único que contestó fue muy bien. Pero se refería a mi foto enmarcada que acababa de colgar.

—Su nombre quiere decir "sí" en tres idiomas —continuó Anabel, pero Perla seguía en lo suyo.

—Ayudame a bajar de aquí —le pidió Perla.

—En ruso, en inglés y en español —le explicó Anabel, mientras le daba la mano para que Perla se bajara. Luego, molesta, le dijo—: no me estás poniendo atención, ¿cierto?

—No —le dijo Perla. Dio dos pasos hacia atrás y miró la foto con dolor—. Tan bello mi Vidal —dijo después.

Con este retrato quedaba llena con mis fotos la pared que estaba junto al altar que me hizo Perla. El altar crece cada día con un detalle, un santo nuevo, una vela más, con cualquier cosa que me recuerde. Ella reza ante él para que yo aparezca pronto y desde él yo imagino cómo vive Perla sin mí.

De todas maneras a Anabel le tocó repetirle el cuento, muy a su pesar, aunque siempre contaba con emoción el asunto del nombre en tres idiomas.

—Con tanto "sí" debe ser muy puta —comentó Perla, y preguntó—: ¿cuántos años tiene?

—Ella dice que tiene treinta y cinco, pero yo creo que tiene más.

Ahora que lo ha recordado, Perla se levanta a mirar el reguero de vidrios que hay en el piso del baño, y le dice a Anabel: así que esa es la que te está enseñando. Con el pie comienza a arrumar los trozos en una esquina, y le pregunta:

—¿Con quién me dijiste que trabajaba?

—En el cuarto piso —dice Anabel.

—Con los Villeret —susurra Perla.

—Eso —dice la otra.

Perla sigue juntando vidrios y dice a esos se les olvidó cómo saludar después de que murió Adolphe. Le pide a Anabel que traiga una escoba, y antes de salir, Anabel le dice:

—Dayessi habla muy bien francés.

—Cómo será —exclama Perla, mientras se agacha, con dificultad, a recoger un pedazo grande de vidrio que quedó de la quebrazón.

Desde que tuvo su bar en Puerto Berrío se acostumbró a vivir entre vidrios rotos. Desde que la conozco ha vivido entre botellas porque siempre le ha gustado el trago o es posible, según me dijeron, que sólo empezara a beber después de la muerte de Sandrita. Lo que sí es cierto es que de Puerto Berrío viene su relación con el estruendo de vidrios, de vasos y botellas. Cuando llegó a Puerto Berrío sólo encontró los escombros de lo que alguna vez fue un pueblo lleno de riqueza y de gracia. Su ubicación junto al río Magdalena fue vital para el desarrollo de Medellín, que enclavada en una trabazón de montañas estaba mil veces más aislada que cualquier isla, y cuando pudo comunicarse con el mundo a través de un ferrocarril hasta el Magdalena, Puerto Berrío se convirtió en el eslabón que faltaba para rescatar a Medellín del olvido. Eso fue mucho antes de que llegara Perla, que llegó con un retraso de cuarenta o cincuenta años a un pueblo al que su cuarto de hora sólo le duró diez.

—Llegaste medio siglo tarde, Perla —le dije.

—Así es todo lo mío —dijo molesta—. Mirá que ni siquiera coincidí en el tiempo con vos.

—Así es todo lo nuestro —le dije, pero yo me refería a Colombia, donde no hay tiempo para el esplendor—. Apenas nos levantamos ya comenzamos a caer.

Ella llegó con la idea de un puerto exuberante al que arrimaban lanchones de tres pisos llenos de ganado, donde se negociaba oro en cada esquina. Por allí entraba el comercio de Europa y Estados Unidos: telas, vajillas, herramientas, máquinas para la industria que nacía, guantes y paraguas de seda, perfumes, lentes para leer, espejos, muñecas, cianuro para la minería y para los deprimidos. A Puerto Berrío llegaba todo el que pensara en fortuna: los circos, los boxeadores, los políticos a inscribir sus candidaturas presidenciales. Paraban los vapores de lujo que navegaban por el río hasta el mar Caribe, y que por primera vez ofrecían comedores lujosos, salones de tertulia, camarotes con ventiladores, servicios de comedor con meseros de corbata y chaqueta. Incluso llegó a ser escala obligada de los primeros vuelos a Europa, en aviones que preferían seguir el curso del río para no perderse entre las nubes.

De todo lo que fue Puerto Berrío, Perla sólo encontró la fiebre amarilla, polvo, mosquitos y uno que otro vestigio de los días de gloria, pero ya enmohecido y desvencijado. Ya había estado un par de veces cuando era muchacha acompañando a Pablo Santiago, por ser la mayor, a negociar ganado en los días en que el pueblo ya iba en caída libre hacia la ruina. Recordaba muy poco: el calor y la humedad, descontando lo que no iba a olvidar nunca: el apetito sexual que le avivó la tierra caliente, los hombres acalorados, las falditas cortas de las mujeres y los pezones marcados en las camisetas de manga sisa. Lo mismo que recordaba fue lo que encontró a su regreso, muchos años después.

—Calor, putas y hombres arrechos —enumeró las razones para montar su parrandeadero—. A eso uno le mete trago y se vuelve rico.

Después de haber contratado a Fernando, le dijo aquí todavía debe de quedar mucha plata, y le preguntó ¿quiénes son los duros de por acá?

—Los duros se fueron, mi amor —dijo Fernando.

—Alguno tiene que quedar.

—Ahora sólo queda puro chichipato —le explicó Fernando—. Mafiositos de poca monta.

—Bueno, pero algo tendrán.

Fernando se le acercó más, y cambió la voz para decirle: algo, pero no tienen lo que tengo yo. A Perla se le subió el calor, Fernando se le pegó al cuerpo y, sin autorización, comenzó a chuparle el cuello.

—Ay, Dios —exclamó Perla.

Nunca quiso contarme lo que hacía con Fernando, o me contaba sólo hasta el punto donde yo tenía que seguir imaginando lo peor. Traté de averiguar algo por terceros, pero ella tenía a todo el pueblo de su lado. Algo me dijo Libia, que aprovechaba cuando yo llamaba para denigrar de su hija.

—Allá sigue puteando con un culicagado de la edad tuya, con lo vieja que está.

—Vos que te creés tan santa, Libia —le dije—, tenés boca de verdulera.

—Yo hablo como me da la gana, maricón —y colgaba sin despedirse.

Perla me llamaba y me decía no creás en todo lo que te dice. Me decía que Libia se estaba volviendo loca, que no le creyera, que hasta los domingos trabajaba, y que si no fuera por Fernando no le quedaría tiempo ni para dormir.

—Fernando —murmuré.

—Ay, Vidal, no te vas a creer los cuentos que inventa mi mamá.

Me quedaba callado, consciente de que no tenía ninguna autoridad para decidir en la vida de Perla. Ante mi silencio, ella decía: además, yo qué culpa tengo de que los hombres me busquen. No era su culpa porque no era bella; había otras razones para quererla que no se notaban a primera vista, había que rescatarle otras bondades para encontrar un motivo que justificara el cariño que se le tenía, que le tenía yo, porque lo de Fernando era otra cosa.

—Qué vamos a hacer, Fernando —decía Perla, preocupada—. Se nos fueron los mafiosos.

Se lamentaba de que el gobierno los hubiera perseguido, ahuyentado, decía: si ellos eran los que ponían el dinero en este país, los que sostenían la economía, y por buscarles pleito nos jodimos todos.

—Nos llevó el diablo, Fernando.

Él la empujó hasta la cama, la tiró sobre el colchón, prendió el ventilador y abrió la cortina para que los vieran desde afuera. Sacó su verga enorme, brillante y tiesa, y le dijo:

—No te preocupés que el diablo soy yo, mi amor.

Fernando supo de mí y de mis planes para traerme a Perla a París. Se sentía amenazado y por eso, cada vez que podía, desenfundaba su única arma de defensa, y no cualquier arma, porque no se puede desestimar a quienes usamos el sexo para conseguir lo que queremos, sino todo lo contrario, hay que temernos como temía yo que el arma sublime de Fernando me fuera a desbaratar mis proyectos, en los que necesitaba a Perla. Temía que Fernando la enloqueciera con su juventud, precisamente a ella que en su juventud no pudo, o no quiso, disfrutar del hombre que tuvo. Creo que el efecto seductor de Fernando no se ha apagado en ella, que todavía lo añora o al menos extraña el sexo codicioso de Fernando. Lo digo porque Anabel acaba de entrar, sin tocar, al cuarto de Perla para decirle te necesitan afuera, y Perla, que estaba dormida, había llorado toda la noche y sólo en la mañana pudo pescar un poco de sueño, le dijo entre dormida y despierta ¿cuándo vas a aprender que hay que tocar antes de entrar? ¿Qué tal que hubiera estado aquí en pelota con alguien? Yo pienso que ese alguien todavía es Fernando.

—¿Vos? —le dice Anabel, aguantándose la risa.

—¿Quién me busca? —pregunta Perla.

—Clémenti.

Perla queda sentada en la cama y, de un brinco, va a dar frente a Anabel, le advierte con ira: no lo dejés entrar. Tiene los ojos rojos y abultados, el pelo enredado de insomnio y una marca de la almohada le cruza la cara.

—Ya está adentro —dice Anabel.

Perla la coge a golpes y Anabel se protege contra la pared. Malparida, malparida, le dice Perla, esta misma tarde te devolvés para Medellín. Anabel trata de explicarle: cómo no lo iba a dejar entrar si vino con la policía. Perla enmudece, se pone tan blanca como su piyama, tambalea hasta la mesa de noche y me toma en un portarretrato: yo, en blanco y negro, en primer plano y con unas gafas Gucci. Ay, Vidal, llora contra mí. Anabel se queda quieta viéndola sollozar, a ratos se conmueve con el dolor de Perla, que corta en seco el llanto. Le pregunta:

—¿Y vos cómo sabés que es la policía? ¿Están uniformados?

—No, pero el hombre me dijo «*je suis la police*», o algo así.

—¿De dónde sacaste eso? —pregunta Perla.

—Dayessi, que se mantiene escapándosele a la ley.

Perla me devuelve a la mesa de noche, busca su bata y se la pone, va al vestier y se sube en sus tacones, tan altos que una vez le dije el día que te caigás van a decir que caíste desde un zapato. Perla no se mira al espejo ni se compone el pelo, ni se echa labial. Así, en bata de noche y entaconada, sale muy derecha a recibir la visita.

—Vamos a ver qué quieren esos hijueputas —dice.

En la sala, apoltronados, encuentra a Clémenti y a otro hombre, joven y elegante, que se pone de pie. Clémenti se queda sentado, lleva una chaqueta verde limón y pantalones de cuadros. Nunca entendimos por qué se vestía con ropa llamativa si lo único que lograba era resaltar la deformidad de su cara.

—¿Qué están haciendo aquí? —pregunta Perla.

—El señor es de la policía judicial —dice Clémenti, señalando al otro.

—Ya lo sé —dice Perla—. Se le nota en la ropa.

—Madame —dice el agente—, traigo una orden de exhumación.

—¿Y eso qué es? —pregunta Perla.

—Una orden para desenterrar el cuerpo del conde Adolphe de Cressay.

—Váyanse de mi casa —ordena Perla, señalando la puerta.

—Señora —insiste el agente—, no dificulte nuestra labor, colabórenos con su firma.

El agente le extiende un documento que ella ni se digna mirar. Se le sube el calor a la cabeza y roja de la rabia les dice en español:

—Que lo firme su puta madre.

El agente le hace saber que no ha entendido, entonces Perla le repite en francés:

—Que lo firme su puta madre y la puta madre de este sobrado de tigre —y señala a Clémenti, que brinca de la silla y protesta:

—¡Guepardo!

—A mí me da igual —dice Perla—, si fue un gato, un tigre o un león. Cualquier animal que haya sido habrá tenido sus razones para dejarlo así.

El agente estira un brazo para detener a Clémenti, que se ha lanzado contra Perla.

—Calmémonos —pide el agente, y en tono sosegado, dice—: madame, firme, por favor; si no lo hace está obstruyendo la labor de la justicia y puede haber más problemas.

Perla va a la puerta y la abre. Ustedes también me están estorbando, les dice; váyanse.

—Nos obliga a ser más estrictos —dice el agente.

—Váyanse.

Los dos hombres se miran, el agente hace gesto de salir. Que tenga un buen día, madame, le dice a Perla.

—*Usurpatrice* —le dice Clémenti, entre dientes, cuando pasa junto a ella.

—Maricón —le dice Perla, y tira la puerta con fuerza.

Envuelta en llamas, enceguecida, con los brazos estirados hacia delante como si caminara sonámbula, vacila hasta la silla más próxima, y en el trayecto, casi asfixiada, llama a Anabel, que ha presenciado toda la escena, previendo lo peor.

—¿Dónde estás, Anabel?

Se deja caer desde su pequeña estatura en la poltrona, echa la cabeza hacia atrás. Con los ojos cerrados y entre resoplidos, le pide a Anabel:

—Traeme un aguardiente.

—Se acabó —dice la otra, esperando, ahora sí, lo peor de lo peor. Sin embargo, Perla no dice nada, toma aire con fuerza y lo bota lentamente, así tres veces más. Luego dice Anabel, llamá a Medellín y contales que aquí me están matando, que primero se me llevaron a Vidal y ahora se quieren deshacer de mí, contales eso. Lo dice despacio con un hilito de voz, tan bajito que Anabel no la oye, porque, además, está mirando entre las botellas de trago lo que pueda haber.

—Hay volka —le dice.

—Vodka, animal, vodka —le corrige Perla.

—Eso.

Perla le pide que le sirva un vaso, Anabel le pide que le explique lo que pasó, porque solamente entendí las groserías que les dijiste. Perla le cuenta que quieren desenterrar al conde y Anabel se da la bendición, le pregunta ¿por qué?, y Perla le dice porque son unos malpensados.

Llora el resto de mañana, un rato en su cuarto, otro en la cocina, a veces en la sala donde aprovecha para echarse un trago más. También llora junto a la ventana. Anabel aparece ensopada.

—¿Dónde estabas? —le pregunta Perla.

—Afuera.

—¿Con la ecuatoriana?

—Sola —dice Anabel—. Fui al parque y me agarró el agua.

Perla supone que estaba con las palomas, y es verdad. De cuando en cuando se escapa para llevarles migas, le gusta sentirlas en los hombros, en los brazos y en la cabeza.

—Abajo hay un perro más mojado que yo —dice Anabel.

—Y yo qué puedo hacer —dice Perla, con desaire.

—Está en la calle.

—¿Y?

Anabel se va a su cuarto a ponerse ropa seca; alcanza a oír a Perla que le dice:

—Vení tomate un trago para que te calentés —y añade—: estoy con Vidal, aquí en la sala.

Sigo tan presente en Perla que de verdad parece que estoy ahí. Ahí está Perla tratando de recortar una foto pero los tragos no dejan que las tijeras sigan el borde de la figura, se recorta a ella misma en una foto joven para ponerse junto a mí. Ahí está la Mudita, en la peluquería, haciéndole el champú a una mujer que se acaba de tinturar; a dos metros está Flávia, esperando con el secador en la mano, pensando en José Roberto, sin saber que él anda desnudo en un baño turco, pensando en mí. Está Anabel pensando en el perro que se moja afuera, está Pablo Santiago, muchos años atrás, pidiendo permiso a los padres de Libia para sacarla de la casa, sólo por un rato; quiere mostrarle algo.

Me preguntan que a dónde me vas a llevar, le dijo Libia, todavía detrás de la ventana. Es una sorpresa, le dijo, con emoción, Pablo Santiago. Que si estás descalzo o calzado, preguntó Libia y Pablo Santiago levantó el pie hasta los barrotes para mostrarle que tenía zapatos. ¡Calzado!, gritó Libia y, desde adentro, su mamá le pidió que no gritara. Le dieron media hora para que fuera y volviera, y que además los acompañaría la criada, la única que tenían, que sacrificarían los quehaceres por darle gusto a Libia, y que entonces ella les diera gusto a ellos: media hora, ni un minuto más. Suficiente, le susurró Pablo Santiago.

Por la calle iban los tres. La criada a un lado con instrucciones de estar atenta a las manos de ellos y a cualquier movimiento fuera de lo normal. Libia nunca había estado tan pegada a él, tanto que le descubrió algo nuevo, le dijo: Pablo Santiago, vos tenés la boca azul. Él se pasó la mano por los labios pero ella le aclaró: adentro, la tenés azul por dentro. Él se alarmó pero no se lo dijo, suponía lo que le estaba pasando: tenía mercurio en la sangre, se estaba contaminando con el humo de la amalgama cuando separaba el oro de la veta.

(—¿Cómo se llamaba la criada de tu mamá?

—Ay, vos sí me preguntás unas cosas… yo qué me voy a acordar, yo ni la conocí. Además, creo que tenía varias. O yo no sé si eran criadas o qué. A lo mejor eran las hermanas

35

de mi abuela porque mamá se fue a vivir con ellas, a los seis años, cuando se le murió su mamá, mi abuela. No me atosigués con preguntas que yo no había nacido).

Iban llegando los tres cuando Pablo Santiago le pidió a Libia que cerrara los ojos. ¿Y cómo camino? Yo te llevo, le dijo él, mirando a la sirvienta que carraspeaba incómoda. Libia los cerró y extendió la mano para que él se la tomara, le pidió que no la dejara caer. La criada iba a decir algo pero Pablo Santiago la atajó a tiempo con tres monedas que apretó contra la mano de ella para que no sonaran. Ya vamos llegando, no los abrás todavía, no me hagás trampa, dijo él. Libia sintió que se salían del camino porque caminaban sobre hierba alta. Caminó varios metros diciendo tonterías que le dictaban sus nervios, no sólo por lo ciega sino por la mano que la guiaba, que la apretaba con la confianza de un hombre en el que se puede creer.

Los tres se detuvieron y Libia preguntó ¿ya? Él le dijo abrilos despacio para que la luz no te moleste. Libia los abrió rápido y a pesar de la incandescencia vio el corral pero no vio la vaca. Volteó a mirar a Pablo Santiago y lo vio mirándola, sonriente; él le preguntó ¿qué te parece?, y señaló una vaca tan tiesa y tan flaca que parecía de madera, tan distinta de lo que pudiera ser una vaca que ella le preguntó ¿qué es? Una vaca, dijo él. Y tan quieta que ella insistió ¿está viva? Por suerte unas moscas le hicieron mover la cola, y Pablo Santiago respondió viva y coleando.

Los tres la observaron embobados, esperando que hiciera otra gracia, Libia esperando a que le diera otra prueba de vida. Pablo Santiago le dijo ahora soy ganadero, y Libia rompió la magia con su risa. Tuvo que aclararle no me estoy burlando. Y cuando pudo dominar la carcajada, dijo es que no parece vaca ni parece nada. Para terminar de embarrarla, a la criada le dio por opinar: además para ser ganadero hay que tener muchas vacas y aquí hay sólo una que a duras penas… ¡Floralba!, le gritó Libia con un gesto violento, y para tratar de sacar la pata que había metido la criada, dijo está muy bella tu primera vaca.

(—Rosalba —me dice—, creo que se llamaba Rosalba.
—¿Quién? —le pregunto.
—La sirvienta de mamá).

Regresaron callados, aunque Libia trató varias veces de poner algún tema. La criada venía más atrás, regañada y achantada, sin importarle ya que se tomaran de la mano o que se juntaran más de lo permitido, que es lo que Libia habría querido aunque a él ni se le ocurrió hacerlo, al menos ese día. Frente a la puerta de la casa, ya solos y sin la criada, Pablo Santiago le dijo a Libia el lote no es mío, me lo alquilan por nada para que la vaca coma, pero te juro que muy pronto esa tierrita será mía y no le cabrán los animales. Libia le dijo yo sé, más con el corazón que con la boca, con el convencimiento que le despertaban sus deseos de veinteañera frente a un hombre con coraje. Él se reafirmaba en su decisión mientras hacía justicia propia repartiendo el oro de la mina Berlín: mucho para ellos, algo para mí. También temía que no fuera a estar preparado para lo que se veía venir. El malestar comenzaba a sentirse en cada esquina, algo que todavía no tenía nombre pero que traía un hedor a muerte, muerte por montones y sin razón. El monstruo desbocado que se alistaba para acabar con medio país.

3

Después de cerrar, cuando las sillas estaban patas arriba sobre las mesas, cuando ya habían limpiado los regueros del piso, las colillas, el vómito y el pantano, y el Gran Salón Versalles estaba sin borrachos y sin putas, Perla aprovechaba la soledad y lo caminaba de pared a pared con desgana y nostalgia anticipada, velando lo que iba a dejar para cambiar por París.

A veces bajaba un taburete y se sentaba sola entre las mesas. El ambiente todavía cargaba la humedad y el sudor de hombres y mujeres que habían distraído allí lo que todos queremos olvidar: que nos vamos a morir. Ahí se quedaba ella hasta el amanecer. A veces sacaba media botella de la barra y no se levantaba hasta no verle el fondo. Casi siempre, al rato, aparecía Fernando desnudo con una erección de perchero. Le preguntaba a Perla:

—¿Me necesitás?

Por esos días ella no quería pensar en su cuerpo ni en el de él. Pensaba en mí, en su viaje y en la incertidumbre. A Fernando lo despachaba con un dejame sola, o si estaba de mejor humor le decía ahora voy. Pero no iba, no estaba para eso y dejaba a Fernando hecho una sopa en su cama, queriéndose solo, él con él.

—Fernando —le decía ella a veces—. Sos muy hermoso, Fernando —pero no le permitía acercarse. Se lo decía de lejos, contemplando el tono violeta que le daba el amanecer a su desnudez.

No fue como al principio, recién llegada a Puerto Berrío, cuando quedó hechizada por ese muchacho que apareció en el estadero, bar y bailadero, y le dijo con voz de rufián yo quiero trabajar aquí, señora. Ella le respondió con coquetería no me digás "señora" que me hacés sentir como tu mamá. Él le alegó: usted todavía no tiene edad para ser mi mamá. Menos mal, dijo Perla. Menos mal, dijo Fernando, porque quién podría resistirse con una mamá como usted. Esa noche se acostaron por primera vez, y mientras Perla negociaba, compraba, vendía, demolía y pintaba el nuevo Gran Salón Versalles, mientras el lugar crecía, y antes de que yo la llamara a decirle que ya se podía venir conmigo a París, ella y Fernando desfondaban cada noche la cama, Perla rescatando la pasión a sus cincuenta y tantos, y Fernando en el estruendo de sus veinticinco.

Sola y sentada entre mesas vacías y olor a humo y a alcohol, no sabía si mi propuesta era una oportunidad o una complicación. Cada frase mía le retumbaba en los amaneceres solitarios en el Versalles, entre el cansancio, el miedo y la borrachera. Y la presión de un hombre que la esperaba desnudo en el cuarto, pensando que si ella se le iba, también se le iría su única oportunidad. Y mientras Fernando trataba de retenerla cada noche con su ¿me necesitás?, yo la llamaba con insistencia para decirle Perla, yo te necesito acá.

—Por qué no me das un placito, Vidal. Todavía tengo muchas cosas pendientes.

Me había prometido que vendría después de Navidad y todavía andaba muy oronda en Puerto Berrío. Ni siquiera había ido a Medellín a recoger el tiquete y a despedirse de Libia, que estaba achacosa y enferma, víctima de su propio veneno, muriéndose de a poquitos, por amarrada y por viciosa.

—¿Qué voy a hacer con mi negocio, Vidal? Va lo más de bien.

—Que lo maneje Fernando —le propuse.

—¿Ese? —exclamó Perla—. Ese es un irresponsable.

Yo comenzaba a perder la paciencia. Perla estaba estropeándome el trabajo cuidadoso y difícil que yo hacía, y que sin ella no habría tenido sentido. Cuando la llamé para darle el ultimátum le hablé como pocas veces lo había hecho, pero yo no estaba dispuesto a desperdiciar mis logros. Le dije tenés una reserva para el próximo lunes. ¿Para cuán…? Para el próximo lunes. Está a tu nombre. Podés reclamar el tiquete en el mismo aeropuerto. Vas a volar primero de Medellín a Bogotá y allá cogés otro avión para París. Yo te espero aquí en el aeropuerto. Se quedó en silencio. Ni siquiera la oía respirar, le pregunté ¿estás ahí?, y me respondió con un sí consentido, bajito y vengativo que adornó con una sorbida de mocos para hacerme creer que estaba llorando. O tal vez sí lloró. Le pregunté ¿entendiste?, y de repente apareció la Perla altanera de siempre:

—Sí, sí, cabrón, sí entendí. ¿O es que creés que yo soy boba?

Al fondo sonó una quebrazón que me hizo pensar que Perla estaba descargando su rabia contra el Gran Salón Versalles, y que lo hacía a través del teléfono para echarme la culpa.

—¿Qué pasó? —le pregunté.

—Nada —contestó—. El marica de la barra dejó caer otra vez las botellas.

Oí que empezó a dar órdenes y a insultar. Después sonó una detonación de música bailable y ella ordenó que la apagaran. Era Perla en su mundo, cuya intensidad ella dominaba. Yo le dije te llamo el domingo, y ella siguió en lo suyo: ¿quién dejó esa toalla en la mesa?, no caminés descalza que te cortás, te voy a descontar las botellas del sueldo, maricón.

—Perla —le dije—, te llamo este domingo.

—Vidal —me dijo, pero dio otra orden y soltó otro insulto. Después de un silencio breve, añadió—: Vidal, no me vas a regañar si me ves más gorda.

Esa noche bebió hasta el mediodía siguiente. Peleó con Fernando a los puños y luego se reconciliaron. Me quería comer a la fuerza, dijo, y yo a la fuerza no hago nada. Lo dijo aludiendo a la forma como me la traje a París, aunque después siempre dijo que se había venido para estar junto a mí.

Los días antes del viaje fueron así. Cada noche emborrachó su despedida y la de los demás, porque todos se irían también cuando cerrara el Versalles. Tanteó a Fernando a ver si era capaz de seguir con el negocio, pero él tuvo el desacierto de decirle claro que puedo, pero me tenés que mandar mensualmente lo del arriendo del local.

Perla se lo quitó de encima de un empujón. Le dijo conchudo, y lo sacó de la cama con los pies. ¿Por qué será que siempre doy con hombres como vos?, preguntó mientras se adueñaba de toda la cama. Fernando buscó herido la mirada de ella, bajó su mano del abdomen al pene y le dijo dudo de que hayás tenido mejores que yo. Ella eructó aguardiente, y mientras se dejaba llevar por el sueño, se dijo a sí misma: ojalá que Vidal no me vaya a salir también con un chorro de babas.

Todavía le cuesta dormirse de noche. Con mucho esfuerzo y trago consigue un poco de sueño en la madrugada, y a veces logra dormir hasta tarde. En cambio Anabel se despierta siempre temprano con afán de ordenar y limpiar, y cuando nota que Perla sigue acostada suelta siempre la misma cantaleta: a esta casa se la llevó el diablo, aquí no hay Dios ni ley, la dueña se la pasa borracha o dormida, y esa misma gracia la podía hacer en Medellín, acompañada y en su idioma, con mejor clima, y hasta puede hacerle a Vidal un altar más grande que el que tiene aquí porque en Colombia hay más santos que en Francia y más flores y más de todo. Hoy lo repite mientras toma unos frascos de medicina que encuentra en la cocina, unos medio vacíos y otros llenos de pastillas. Anabel se pregunta ¿y esto?, ¿estos frascos?, ¿esto qué es?

—¿Quién anda ahí? —grita Perla desde su cuarto.

—¿Quién más va a ser? —le contesta Anabel.

Perla se asoma en piyama. Con el sueño todavía encima y con voz ronca de recién despertada, le pregunta:

—¿Con quién estabas hablando?

—Será con Dios —dice Anabel—, que es el único que me oye.

—¿Qué horas son? —pregunta Perla.

—¿Aquí o en Medellín? —pregunta Anabel.

Perla abre los brazos y los apoya en el marco de la puerta de la cocina. Es tan pequeña que cuando está descalza a duras penas sobrepasa la mitad de lo que mide una puerta.

—¿Dónde estamos, Anabel?

—Donde no debíamos estar.

—Ah, qué bien —dice Perla. Camina hasta ponerse frente al reloj de la pared, y mientras llega le dice a Anabel—: eso está muy bien. Afortunadamente desde chiquita me enseñaron a leer la hora y no te necesito a vos para saber qué putas horas son. Las once. Muy bien —dice y se da vuelta—. Cuando querás, Anabel, te podés ir para donde vos creés que debías estar.

—Por ahora voy a irme con Dayessi —dice Anabel—. Me va a mostrar el túnel donde mataron a lady Di.

Perla busca una butaca para sentarse, para subirse. Se sienta, cruza las piernas y se acomoda la piyama.

—¿Y esa es que no trabaja?

—Los patrones están de viaje —le cuenta Anabel—. Como ellos sí saben para qué es la plata… ¿Querés café?

Desayuna café negro con cigarrillo, nada más. Desde que me ausenté, Perla apenas come. Ni siquiera cuando le toca aceptar una invitación a cenar, que han sido muy pocas desde entonces. Cuando le ponen un plato al frente hurga la comida con el tenedor, da dos bocados, elogia y después se hace la tonta para no comer más. Con disimulo pide un trago fuerte pero que sea transparente, como el agua.

—Ah —dice Anabel, y se va por una bolsa que tiene sobre el poyo. Antes de abrirla le pregunta a Perla—: mirá esto, ¿de dónde salió? ¿Vos sabés qué es esto?

Perla mira boquiabierta el interior de la bolsa. Adentro están los medicamentos que me iba a tomar con la esperanza del milagro, o al menos con la ilusión de que me ayudaran a bien morir. Perla mira el fondo de la bolsa y se lleva las manos a la boca para retener un grito. Pero con manos y todo vocifera:

—¡Esto es una señal! ¡Vidal está enfermo, Anabel!

—¿Cuál señal?

—¿Vos lo viste? —le pregunta Perla—. ¿Vos hablaste con él, malparida?

Perla sacude a Anabel con fuerza como si quisiera desprenderle las palabras, pero Anabel no entiende nada, no tiene nada que decir. Perla le arrebata la bolsa y la aprieta contra el pecho. Grita y llora ¡está enfermo, Vidal está enfermo! Se agita abrazada a los remedios como si alguien se los fuera a quitar. Anabel se imagina lo que puede pasar y da cuatro pasos para atrás. Perla riega el contenido de la bolsa sobre el mesón y, fuera de sí, empieza a abrir los frascos. Saca varias pastillas y se las echa a la boca, las mastica sin dejar de llorar, sin importarle si lo que toma es didadosina, efavinez, ritonavir o una simple e inofensiva aspirina.

—¡¿Qué estás haciendo, Perla?! —le grita Anabel—. ¡Estás igual a tu mamá!

Lo dice por la manía de Libia de tomarse las medicinas a punto de vencerse. Es un crimen botar todas estas pastillas si todavía sirven, decía Libia, y se las tragaba sin mirar para qué eran. Sólo le ponía atención a la fecha de vencimiento.

Anabel se abalanza sobre el reguero de frascos para quitárselos a Perla, que sigue frenética tomándose lo que empuña. Perla golpea a Anabel y Anabel se defiende e intenta apoderarse de los remedios. De tanto golpe y tanto estrujón las dos van a dar al piso junto con la taza de café. Entre gritos e insultos se revuelcan las dos en el suelo sobre el café derramado, entre los añicos del pocillo, los frascos y las pastillas, dobladas por la ira y el desespero en una pelea que termina por perder su razón de ser, porque ya no hay disputa por las drogas sino puños y arañazos de parte y parte, y un lloriqueo contagioso de las dos que se interrumpe cuando Perla empieza a vomitar.

De la pelotera no queda sino un silencio pesado que se rompe con cada rugido de Perla, devolviendo todas las porquerías que se tragó. Las dos siguen en el piso, inmundas y aterradas, una por lo que expulsa y la otra por lo que ve salir. Perla se va desmadejando despacio hasta que termina de extenderse, lívida, mirando al techo con los ojos blanqueados. Anabel se arrastra hasta tenerla cerca. Le parece que Perla bota espuma por la boca.

—¿Te vas a morir? —le pregunta Anabel.

—Ojalá —responde Perla. Ladea la cabeza y arroja otro chorro inmundo.

—¿Querés que te ayude a parar?

—No —dice Perla, más blanca que la baldosa—. Dejame un rato aquí.

Anabel trata de ponerse de pie. Patina en algo pero prefiere no saber qué es. Se para al segundo intento y mira a Perla desde arriba. Estás vuelta mierda, le dice, andá bañate. Perla sólo sacude la mano como diciéndole dejame en paz.

Anabel va a lavarse y a buscar una escoba y un trapero para limpiar. Cuando regresa, no encuentra a Perla; sin embargo, ve que un rastro del reguero sale de la cocina al pasillo. Con la diligencia que aprendió desde niña a pesar de los reniegos, con la misma voluntad asimilada a la brava con su familia adoptiva, por la fuerza de la costumbre de limpiar y obedecer para ganarse el lugar que le impusieron, con esa misma destreza adquirida limpió el dolor y la ira de Perla, convertidas esa mañana en quebrazón y vómito. Apenas termina va a

44

cambiarse de ropa, se viste de negro para la ocasión. Disimula su pobreza con un abrigo viejo que le pasó Perla cuando Anabel llegó a París. Va a buscarla y la encuentra en su cuarto, echada en la cama, de medio lado.

—Perla —la llama Anabel.

—Dejame tranquila —dice Perla, sin voltearse a mirar.

—Me voy. Necesito plata.

—¿Para qué?

—Para comprarle flores a la difunta —dice Anabel.

—¿Cuál difunta? —pregunta Perla, sin ganas.

—La que mataron. La lady Di.

Perla trata de incorporarse pero a duras penas se ladea para mirar a Anabel.

—A esa nadie la mató —le dice—. Esa se murió por boba.

Perla le da la espalda otra vez. Se arropa con la colcha y saca el brazo para señalar la cartera encima del televisor. Le dice:

—Comprá flores para todos. Para la tonta esa y para Vidal. Hay que ponerle más flores en el cuarto.

Anabel sale feliz a encontrarse con Dayessi.

Cuando Dayessi vivía en Otavalo, con su familia, dormía sobre una estera en el piso. Cuando se vino a Francia vivió al comienzo en el Quartier Latin con otros indígenas, hacinados en un cuarto, durmiendo sobre un colchón. Con los Villeret, ahora, tiene una cama mullida, un cuarto propio con baño, televisión satelital, la nevera siempre llena, calefacción, teléfono, todo a cambio de ser criada, de servir, limpiar y hacer lo que los ricos no quieren seguir haciendo.

—Yo hago lo mismo y no me dan nada —dice Anabel.

Por más que Pablo Santiago le dijo con cariño cuando era niña: vos no sos una sirvienta, Anabel, ella no quiso ir a la escuela y prefirió refugiarse en la cocina, así no sirviera ni la obligaran a cocinar. Se arrinconaba con la talega que había traído cuando llegó, y sacaba, miraba y volvía a meter lo poco que guardaba: dos vestiditos de tierra caliente, un recorte de revista con la foto de un hombre que anunciaba una loción, un cuaderno y medio lápiz, y un radio pequeño sin pilas que ella, inútilmente, trataba de prender. Libia le había insistido varias veces que guardara sus vestidos en el ropero pero Anabel negaba con la cabeza, agarrada a la bolsa, con toda la desconfianza desorbitada en los ojos. Pablo Santiago le prometió si vas a la escuela te compro pilas para tu radio, y ella con dos lagrimones contestó otra vez que no. Libia trató de llevarla a la fuerza, tiró de ella, intentó alzarla, pero Anabel se aferró con los pies a una pata de la mesa. Libia entendió que si quería llevarla tendría que arrastrarla con mesa y todo. De todas maneras, Pablo Santiago regresó esa noche con un par de pilas y sin pedir nada a cambio se las entregó. Él mismo las puso en el radio. Anabel se estremeció apenas oyó el ruido de una voz mal sintonizada. Cuando todos se fueron a acostar, Perla armó una pataleta porque el radio de Anabel no la dejaba dormir. Más que el desvelo la mortificaba la atención que ponían a la otra, y hablando en nombre de sus hermanas, le pidió a su mamá que sacara a Anabel de la casa. Dijo: es pobre, y Libia afirmó nosotros también. Perla enfatizó: pero ella es más pobre, entonces Libia cambió el tono y le dijo ojalá, mocosa, algún día no te lamentés de tus palabras. Y le puntualizó que Anabel se quedaba porque eran órdenes de Pablo Santiago y exigió que sobre ese tema no se hablara más.

Fue Libia, entonces, la que no pudo dormir esa noche por el malestar de no haber sido honesta. A ella también le molestaba la niña aparecida. Desconocía su origen, su vínculo con el marido y además tenía que ingeniárselas para que a todos les alcanzara de todo. Y en verdad Anabel era distinta, más morena y sucia, mucho mayor que las otras, mucha más retraída, más olorosa, más, más... Libia sintió que tenía que decirlo, se dio la bendición y lo dijo: más pobre.

(—Decime la verdad —le pido—, ¿estabas celosa de Anabel, o no?

46

—¿De esa? —me responde con altanería—. ¡Qué tal! Esa es una tramposa que siempre quiso hacerse pasar por hija de papá.

—Pero ella decía que su papá era el de la foto de la revista.

—Por despistar —dice—. A los de la casa les decía que su papá era el de la revista, y a los de afuera les decía que su papá era papá. ¿Vos has visto al de la foto? Es un modelo, es imposible que fuera algo de Anabel. Claro que tampoco es nada de papá ni de nosotras.

—Pero Pablo Santiago la llevó a la casa —le digo.

—Mentiras —dice—. A ella la llevó un cura).

Dayessi podría ser su hija. Está entre los treinta y cinco y treinta y ocho, y no quiere llegar soltera a los cuarenta, por eso siempre sale arreglada y vestida para pescar a algún francés. Se me arreglaría la vida como mujer y como inmigrante, dice Dayessi, con malicia indígena. Se sube en tacones altos que apenas la ponen media cabeza arriba de Anabel, pero no alcanzan a limarle su figura de india rechoncha, alimentada a punta de cuy, fríjol y maíz.

—Si te casás con un francés te toca quedarte a vivir aquí —le dice Anabel.

—*Mais oui* —le contesta Dayessi.

Anabel resopla y niega con la cabeza: si es así, prefiero morirme sin conocer varón. ¿Tú no...?, intenta preguntar Dayessi. Yo nada, confirma Anabel. La ecuatoriana la mira con horror. Luego con lástima le dice:

—Si yo conozco a algún francés, le digo que tú eres mi mamá.

Anabel se entusiasma y le propone:

—¿Y podemos adoptar el perrito que siempre está afuera del edificio?

—¿El que parece un pescado? —pregunta Dayessi.

—Ese —contesta Anabel y se queda pensando en lo que dijo la otra. Entonces añade—: se llama Tiburón.

—¿Cómo lo sabes si no tiene dueño?

—Ya tiene —dice Anabel y se señala con el dedo en el pecho.

—Es muy raro que haya un perro callejero en el barrio —comenta Dayessi—. Un día de éstos se lo llevan para la perrera municipal.

Anabel siente que el mundo se le viene abajo, pero se olvida del perro, de la perrera y de todo lo demás. El mundo se le vuelve a subir apenas ve que Dayessi le señala a lo lejos la antorcha que se convirtió en el monumento a lady Di. No fue hecha para ella pero como queda sobre el túnel donde murió, la gente viene hasta la antorcha a dejarle flores y a llorar a la princesa que expiró reventada contra el muro.

Yo también lloré a lady Di. Se parecía mucho a mí, me identificaba con ella. Algo tuvo que ver el amor en nuestras vidas y mucho en nuestras muertes. Los dos entramos adonde no pertenecíamos y algo logramos pellizcarle a ese mundo de fábula que finalmente nos decepcionó. A ella le llegó por sorpresa la muerte que buscó tanto. No murió de hambre como tantas veces lo quiso, sino en un impacto que seguramente no alcanzó a entender. Se habrá visto bastante confundida para comprender en segundos qué hacían unos hierros atravesándole el cuerpo o la sangre y los dientes sueltos en la boca, negándole la respiración. A mí, en cambio, me anunciaron la muerte sin tanto espectáculo. Ya lo dije, nunca me dijeron te vas a morir, incluso me dijeron que hasta podía no morir, que la ciencia avanza a gran velocidad. Tampoco quisieron engañarme: podrían ser meses, algunos años, todo depende, en fin, cuando a la muerte le diera la gana.

El golpe de la noticia que me dieron los médicos tiene el peso de lo que vio la princesa despachurrada, si es que alcanzó a verse. Sólo que ella no tuvo que asimilarlo, ni sufrirlo ni soportarlo porque murió antes de que empezara su tragedia.

Yo tuve que caminar la noticia y emborracharla, llorarla, gritarla y putearla por las calles de París, antes de que tuviera el valor de compartirla con quienes la sentirían igual o más que yo. Serían Perla y la Mudita, sobre todo. Los otros que me querían ya están muertos: milord y Suzanne. En Medellín quedaba Libia en la casona del centro, también muriéndose. De ella ya no quedaba ni un pizca de lo que fue antes. Ni siquiera su soberbia, ni la figura espléndida que enamoró a Pablo Santiago, el primero que murió en esta cadena de recuerdos. Yo no alcancé a conocerlo, pero sí me contaron la forma como comenzó a volverse rico.

Dicen que el negocio fue más o menos así: que engordó una vaca que tenía y pudo sacarle leche. Con lo que recogió y con la vaca como parte de pago compró otra vaca con ternera. Con la leche, con el oro que pegaba al chicle, canjeando quién sabe cómo una vaca gorda por dos flacas, con paciencia, con devoción, Pablo Santiago logró llenar el corral y comprarlo. Cada vez que aumentaba la vacada, llevaba a Libia para que viera su progreso. Con confianza le decía cada animal pesa el amor que siento por vos. Libia se ponía colorada, ya no le quedaba fácil disimular lo que sentía por él. Se lo aguantó tan poco que una tarde de regreso, sin la criada, le dijo a Pablo Santiago cuando querás podés hablar con mi familia. Él no entendió, y ella, más colorada, le explicó ya me podés sacar, Pablo Santiago, ya me podés pedir.

Vendió dos vacas, otra la cambió por licor para la fiesta. Buscó una casa, se compró un traje para el matrimonio, compró argollas, se compró un sombrero. A Libia le compró un tocador y él se compró una pipa, a pesar de que no sabía fumar.

No pudo sentirse mejor que cuando vio a Libia entrando a la iglesia y cuando la oyó decir sí, a pesar de que tenía cara de estar diciendo no. Todo iba bien, como se suponía; pensaba que después de tanto esfuerzo todo debería salir bien. Sin embargo, el día del matrimonio no lo iba a recordar sólo por las fotos sino también por un malestar general que ya venía acuartelándose en Yarumal. Se sentía entre los invitados y fue avivado a punzones por Miguel Ángel Builes, obispo de Santa Rosa de Osos, muy cercano a la familia de Libia. Monseñor Builes, a quien el diablo tenga en su gloria, fue quien ofició la ceremonia y, aprovechando que los conservadores habían retomado el poder, gritó desde el atrio, en plena boda, que el partido liberal era el partido del pecado, que era sustancial e intrínsecamente malo. Así se lo dijo a los asistentes, que se miraron perplejos por el veneno de monseñor y porque casi ninguno sabía lo que "intrínsecamente" significaba.

Y en la fiesta fue lo mismo: más ponzoña de monseñor en voz alta, que ni siquiera quiso tomar vino de consagrar porque le parecía muy rojo. Alguien que sí se había tomado unas copitas comentó pues entonces que monseñor brinde con azul de metileno. Eso fue suficiente, aunque hubo algunos aplausos tímidos. Builes se paró y se fue a pesar de los ruegos de la familia y de la gente de bien. Salió tan rápido como si fuera a cobrar diezmos, pero cuando llegó a la puerta se devolvió y se le acercó a la mamá de Libia para pedirle que le envolviera, para llevar, un pedazo de la torta de matrimonio.

Algunos invitados se fueron detrás de monseñor y otros se quedaron hasta que duró el trago. El tema de los que se fueron y de los que se quedaron fue el mismo: la tensión de algo que se veía venir, algo irracional porque venía untado de violencia, imbécil porque tenía su origen en la política, cruel porque en ello había metido la mano la religión.

Sólo un hombre parecía ajeno a la realidad: Pablo Santiago, que con el paso de las horas veía llegar el momento de meterse a la cama con su primera y única mujer. Libia se metería virgen entre las sábanas. Virgen de cuerpo, de alma, de mente, de todo lo que se puede ser virginal. Ella creía que un beso era el punto máximo de la pasión, y aunque sospechaba que para tener hijos necesitaría a su marido, no sabía por dónde lo iba a necesitar. No sabía nada de nada. No le habían explicado ni contado lo que tenía que hacer. Nadie tuvo la delicadeza de decirle que a veces el hombre y la mujer se vuelven bestias para comerse uno al otro. Nadie le informó que esa noche iba a encontrarse con un hombre armado con un puñal feroz y que él la iba a herir por amor. Libia, que no sabía nada, lo poco que entendería lo iba a relacionar con la culpa y la inmundicia, y desde entonces dejaría de ser la que siempre fue para convertirse en la mujer avinagrada que yo conocí.

4

No es como dice Perla: Vidal se me mete en los sueños y me habla. No es así. Qué más quisiéramos que poder hablar con los que ya no están, con los ausentes, con los desaparecidos, con los muertos.

—Me pidió —dice Perla, extasiada— que entrara a su cuarto y buscara en una caja de cartón que había arriba en el armario. Me dijo que la abriera porque me tenía una sorpresa.

Así lo hizo. Siguió las órdenes que ella cree que le di mientras dormía.

—Hice lo que me dijo —dice Perla—, y mirá, Anabel, mirá lo que me encontré.

Le muestra la caja abierta y las botellas de aguardiente que hay adentro. Es un milagro, dice mirando a trasluz una botella que tiene en sus manos. En tono de hallazgo, añade: ¿sí ves? Vidal no me abandona, sigue aquí conmigo.

Anabel había bajado un momento a donde Dayessi para hacerle una visita corta, porque casi siempre las interrumpían Perla o madame Villeret con alguna solicitud. Casi siempre alguna de las dos, Anabel o Dayessi, tenía que salir corriendo antes de que las señoras comenzaran a vociferar. A veces apenas tenían tiempo de despedirse. Ahora bajo para que veamos televisión, era algo que Anabel solía decir y Dayessi asentía con una risa muda. Luego cada una se iba a lo suyo, casi siempre contentas, sin entender muy bien qué las unía. Anabel había regresado y encontró mi cuarto abierto, se acercó con curiosidad y vio a Perla metida en el clóset, hurgando por todos los lados. Anabel no le dijo nada y se fue a la cocina. Luego oyó un grito que no entendió y después otro que le sonó como a ¡Dios mío! Salió en carrera para mi cuarto y fue cuando encontró a Perla, temblorosa, diciéndole mirá lo que me encontré.

Quién sabe en qué momento Perla guardó esa caja en mi armario y luego olvidó que la había puesto ahí.

—¿Qué más te dijo Vidal? —le pregunta Anabel, tan pasmada que se tiene que sentar en mi cama.

—No mucho, esta vez —le dice Perla—. Lo importante es que me habla desde donde esté —destapa la botella, se la lleva a la nariz, cierra los ojos, huele con fuerza y exclama—: humm.

—¿Te dijo algo de mí? —pregunta Anabel.

—¿De vos? —le dice Perla y echa un chorrito de aguardiente al piso: una atención para los muertos. Luego añade—: ¿vos creés que Vidal está como para perder el tiempo?

—Los muertos tienen todo el tiempo del mundo —dice Anabel.

Perla bebe un sorbo de la botella, sin dejar de mirar con odio a Anabel. Le dice:

—No me voy a dejar joder de vos, Anabel. Podés gastarte lo poco que te queda de tu maldita vida repitiendo que Vidal está muerto, pero a mí no me vas a joder más.

—Lleva más de seis meses perdido —trata de explicar Anabel—, nadie lo ha visto, nadie sabe de él, no ha dado señales de vida…

—¿Alguna vez te ha hablado un muerto, Anabel? —la interrumpe Perla.

—Nunca —dice Anabel, al tiempo que se da la bendición.

—Nunca te han hablado por la sencilla razón de que los muertos no hablan —dice Perla—. Entonces, Anabel, ¿por qué creés que Vidal me habla en los sueños? ¿Por qué creés que viene y mueve las cosas de su cuarto o deja algo suyo por ahí? ¿Quién creés que es la persona que llama y cuelga sin hablar? ¿Ah? Si hace todo eso es porque está vivo y porque anda por ahí.

Bebe otra vez de la botella. Se saborea y se dice a sí misma, muy bajito: agua bendita. Se relame y le puntualiza a Anabel:

—Vidal no me va a hablar de vos en los sueños, Anabel. Acordate que vos no sos nadie.

Anabel no se molesta. Hace tiempo que no entraba a mi cuarto y mira cada pared como una desconocida. Pasa la mirada por las pinturas y las fotos, por cada detalle que aún permanece como si fuera a regresar más tarde en la noche. El cuarto permanece tan listo y arreglado como el último día que estuve ahí. Anabel me mira en una foto donde guiño el ojo y en otra en la que estoy disfrazado de sátiro, sin camisa y con orejas y cola de chivo. Mira luego a Perla, que sigue pegada de la botella, y le dice:

—Voy por dos copas.

El aroma del aguardiente transporta a Perla a su Gran Salón Versalles. Lo menciona con frecuencia y cuando habla de él le brillan los ojos. No vas a creer que me arrepiento de haberme venido para acá, me decía con frecuencia, pero la del Versalles es una época que recuerdo con cariño. Se quedaba pensando y añadía será porque fue corta. Simplemente siente nostalgia porque ese es su mundo: el sudor, el desorden, los hombres, el trago, la música de parranda, la lista de excesos que la mantenían a flote, distraída de una realidad que esquivaba para que la realidad no se la devorara de la misma manera que se tragaba entera a su mamá, y al esposo que alguna vez tuvo y que deliraba en un asilo, o como se tragó entera a Sandrita. Ese era su mundo y no éste que yo le inventé, en el que tuvo que aprender todo como si fuera una niña que aprende entre pataletas.

Se escondió de mí tres días antes de coger su vuelo a París, como una chiquita que se esconde porque la van a llevar al dentista. La llamé a Puerto Berrío y me contestó Fernando, completamente borracho, y me dijo esa señora ya no vive aquí, ya no hay nada, ni bailadero, ya se fueron todas esas putas. A todo lo que yo le preguntaba él me respondía ya se fueron. Y antes de que me colgara dijo llorando me dejaron aquí solito. La busqué donde Libia, en Medellín, pero ella me contestó algo parecido: andará con las putas, que es donde se siente a gusto.

Apareció la noche antes del viaje, me dijo yo no sé si voy a ser capaz de irme. También dijo que había encontrado a Libia muy enferma, que se había tomado unos antidiarreicos y llevaba cuatro días sin entrar al baño. Me dijo está que no puede, la pobre.

—De "pobre" nada —le dije—. Quién la mandó a tomárselos. Además, ahí está Anabel.

Con paciencia le repetí lo que siempre le decía: es sólo un viaje, después podés volver a visitar a todos, lo importante es que vengás ahora y cuadremos este asunto antes de que se nos dañe. Y luego, paso a paso, las instrucciones del viaje, muy complicadas para alguien que apenas había montado una vez en avión: los tiquetes, el pasaporte y la visa, el equipaje, los aeropuertos. Yo todo se lo había recomendado a una agencia de viajes para que Perla se despreocupara, aunque tuve que ponerla al tanto para que supiera lo que iba a pasar.

—¿Entendiste? —le pregunté.

—¿Tengo tiempo de visitar a Sandrita, por la mañana? —preguntó. De vez en cuando a Perla le daba por visitar a su hija en el cementerio.

—Te toca ir muy temprano y no te podés demorar —le dije.

Al fondo pude oír los lamentos de Libia, seguramente en su esfuerzo por evacuar. O tal vez era su espectáculo para conmover a Perla, aprovechando que hablaba conmigo.

—Mamá no quiere que me vaya.

—Claro —le dije—, si necesita a quién joder.

Como si me hubiera escuchado, Libia gritó más duro.

—Voy a tener que colgar —dijo Perla—. Después hablamos.

—Decile a tu mamá que se meta un dedo en el…

—¡Vidal! —me reprochó Perla.

—Decile que no solamente ayuda a cagar sino que también es delicioso.

La carcajada de Perla opacó los alaridos de Libia, y yo me tranquilicé. Perla se reía y así quería oírla antes de colgar. Así podía decirle sin temor: buen viaje, preciosa.

Libia lloró un mes seguido, y después aún más cuando notó que no le llegaba la regla. Los recién casados se habían ido de luna de miel a Santa Fe de Antioquia, a buscar calorcito, pero el viaje se volvió imposible para los dos. Pablo Santiago tenía que montársele prácticamente a la fuerza, desvestirla a la brava mientras Libia gimoteaba y se enrollaba en sí misma para alejar a su marido. Pablo Santiago intentó explicárselo varias veces y por las buenas: esto lo hace todo el mundo o si no, no habría gente, le decía cariñoso; uno se acostumbra y termina gustándole. No es pecado, Libia, no tiene nada de malo, si hasta está en la Biblia. Pero Libia se hacía un ovillo y ni siquiera abría la boca para responder, temerosa de que él, por la boca, también le metiera lo que insistía en meterle. Sólo dos veces Pablo Santiago pudo lograr lo que quería, cuando ya al amanecer a Libia la cogía el cansancio y entre gemidos y a regañadientes se dejaba querer. A los cinco días cada uno se rindió y se devolvieron para Yarumal.

Pablo Santiago llevó a Libia a consulta pero antes le había pedido al médico que además de revisarla le explicara todo, porque Libia no tenía idea de nada. El médico no tuvo que examinarla para saber lo que tenía. Tiene miedo, señora, le dijo, y sacó sus libros de anatomía y le explicó, pausadamente, lo que sucede a los hombres y a las mujeres cuando empiezan a crecer. Le habló de la pareja y de las leyes de procreación: todos los que estamos aquí vivimos porque se ha perpetuado esa ley. Entonces le mostraba la ilustración de una mujer en estado de gestación, y la de un hombre desnudo que ruborizó a Libia, y aunque no lo dijo, ella habría querido decirle al médico: Pablo Santiago no es así, porque a su marido no lo conocía todavía con la verga flácida. El médico le habló de espermatozoides y de óvulos, de fecundación y de trompas, pero no se atrevió a hablarle del placer, del goce que produce estar a solas con alguien, sin condiciones, sin límites, sin pudor y en pura piel. El médico confió que la convencería con el tono científico y que lo demás llegaría cuando se le fuera el miedo.

Libia trató de balbucir algo sobre su menstruación. El médico lo entendió y antes de entrar en detalles fue a la salita a buscar a Pablo Santiago. Habrá que hacerle los exámenes pertinentes, les dijo a los dos, pero me atrevería a asegurar que la señora está en estado de gravidez. Libia y Pablo Santiago palidecieron. Sólo él sacó fuerzas para preguntar ¿qué tan grave es? El médico sonrió y les dijo nada grave, es sólo un embarazo.

Era el comienzo de Perla y el final de la ingenuidad de Libia. Si Perla comenzaba a formarse, también se formaba la mitad de mi historia, así no hubiera indicios de mí por ese entonces. Creo que lo que siempre le dolió a Libia es que ella, sin saberlo y sin quererlo, fue parte de lo que yo fui, parte de todo esto que no termina, así muera ella y así yo también vaya a morir. Todavía quedará Perla, el punto en común entre Libia y yo. No sé si cuando yo muera podré ver a Perla como la veo desde mi imaginación, si me alegraré también al verla cuando esté contenta como hoy, arreglada y maquillada de la manera que yo le enseñé, diciéndose quiero que la Mudita me vea como cuando Vidal estaba aquí.

No se veían desde que no se supo más de mí, y como la Mudita me quiere tanto como Perla, pues quedaron en verse para conversar. Escogieron un restaurante en Le Marais, muy cerca del salón de belleza donde trabaja la Mudita. El mismo donde yo trabajé cuando llegué a París.

—Voy a salir —le dice Perla a Anabel.

—¿Me llevás? —le pide Anabel.

—No. Voy para un sitio elegante.

Le cuenta que se va a ver con la Mudita.

—¿Qué vas a hacer con esa? —pregunta Anabel, boquiabierta.

—Vamos a hablar —dice Perla—. Y cerrá la boca.

—Pero si es muda.

—Yo le entiendo —dice Perla, y luego pregunta—: ¿vas a salir o me llevo las llaves?... Mejor me las llevo porque con vos nunca se sabe.

Abajo se encuentra con el perro que Anabel quiere, Tiburón, echado en la acera frente a la puerta. Perla le taconea para que le dé paso. Tiburón le gruñe. Perro hijueputa, le dice Perla. Por suerte, nadie la ve ni la oye porque en París es preferible ofender a un humano que a un animal. Perla está de suerte: un taxi pasa y se detiene frente a ella.

Cuando llega, la Mudita ya la está esperando. A medida que Perla se acerca a la mesa, a la Mudita se le llenan los ojos de lágrimas. Perla no puede evitar sobrecogerse también cuando la ve. Cada una me ve en la otra. Se saludan con un solo beso y se abrazan por varios segundos.

—¿Cómo estás, querida? —le pregunta Perla. La Mudita junta las manos contra el corazón.

—Yo también —le dice Perla.

Pide un café con leche y la Mudita hace señas para que le pida un jugo de naranja. ¿Querés un postre, un cruasán, un *gateaux*?, pregunta Perla y la Mudita asiente con entusiasmo, hace otra seña rara que Perla entiende de inmediato. *Gateaux aux chocolate*, le dice al mesero.

—¿Cómo estás? ¿Cómo va tu trabajo?

La Mudita le explica con las manos que están ampliando el local.

—¿Más? —pregunta Perla y la Mudita asiente.

—Tengo que ir para que me arreglen estas mechas —dice Perla, tocándose el pelo, y añade bajito—: ya me toca teñírmelo.

La Mudita comienza a manotear para explicarle que ella misma se lo tinturará, de un tono rubio que le va a fascinar.

—Con todo lo que ha pasado —dice Perla— se me alborotaron las canas.

La Mudita no siempre fue muda, dicen que habló normalmente hasta los diez años, pero hace siete, cuando llegó a París, dejó de hablar. Cuentan que su mamá la utilizó en el viaje para traer droga a Francia. Dicen que le pegó con cinta varios paquetes de coca al cuerpo, suponiendo que a la niña, por ser niña, no la iban a requisar. Pero en el aeropuerto la descubrieron, la desvistieron y le arrancaron las cintas. A la mamá la pusieron presa pero ahora nadie sabe dónde está.

—Fijate, Mudita —comienza a decir Perla, pero la Mudita le da un golpe seco a la mesa con la palma de la mano y frunce los labios, iracunda. Los del lado se voltean a mirar.

—Perdón, Florencia —corrige Perla y prosigue—: fijate, Florencia, que casi no soy capaz de salir a la calle, a duras penas a lo necesario. A veces me toca asistir a compromisos, lo hago por Vidal, porque si por mí fuera me quedaba todo el día encerrada en el apartamento... A propósito, ¿no querés un trago?

La Mudita niega con la cabeza y Perla pide un gin con tónica. La Mudita se pasa los dedos por las mejillas para mostrarle a Perla el surco de sus lágrimas, se tira del pelo para contarle de su desespero. Por señas le dice que mi desaparición es el dolor más grande que ella ha tenido en la vida.

—El mío también —dice Perla.

Pero que a ella, continúa la Mudita, sí le toca ir a trabajar, aunque si pudiera también se encerraría a llorar.

—Cuando querás podés ir a mi casa a visitar su altar —la invita Perla—. Tenés que ver cómo lo tengo acompañado de todos los santos que me lo van a traer, rodeado de flores y de velas, hermoso, como siempre. También le pongo su música para que parezca que no se ha ido, y la verdad, Florencia, es que yo creo, te lo juro, que él sí está ahí, pero como que no se deja ver. Andá cuando querás y verás lo que te digo.

La Mudita agradece la invitación y promete ir. A Vidal le encantará que vayás porque después de mí, vos sos a quien más quiere, dice Perla y la Mudita tuerce la boca en un gesto que Perla no entiende. ¿Necesitás algo?, le pregunta. Florencia abre su bolso y saca de la billetera una foto que nos tomamos en un paseo que hicimos a Brujas, muy al comienzo. La Mudita se ve cargando un chimpancé de trapo que yo le pesqué de una caja de feria, lo abrazaba con ternura y yo la abrazaba a ella. Perla se echa un trago grande de gin cuando ve la foto.

—Ésta no la conocía —dice. La Mudita le cuenta que tiene más.

—¿Ah, sí? —comenta Perla y vuelve a beber. La Mudita le cuenta que además tiene cartas mías.

—¡No me digás! —exclama Perla. La Mudita asiente.

Perla le ve el fondo al vaso y pide la cuenta. Yo pago, dice, y después añade: me llamás antes de ir, que con lo despistada que estoy hasta se me olvida que te invité a mi casa. Se despide con un beso esquivo y con una mueca que no llega a ser sonrisa. La Mudita decide quedarse en la mesa hasta que se le seque el encharcamiento de los ojos.

De Anabel se pensó lo mismo cuando era niña: que no hablaba. No era sorda porque entendía todo lo que le decían, igual que Florencia, y se la pasaba pegada al radio. Sin embargo, Perla y sus hermanas insistían en que Anabel era anormal, y nunca dejaron de llamarla boba, sonsa, atolondrada, retrasada, loca. Alguna se encargaba siempre de recordárselo: Perla, Nancy, Mireya o Marta. No tenían que ponerse de acuerdo para que Anabel no se quedara sin su alfilerazo diario. Y Anabel parecía sorda, y muda, porque no contestaba ningún agravio. Sólo la oyeron hablar cuando le dio por repetir las noticias que escuchaba en el radio, sin entender siquiera lo que decía. Colombia va a mandar soldados a la guerra de Corea. Eva Perón renunció a la vicepresidencia. En Estados Unidos ya hay televisión en color. En las noches, cuando Pablo Santiago regresaba, le preguntaba a Anabel ¿qué pasó hoy?, y ella recitaba de memoria las desgracias del día. Y cuando ganó más confianza pasó de las noticias internacionales a las caseras. Nancy se bañó sin chingue. Marta se escapó del colegio. Perla tomó aguardiente al escondido.

(—¿Eso es cierto? —le pregunto.
—Mentiras, mentiras —me dice ella—, puras mentiras de esa india hijueputa).

Las niñas se vengaban cuando estaban solas en el cuarto, antes de dormirse. Caían en masa sobre Anabel, en la cama, y trataban de asfixiarla con la almohada. La amenazaban en voz baja y le hacían dar miedo. Le escondían la cobija para que aguantara frío en la noche y le decían que si les contaba algo a los papás amanecería muerta. Los ojos de Anabel giraban horrorizados en la oscuridad del cuarto mientras, de un lado a otro, corrían batas blancas como fantasmas enanos.

Sólo cuando clareaba por los resquicios de las ventanas, Anabel se dormía tranquila. Las otras se iban para el colegio y ella quedaba a sus anchas en el cuarto y en la cocina, con el radio, su única compañía, con el que viajaba y se escapaba a otros mundos y a otra vida. Ella no recordaba ni entendía por qué había nacido sin familia, si hasta los animales tenían una madre, si hasta la tenían los asesinos, hasta los más pobres y los más jodidos. Se preguntaba, entonces, qué había hecho ella para nacer desmadrada, como si fuera una mata que, para colmo de males, brotaba íngrima en un chiquero.

—¡Anabel! —la llama Perla desde su cuarto, pero Anabel está en la cocina con el radio prendido, tratando de sintonizar algo distinto del francés, como la vez que encontró la Radio Exterior de España, que la hizo emocionarse aunque al comienzo creyó que ese acento también era otro idioma. Ahora, mientras Perla la llama a gritos —¡Anabel! ¡Anabel!—, ella busca en el dial la 99.0, la Radio Latina o el consuelo de cualquier voz en español.

—¿No me oíste? —Perla aparece en la cocina, todavía en bata de noche.

—No —le responde Anabel, sin dejar de sintonizar.

—¿Qué estás haciendo?

—Nada —levanta la mirada y dice—: ¿qué me ibas a decir?

Perla da tres pasos adelante, se cruza de brazos, se pone rígida frente a Anabel. De pronto, da media vuelta y de salida le dice:

—No sé. Se me olvidó.

5

Perla aterrizó en el aeropuerto Charles de Gaulle un 15 de enero por la mañana. En el instante en que el avión tocó tierra, Libia, en Medellín y medio dormida, se echó a la boca una tableta de terbutalina. En Puerto Berrío, Fernando ordeñó la última botella de ginebra que le quedó del Gran Salón Versalles. Anabel apagó una luz que se había quedado prendida y oyó que alguien lloraba en la calle. La Mudita se despertó contrariada porque no quise llevarla conmigo al aeropuerto, y en el aeropuerto, después de una hora de espera, Perla apareció por la boca del muro. Pequeña, casi invisible entre un grupo de nórdicos, envuelta en un abrigo viejo, cargando un bolso casi de su tamaño y arrastrando una maleta de museo. A pesar de lo chiquita parecía un toro cuando sale a la plaza. Entre espantada y decidida salió moviendo la cabeza de lado a lado, atenta, al igual que un toro, a los brazos que como capotes llamaban la atención del que iba apareciendo. Agité el mío cuando la vi, pero ella miró a todos lados menos hacia mi brazo. La llamé pero ella buscó el grito en otro punto. Grité de nuevo y sacudí las manos hasta que me encontró entre los que quedábamos. Como me vio con los brazos alzados seguramente pensó que yo la esperaba con un abrazo, y soltó la maleta, levantó los suyos y corrió hasta mí. La detuve con otro grito:

—¡La maleta! ¡No dejés sola la maleta!

Ella vaciló y yo le hice señas para que la recogiera, y me fui moviendo sin perderla de vista un instante, siempre haciéndole señas para que siguiera hasta donde terminaba la barrera. Después sí, cuando salió del todo, nos estrangulamos. A los dos se nos aguaron los ojos. Ella se organizó el pelo con la mano porque lo traía aplastado por la silla del avión. No pude decirle nada que no fuera lo que se dice siempre: ¿cómo te fue?, ¿cómo estuvo el vuelo?, llegaste muy cumplida. En cambio a ella se le torció la voz cuando me dijo me pasó algo horrible, Vidal.

Pensé que tal vez la habían ultrajado en la aduana, que le habían vaciado la maleta, que la habían desnudado y le habían hurgado todo el cuerpo. Pero no, no fue allí sino en el aire.

—Me quedé encerrada en el baño del avión más de media hora —me contó Perla, descompuesta.

Me agarró del brazo y me contó: no me había parado en todo el vuelo y como a la medianoche me dieron ganas de orinar; le pedí permiso a mi vecino, que ya andaba medio dormido, para que me diera paso. Entré, cerré, pasé el seguro y oriné dos minutos seguidos. Después, cuando iba a salir, la mierda esa no corría. Le pregunté ¿cuál mierda?, y ella me dijo la mierdita esa, el pasador, yo le hice fuerza pero nada, más fuerza, y nada.

Algo me notó en la cara porque Perla paró para advertirme no te riás Vidal, no te burlés que fue horrible. Le dije no me estoy riendo, y busqué la salida, pero Perla me agarró otra vez del brazo y me frenó. Me estaba enloqueciendo encerrada, se me estaba acabando el aire, el avión empezó a sacudirse, comencé a golpear por si alguien me oía, pero nada, golpeé más duro, pero nada, entonces me quité un zapato y le pegué al seguro a ver si cedía, y de tanto darle se reventó la otra mierdita, la agarradera, y ahí fue cuando me puse a llorar. ¿Lloraste? Y qué más iba a hacer, Vidal, ya llevaba como media hora y nadie me oía, ni las putas cabineras que se la pasan por ahí, a lo mejor estaban en la cabina mamándoselo a…, la interrumpí: ¡Perla! Ella siguió: el caso es que me puse a gritar hasta que por fin oí que tocaban la puerta y grité que me sacaran, que me había quedado encerrada. Abrieron la puerta a empujones, casi tumbándola, y me miraron consternados porque yo todavía tenía el zapato en la mano. Fue horrible, Vidal; quedé pálida, con el pelo erizado, vos sabés cómo se me pone el pelo, se me regó el maquillaje, pero así y todo me fui para mi puesto a seguir llorando. Le pregunté ¿no se te ocurrió apretar el botón que hay para pedir ayuda? ¿Cuál botón?, yo no vi nada, dijo, me soltó el brazo y seguimos caminando.

—Qué vuelo más largo, Vidal.

—Estás hermosa —le dije.

—No hablés pendejadas. A duras penas me pude retocar antes del aterrizaje.

Pasó de nuevo la mano por el pelo, se acomodó el abrigo y me miró de reojo. Me dijo:

—El hermoso sos vos, Vidal. Y cada día más joven. Qué horror.

Las puertas de vidrio se abrieron automática e inesperadamente, y no supe si fue eso o el sablazo del frío de enero lo que dejó a Perla petrificada, a punto de dar su primer paso sobre el pavimento francés.

Perla aterrizó en este mundo el 2 de septiembre de 1945, días después de que una bomba atómica aterrizara sobre Japón, matando a más de ciento cincuenta mil personas. Nació en Yarumal, en la cama de Libia y con ayuda de una partera. Pablo Santiago esperó afuera las cuatro horas del parto, oyendo los quejidos de Libia que no gritaba por el dolor sino porque se negaba a parir. El embarazo había sido la excusa para no volver a tener relaciones con Pablo Santiago, y en el parto comenzaba a quedarse sin pretextos, suponía que tendría que volver a acostarse con él. La partera tuvo que forcejear porque Libia insistía en detener con las manos la cabecita que salía. Soñaba, mientras rugía, en seguir preñada para siempre, pero cuando sintió que ya no le dolía entre las piernas, oyó una voz que le dijo es una niña.

Es una niña, le anunciaron a Pablo Santiago, y de inmediato preguntó ¿está completa? Venía entera y sana, y cuando se la mostraron comentó, a pesar de lo sucia y amoratada: qué tan blanca. Preguntó por Libia y le dijeron sigue llorando pero debe ser la emoción. ¿Puedo verla? Las mujeres se miraron sin saber qué responderle, hasta que una dijo yo creo que es mejor que espere hasta que la señora se reponga. Pablo Santiago vio que entraron otra vez a la niña, con su mamá, y quiso besarla pero sin atreverse a tocarla. Les pidió a las mujeres que en nombre de él le dieran las gracias a Libia por la hija que le acababa de dar, y que le dijeran que se iba a llamar Perla. ¿Perla?, preguntó una y él asintió. No puede llamarse de otra manera con lo blanquita que es, dijo.

Ya Pablo Santiago tenía veinte hectáreas con ganado y, desde el último mes de embarazo de Libia, había dejado de ir a la mina Berlín, no sólo porque el ganado le absorbía todo su tiempo sino porque a Yarumal también lo había golpeado la crisis minera de todo el país. Además, Pablo Santiago andaba con otra idea en la cabeza: la carretera que iba de Medellín a la costa caribe ya había pasado por Yarumal y apuntaba hacia Cartagena, y cada vez que Pablo Santiago veía pasar un camión hacia el norte se imaginaba que podría poner un buen paradero a borde de carretera, donde la gente pudiera comer, descansar y llenar los tanques de gasolina. Podría hacer el negocio si cambiaba el lote con las vacas por uno baldío que había visto. Oyó que la niña lloró con una fuerza desproporcionada para el tamaño de sus pulmones. Siempre es mayor el grito que el niño, sobre todo el de las criaturas que no la iban a tener fácil en este mundo. Pablo Santiago sintió en ese llanto un reclamo, y con más razón se aferró a la idea de mejorar los ingresos con negocios más prósperos. Pensó que además no tendría únicamente a Perla sino que vendrían más hijos. Adentro, en el cuarto, Libia comenzó a llorar más fuerte que la niña, como si le hubiera leído el pensamiento a Pablo Santiago.

Con Perla en París se iniciaba la parte más complicada del plan. Yo que la conocía mejor que nadie sabía de los obstáculos con los que me iba a encontrar: su terquedad, su indisciplina, su desorden y su vulgaridad. Comencé a entender a Libia, que como madre se esforzó al extremo para mantener a su hija dentro de las normas. Nadie entendía cómo Perla podía ser su hija si nadie en el mundo se le diferenciaba tanto, solamente podría entenderse como una reacción de Perla al extremismo de su mamá, a su rigurosidad que confundía con el terror. Ni siquiera se parecían en lo físico. Libia era alta y Perla pequeña, Libia era imponente y Perla maciza. Lo único que las emparentaba era su boca sucia al hablar, las palabrotas con las que se referían en familia, de las que ni yo pude librarme. Madre e hija se trataban peor que verduleras. Yo defiendo a Perla, que era así por culpa de Libia, que desde siempre la trató mal creyendo que el mal trato era sinónimo de buena educación.

Ahora me tocaba a mí reeducar a Perla para que asumiera la nueva vida que le esperaba. Y mientras íbamos en el taxi, del aeropuerto al apartamento, traté de empezar con cautela la primera lección. Perla había recostado la cabeza en mi hombro sin dejar de moverla para mirar.

—¿Por qué vas tan callado? —me preguntó.

—¿Recibiste la carta en la que te conté que había muerto Suzanne?

—¿La condesa? —preguntó, asentí y prosiguió—: fíjate que sin conocerla me dio pesar, por todo lo que vos me habías contado de ella, de lo generosa que era, de todo lo que te quería… ¿Sufrió mucho?

—Al final. Yo estuve con ella hasta que murió.

—Pobre —dijo Perla.

—Te dejó muchas cosas —le dije.

—¿A mí?

—Te dejó mucha ropa, pero no estoy seguro de si te va a servir.

—¿Así de gorda me estás viendo? —estalló.

—No es eso, sino que Suzanne era tan alta como yo.

—Ah, fuera de gorda soy enana, malparido —continuó Perla.

—Calmate, que te dejó algo mejor.

—Pues ojalá me quede bien. ¿Falta mucho para llegar?

—Suzanne te dejó un lugar.

—¿Un qué?

Ya estábamos en el centro de París, no muy lejos del apartamento pero el tráfico se había puesto pesado; el chofer maldecía y hasta abrió la ventanilla para insultar a otro carro que se le atravesó. El frío me hizo toser y el tipo se molestó cuando le pedí que cerrara la ventanilla.

—¿Cuál lugar? —me preguntó Perla—. ¿Para qué le sirve a uno un lugar? ¿Me dejó una casa? No te entiendo nada, Vidal. Mejor esperá a que lleguemos, yo duermo un rato y después me contás. No dormí nada en ese puto avión.

Ella tenía razón, todavía estaba embotada por el *jet lag* y a lo mejor seguía alterada por el incidente del baño. Vi que limpiaba la ventanilla empañada para tratar de mirar París. Me sentí contento con ella a mi lado, más con la certeza de que se iba a quedar conmigo.

—¿Qué es esa antena que hay por allá? —me preguntó y señaló a lo lejos.

—¿Dónde?

—Allá, ¿sí la ves?

Sonreí a sus espaldas, no quería que pensara que otra vez me estaba burlando. Me tragué la risa y le dije:

—Esa es la torre Eiffel.

Hoy, muy cerca de esa torre que no reconoció aquella vez, casi en la base, Perla le dice a su abogado esa bestia me odia, monsieur Modot.

68

Había decidido ir a la oficina de él y no recibirlo en su casa, como de costumbre. Le había dicho a Anabel ese señor se está acostumbrando a que lo atienda con comida cada vez que viene. Y al abogado le había dicho no se preocupe, señor abogado, que ya me siento mejor y hasta me conviene salir. Ella quería ir primero a La Reine des Ciseaux para que le arreglaran el pelo y para que la Mudita se lo tiñera, pero cuando miró la hora se horrorizó, dijo afanada ¿qué voy a hacer, Anabel, a qué horas se me pasó el tiempo? Se partió el pelo por la mitad, agachó la cabeza y dijo:

—Mirá, tengo la raíz blanca.

—Ponete un sombrero —le dijo Anabel—. En el cuarto de Vidal hay unos que dejó la condesa.

—¿Cuál condesa? —preguntó irritada, y antes de que Anabel pudiera decir algo, Perla le informó—: aquí la única condesa soy yo.

—Pues a mí me dijo Dayessi que la señora de antes tenía una colección muy grande de sombreros.

Perla se fue para mi cuarto y mientras buscó en el armario, dijo eso es lo único que me faltaba, que la india esa me venga a decir qué era y qué no era de Vidal, la próxima vez que la veás decile que todo lo que hay aquí, todo, incluidas vos y yo, todo es de él. Sacó dos cajas con sombreros y las vació en la cama. Tomó uno negro, estilo fedora, se lo puso y me preguntó mirando una de mis fotos, ¿qué tal, papito?, ¿cómo me ves? Luego me picó el ojo.

Terminó de arreglarse, se vistió de luto riguroso con vestido y sombrero. Iba de afán y de salida le dijo a Anabel:

—Vuelvo más tarde.

—Traeme cigarrillos.

—Fumate un dedo, Anabel.

Después de media hora de estar hablando con Modot, después de haberle llorado como cada vez que lo veía, es ahora cuando le dice esa bestia me odia, me ha odiado desde el primer día, como si yo tuviera la culpa de enamorarme de

Adolphe. Le dice, además, que ella reconoce que él, Clémenti, es el sobrino, pero que ella es la esposa, la viuda. Soy yo la que ha padecido el dolor de madre, de esposa, de mujer. Modot la escucha con un papel en la mano, un documento que ella trata de mirar mientras habla, porque Modot no deja de mirar el papel. Perla suplica yo sólo pido que él me deje tranquila y que deje a los muertos en paz.

—Precisamente —dice Modot, mirando hacia la ventana.

—¿Qué? —pregunta Perla, mirando hacia donde mira Modot. No se ve nada llamativo, excepto la base de la torre Eiffel.

—Bonita, ¿verdad? —dice el abogado. Sacude el documento que contiene las razones por las que un juez criminal ordena la exhumación del cadáver de Adolphe de Cressay. En un tono bastante fúnebre, Modot le dice a Perla:

—El juez sospecha que el conde no murió de muerte natural, parece que monsieur Clémenti presentó algunas pruebas.

Perla se agarra a los brazos de la silla y deja caer la cabeza hacia atrás. Dice en español mucho hijueputa. No le entiendo, dice el abogado. Ella, buscando saliva, dice:

—La que no entiendo soy yo.

Modot le sirve un vaso de agua. Perla bebe hasta que saca fuerzas para preguntar:

—¿Qué está insinuando esa bestia?

—Una bestialidad —dice Modot—: que el conde fue asesinado.

Perla le pide al abogado que le cambie el agua por un trago más fuerte. ¿Whisky está bien? Ella asiente pero aclara: solo, por favor. Él le sirve y ella dice:

—Bueno, ya ve usted, ya tiene la prueba para entender lo que he venido diciendo con tanta insistencia: Clémenti no sólo me odia sino que también está loco.

Se mueve incómoda en la silla. Cruza y descruza las piernas. Mira ansiosa el vaso de whisky.

—¿Asesinado Adolphe? —dice—. Qué disparate. Si yo misma estaba ahí cuando murió y tenía una expresión muy tranquila.

Siente que con el trago le llega un poco de lucidez, y entiende que falta algo: indignación.

—Pero, ¿qué se está creyendo ese tipo? —exclama ofendida—. ¿Qué clase de gente cree que somos?

—Es sólo una sospecha y por eso pide la exhumación.

—¡Adolphe murió mientras armaba un rompecabezas! Eso lo sabe todo el mundo.

—Van a exhumarlo, madame.

Perla se toma el vaso completo y se lleva una mano al pecho. Respira hondo y me llama, me invoca, me pide que la ayude. No lo hace en voz alta sino muy bajito. Con los ojos cerrados dice mi nombre. El abogado se ha concentrado en el papel. Dice:

—No veo ningún problema en que comprueben que nosotros decimos la verdad. Mucho mejor, nos darán la razón y eso le quitará fuerza a la impugnación de la herencia.

—Yo no voy a permitir que perturben la paz de Adolphe —alega Perla—. Él tiene derecho a descansar, todos tenemos derecho. Si no nos creen, que se vayan para la mierda.

—Madame.

—Sí, Modot. Que se vayan para la mierda porque me tiene harta —se pone de pie, se cuelga el bolso y agrega—: yo ya estoy vieja para estos trajines. Dígales por favor que nos dejen en paz, a los muertos y a mí —se acomoda el sombrero y sale.

—Madame —la llama el abogado pero ella ya va cruzando la puerta. Él alcanza a oír que ella masculla algo en español. Modot piensa: nada bueno debe hacer dicho.

—Nada bueno —piensa en voz alta. Como en las telenovelas.

6

Crucé el boulevard Diderot pensando en que siempre hay alguien que se alegra con nuestra muerte. En la más callada y profunda hipocresía siempre hay alguien que sonríe por un viejo rencor, por la sola envidia o por el simple instinto asesino que cargamos todos. Se va a reír Clémenti cuando sepa que estoy desahuciado y va a celebrar mi enfermedad. Se va a reír Libia y seguramente va a decir yo sabía que eso le iba a pasar a ese maricón. Aunque es posible que no alcance a verlo porque ella se morirá primero.

Pensaba en el momento de nacer y me dio rabia haber nacido. También pensé ¿por qué nació Perla? Por qué, si cuando nació avergonzó a Libia en lugar de alegrarla, si no dejó de verla nunca como un pecado, a ella ni a las que vinieron después. Libia sollozaba, arrodillada en el confesionario, mientras monseñor Builes le decía no es tan grave mientras se haga siguiendo el mandamiento de Dios, no es pecado si se hace cumpliendo el precepto divino de la procreación, no es lo mismo que fornicar que es lo que hace la chusma liberal, además no tienes por qué meterle sexo, me explico: el juego, la completa desnudez, los tocamientos, todo eso se tiene que evitar, sólo dile a Pablo Santiago que se limite a lo necesario, ¿sí me entiendes? Entonces Libia le susurró por la ventanita pero es que yo no quiero, monseñor. Él le dijo mirémoslo desde otro punto: fíjate que la Iglesia necesita fortalecer su rebaño, sobre todo ahora que los impíos se quieren quedar con el poder, hay liberales hasta en la sopa, amenazando a la gente de bien, quieren propagar su pecado, corromper toda la nación, entonces, fíjate, necesitamos más gente como tú y qué mejor que aumentar nuestro ejército de buenas almas para que un día lleguemos a ser más que los liberales esos, necesitamos que los conservadores se multipliquen, Libia. Pero monseñor, insistió ella, y monseñor la interrumpió: puedes rezar si quieres mientras te fecundan, hazlo por Dios, por la Iglesia y por la patria, le ordenó monseñor Builes y la mandó a rezar tres rosarios.

Volvió a quedar embarazada, y a pesar de que Pablo Santiago quería un niño tuvo una niña: Nancy, que de milagro se crió porque apenas Perla la vio le arrojó una cuchara en la cara. Perla tenía año y medio.

Pablo Santiago terminó de montar su gasolinera y paradero de camiones que bautizó El Descanso. Quedaba a borde de carretera y tenía restaurante, montallantas y barra de café. Le metió todas sus ganas al negocio pensando siempre en un hijo para prolongar su apellido, para contarle un día, con orgullo, cómo saltó de mazamorrero a propietario de una estación de gasolina. Un sucesor que, como mandaba la raza, no podía hacer otra cosa distinta en la vida de lo que hubiera hecho su papá, hombrecitos que nacían con profesión. Pero se quedó con las ganas de un varoncito porque después nacieron Mireya y Marta, la última. Después Libia se rebeló y le dijo a monseñor Builes no más. Y él le respondió es que no es hasta cuando tú quieras sino hasta cuando Dios quiera. Ella le dijo ya le di cuatro hijas a Dios y al partido conservador, monseñor, si sigo así voy a terminar eligiendo presidente. Y a Pablo Santiago también le dijo no más, y quiero que sepás y entendás que las relaciones entre un hombre y una mujer sólo se permiten para el embarazo, y como en esta casa no se va a parir más, pues tampoco vamos a vivir en pecado, así que el que quiera pecar que peque por fuera.

Luego se habló mucho de una muchacha que trabajaba en El Descanso, que era bonita y a la que Pablo Santiago, decían, le tenía mucha estimación.

(—¿Te acordás cómo se llamaba la muchacha que trabajaba con tu papá? —le pregunté—. ¿Marisol? ¿Marina?

—Eso eran puras mentiras —dijo—. Papá era un santo.

—Yo no creo que se hubiera contentado con los cuatro polvos que le echó a tu mamá —le dije—. Nadie se contenta con cuatro polvos en la vida. Ni siquiera los santos).

Corría rápido y nervioso marzo del 48, como un asesino urgido que anda buscando a quién matar. Y aunque Colombia siempre ha olido a muerte, en esos días nadie podía predecir que el olor iba a apestar y que no tendríamos cal ni tierra para aplacar el hedor de tantos muertos. De esto y más se hablaba en El Descanso y Pablo Santiago escuchaba preocupado. La política no era su fuerte ni su tema favorito pero atendía a lo que le decían. Algo sucedía porque el negocio no iba tan bien como al principio. Ya no pasaban tantos carros, la gasolina escaseaba en Medellín adonde le tocaba ir a comprarla en barriles, y todo el que paraba en su gasolinera llegaba con rumores. Pablo Santiago le decía a Libia: algo va a pasar, y ella, que también había oído lo que se decía, se encerraba a rezar. Una vez lo despertó a medianoche y le preguntó: vos qué sos, ¿conservador o liberal? Él pensó que estaba hablando dormida en medio de una pesadilla y le dijo tranquila, Libia, volvete a dormir. Ella le insistió ¡contestame ya, carajo! Él le dijo vos sabés que a mí esas cosas no me importan. Ella se dio vuelta y él pensó que iba a quedarse dormida otra vez, pero volteada le advirtió si te volvés liberal me toca separarme de vos.

Libia no tenía por qué enterarse de lo que me pasaba ni de lo que me iba a pasar. Ella también estaba enferma y no iba a venir a París a enterarse. Y si Perla no se lo contaba, no lo iba a saber nunca. El problema que seguía era contárselo a Perla. El primero fue contármelo a mí mismo y para eso me tomé horas caminando la noticia por París. Pasé por los baños turcos de la Gare de Lyon, un hammán pequeño, discreto, no tan exclusivo y costoso como el de Le Marais, adonde no me dejaron entrar hasta después de haber conocido a milord. Al de Gare de Lyon sí fui y con mucho esfuerzo porque la entrada era muy cara para mí, pero casi siempre la libré, y muchas veces salí ganando. Me volvía rey en cualquier hammán. Los hombres maduros, silenciosos y ejecutivos miraban sin disimulo mi cuerpo húmedo, liso y brillante, entre los vapores de los baños, o en los salones de video o en los cuartos de relajación. Pensé si no sería extravagante entrar a un hammán el mismo día en que le dicen a uno que todo va a terminar. Yo me dije más extravagante es morirse, y toqué el timbre.

Anabel le dice a Perla ya timbraron, ya suben. Perla está en su lugar predilecto, una ventana, viendo París de noche a través de los *platanes* del boulevard de Courcelles. Anabel lleva el traje de servicio elegante que se pone para las cenas. Como Perla no le contesta, intenta de nuevo, segura de que ahora sí le va a responder.

—Madame —le dice cantadito. Luego se tapa la boca para esconder la risa. Perla se da vuelta y le grita:

—¡Qué querés!

—Los Kreis vienen subiendo —dice Anabel. Perla asiente y con elegancia da dos pasos adelante. Antes de que Anabel llegue a la puerta, la llama de nuevo:

—¡Anabel!

Anabel se detiene. Perla vacila y con las manos se aplana el vestido. Se acerca un poco más a ella y le pregunta ¿cómo me veo? Anabel le contesta sin mirarla ¿cómo te veo? Como siempre. A Perla le palpita la voz y le suplica mírame, Anabel, mírame y decime la verdad.

No hacía falta subir y bajar los ojos para verla entera. Anabel la mira y le dice así estás bien.

—No me acostumbro a hacer esto sola —dice Perla, y mira hacia la pared, a una de las fotografías donde yo estoy. Anabel hace lo mismo, pero las dos miran distintos retratos. Yo de cinco años, de once, de dieciocho, fumando, riendo, yo en mi primera comunión, con amigos, con Perla, con el conde, con Suzanne, yo disfrazado de torero. Perla mira una y Anabel mira otra antes de decidirse a abrir la puerta. Cuando la ve retirarse, Perla se lleva las manos a la cabeza y grita ahogada:

—¡No soy capaz! No puedo.

El timbre la calla. Queda paralizada con las manos entre el pelo y con las lágrimas a punto de dañarle el maquillaje. Anabel abre y Perla sólo tiene tiempo de secarse los ojos con los dedos.

Así la encuentra el matrimonio Kreis: con las uñas debajo de los párpados, pálida pero con la nariz roja y con el peinado desordenado, como si un ventarrón le hubiera revolcado el pelo. Ellos se acercan a pesar de la escena y, muy sonrientes, cada uno le estampa dos besos. Perla siente el contraste de sus mejillas tibias contra su piel helada. Piensa lo que siempre piensa cuando alguien la saluda en París:

—Para qué dos besos si con uno basta.

Perla aprendió fácil. Tiene talento y siempre pone mucha atención, pero cuando está sola pierde seguridad. Cuando estaba conmigo siempre estaba pendiente de mi mirada. Con los ojos le decía si hacía bien o mal. En las cenas yo tomaba la palabra y ella se limitaba a sonreír. Un gesto era suficiente para que ella entendiera cuál tenedor tenía que usar. Un gesto para la servilleta, otro para que hiciera una pequeña venia o un susurro para que supiera a quién tenía que tratar de señor, de alteza o majestad. Un fruncido de boca para advertirle que debía parar con el vino. Con una mirada dura le advertía de un último trago o le frenaba a tiempo una palabrota.

En medio de la cena, Perla les pide a los Kreis que la excusen un momento. Lo dice en buen francés. Pone la servilleta de tela junto al plato y se levanta. Anabel sonríe maliciosa porque sabe para dónde va Perla: a su cuarto, a envalentonarse con un trago de aguardiente que mantiene en su ropero. Perla odia el vino, el blanco, sobre todo. Sabe a alka-seltzer, dice.

Cierra la puerta y bebe a pico de botella. Se retoca el peinado y me habla en una de las fotos que empapelan el baño: ayudame para que éstos se vayan apenas terminen de comer. No me los aguanto ni un minuto más. Hace en la fotografía como si me quitara el pelo de la frente y agrega vos me metiste en esto, precioso.

Cuando vuelve a la mesa, el señor Kreis le pregunta ¿vas a regresar a Colombia? Antes de que Perla responda, el mismo señor añade estar con tu familia te puede sentar bien. Perla dice no sé, y trastabilla, hay palabras que todavía no pronuncia bien. Finalmente desata: creo que todo lo que tengo está aquí. Los tres miran alrededor las fotos que hay por todas partes, y miran el altar. A la señora Kreis se le suelta un *pauvre* Vidal. El señor le dice a Perla sabemos cómo te sientes, pero no te preocupes que nos iremos después de cenar.

Mientras Anabel recoge la mesa, Perla va a la cocina y echa en la copa vacía de vino otro trago de aguardiente, de otra botella de las tantas que guarda por ahí. Se sienta junto a la estufa y prende un cigarrillo. Anabel entra con la loza y le pregunta:

—¿De qué hablaron?

—Pura mierda —dice Perla.

—Pues suena bonito la mierda en francés —opina Anabel. Luego dice—: me pareció que la otra mencionó a Vidal.

—Sí —dice Perla—, lo compadeció, como si la jodida no fuera yo.

—Yo creo que el jodido es él. Vos te la has pasado borracha.

—¡Ya! —le grita Perla.

A Anabel se le resbalan dos platos del arrume. Perla comienza a decir ¿cómo más se puede soportar algo así?, pero Anabel abre la llave del agua a toda presión y el chorro la calla. Entonces Perla bebe y fuma con la mirada perdida en algún punto de la cocina. Anabel termina de meter la vajilla al lavaplatos, de mala gana y haciendo ruido con la loza.

—¿Cuándo nos devolvemos? —le pregunta a Perla.

—Otra vez —exclama Perla, con cansancio.

—Oí que el señor te mencionó a Colombia.

—Metida.

—¿Cuándo nos devolvemos? —insiste Anabel. Se sienta en otro banco frente a Perla y la mira callada. Las dos beben con una botella y dos copas en el medio como si estuvieran en un bar. Perla bota el humo con fuerza y dice, categóricamente:

—Nunca.

Los dos planeamos esto para quedarnos. El mismo día en que llegó, después de que pudo descansar un poco, pero todavía mareada y con el estómago y el sueño despistados por el cambio de horario, me arriesgué a preguntarle:

—Perla, ¿cómo te suena llamarte Perla de Cressay?

—Hablame en español que todavía no hablo francés —me dijo.

No era algo fácil de anunciar. No todos los días le dan a uno la noticia de que se va a casar con un conde, que puede llegar a ser condesa, a no ser que uno compre el título, como casi siempre sucede, o que uno lo sepa desde niño porque nació para serlo.

—Te acordás —le dije— que una vez me dijiste que en la vida sólo hay dos oportunidades para hacerse rico: cuando uno nace o cuando uno se casa.

Perla asintió y después miró nerviosa hacia los lados. Estábamos solos. Todavía no habían llegado la Mudita ni Flávia.

Estábamos en la cocina y todavía olía al café que le había preparado para sacarla de su *jet lag*.

—A vos todavía te queda una posibilidad —me dijo Perla—. Yo ya me gasté las que me tocaban. Mucha boba.

Ella decía que había desaprovechado sus dos oportunidades. Cuando nació, pudo ser rica pero no le alcanzó el impulso. Luego se casó con un hombre que sufría la peor de las pobrezas: la del espíritu. Con tal de salir de su casa, del infierno regido por Libia, agobiada por la muerte de Pablo Santiago, se casó con el primero que le hizo una seña, el primer güevón que se atrevió a ofrecerle lo que ni siquiera él mismo tenía: un mundo afuera.

—A vos todavía te queda una —le dije.

—Una de dos —dijo Perla—: o me explicás bien o le echás un aguardiente a este café.

Le dije sin rodeos:

—Perla, te vas a casar con el conde Adolphe. Así lo dispuso Suzanne cuando murió, así lo quiere el conde y así lo necesito yo.

Se lo dije sin pausa, sin tomar aire, mirándola a los ojos, esperando cualquier reacción, desde la ira hasta la risa o la estupefacción o la incredulidad o el miedo o todo junto, como puede suceder.

—¿Tenés aguardiente? —me preguntó Perla.

—Sí.

—¿Se consigue aguardiente en París?

—Sí.

—Servime uno.

No se lo tomó con el café, como había amenazado, sino solo, de un golpe, como lo aprendió a tomar desde niña. Se sirvió otro y dijo:

—Ahora sí, culicagado, repetime todo de nuevo.

¿Y yo por qué no le dije eso al médico? ¿Por qué no le dije que me lo repitiera una y otra vez para no tener que repetírmelo yo un millón de veces? Me resigné con su sentencia:

los exámenes confirman lo que yo sospeché, y yo no le dije repítamelo, doctor. Dígame te vas a morir, te vas a morir, te vas a morir.

Al rato estuve desnudo frente a un espejo de cuerpo entero, en un hammán, buscando otra manchita parecida a la que confundí con un pelo enterrado, otro sarcoma en su estadio uno. Me di la vuelta, me vi las nalgas, las piernas, la espalda, me acerqué más al espejo y no vi nada. No había más manchas, nada que no fuera pura belleza. Me pegué contra el espejo para probarme, para ver si como siempre me daban esas ganas de comerme a mí mismo. Que el del espejo me fornicara para saber cómo se sentía ser comido por alguien como yo. Me pegué y no sentí nada, no me deseé. Sentí, más bien, a la muerte caminándome por dentro, y que comenzaba a matarme mucho antes que la misma enfermedad.

Otro hombre, un negro, entró al vestidor y se desnudó. Me miró antes de irse a sudar al sauna y no vi en su mirada lo que veía siempre en un hammán. No me mostró ganas el negro de verga larga y patas de avestruz.

Seguía pegado al espejo, nariz con nariz, cuando llegó un viejo mojado y se paró frente a su locker. Pensé que no me había visto y sin embargo me dijo la piscina está muy bien, el baño turco está bueno pero la piscina está mejor. Comenzó a secarse ruidosamente, la toalla sonaba como si fuera de papel. Repasaba cada tramo de su cuerpo como si estuviera desmanchando un mueble. Por detrás de las rodillas, por entre los dedos del pie, por la entrenalga. Yo me conocía ese espectáculo de memoria: la exhibición disfrazada de cotidianidad. Muchos como él se tomaban todo el tiempo para secarse o vestirse o desvestirse cuando había alguien cerca. Alguien como yo, que me quedaba en los vestidores para ver viejos. Nadie los mira a no ser que haya un interés por el bolsillo de un pobre viejo en pelota. Pero ahora que lo miraba sin interés, me consolé pensando que nunca llegaría a tener un cuerpo así. No llegaría a ser un viejo suplicando carne y voltaje para volver por un instante a la juventud.

De pronto me pregunté qué hacía yo en el lugar del crimen. Había una posibilidad de que estos baños de la Gare de Lyon fueran el comienzo de mi fin. Recién llegué a París vine muchas veces, sobre todo el primer año, y no me parecía gratuito regresar cuatro años después.

(—¿Vos creés que los muertos deshacen sus pasos? —le pregunto.

—Claro que sí —me dice—. Sandrita lloró muchas veces después de muerta. Y papá me abrazó dormida después de que murió.

—¿Y los vivos? —le pregunto—. ¿Vos creés que también deshacen los pasos cuando saben que se van a morir?

—A veces les da por despedirse, ¿por qué?).

También fui a otro hammán cuando llegué a París. Era lo único que podía buscar para sobrevivir. Gracias a los baños turcos y a los saunas de Medellín pude venir a Francia y gracias a los de Francia pude aguantar y permanecer aquí. Gracias a los de aquí y allá voy despeñadero abajo.

Algo por el estilo, un poco más disparatado, dijo Perla una vez: gracias miedo y violencia por habernos sacado de Yarumal, porque o si no, allá seguiríamos cagados del frío. Su mamá le dijo no digás esas cosas, pendeja. Perla le contestó: ahora es cuando se pueden decir, después de que ha pasado tanto tiempo. Fueron treinta años atrás cuando la historia de Colombia tuvo otra fragmentación atroz. El 9 de abril de 1948 se vino por boca y nariz el odio que se estaba gestando desde unos años antes y que reventó con el asesinato de Gaitán.

Para esa fecha Pablo Santiago ya tenía tres hijas, todas pequeñas. Cuando supo lo que estaba pasando en otros lados después de la muerte de Gaitán, de las muertes por montones en Puerto Berrío, Remedios, Andes, Bolívar y en otros pueblos donde la avalancha de la violencia hacía estragos, decidió, sin consultárselo a Libia, llevarse a su familia para Medellín. Libia le dijo:

—No creo que sea conveniente criar a las niñas en una ciudad.

—Allá al menos se van a criar —dijo él—. En los pueblos están matando a todo el mundo.

—Solamente a los pecadores —dijo Libia.

—Entonces nos van a matar a todos —dijo Pablo Santiago.

—¡Vos no sos liberal! —exclamó Libia.

—Han matado niños en Remedios, y eso no está tan lejos de acá.

—Prefiero ver a mis hijas muertas que prostituidas en Medellín.

—Eso depende —dijo Pablo Santiago— del ejemplo que les des.

Libia se encerró a llorar y a empacar. Desde ese día le restregó a Pablo Santiago que sus hijas se iban a volver putas por su culpa. Si Mireya, de cuatro años, se rascaba la chochita, Libia alegaba que la niña no hacía esas cosas en el pueblo, que ya se le había metido la perdición de Medellín. Si Perla, de cinco o seis, se paseaba en pelota por la casa, Libia le gritaba ¡vestite, putica!, como si el diminutivo le diera autorización para insultar a las niñas. Una noche, antes de dormirse, después de rezar y poco antes de apagar la luz, le dijo lloriqueando a Pablo Santiago no hay nada que hacer, ya están perdidas, serán putas como todas las mujeres de ciudad. Pablo Santiago, herido, le dijo son unas niñas, Libia. Ella le dijo ya están contagiadas, ya se les nota, de ser putas no las salva ni Dios, y todo por tu culpa, por traértelas para acá. Él la miró boquiabierto y ella aprovechó para decirle: además, vos tenés mercurio en la sangre y en las güevas, por eso ellas también nacieron así. Luego apagó la luz y se durmió.

82

Pablo Santiago se compró un jeep Willys color mostaza oscuro, con carpa, para desplazarse todas las semanas entre Yarumal y Medellín. La casa donde ahora vivían quedaba en el centro, en la calle Bolivia; tenía varios cuartos, patio interior, solar, dos baños completos. Era vieja pero en buen estado. Cuando Libia entró por primera vez, detalló y husmeó con su olfato canino. La recorrió sin mucha emoción y luego dijo no sé. Lo que sí supo inmediatamente fue cómo convertir la casa en cárcel. Entró a los salones que daban a la calle y de una vez fue cerrando ventanas mientras vociferaba estas ventanas siempre tienen que estar cerradas, como si no existieran, por más que toquen desde afuera nadie las va a abrir. Vio que las niñas no la habían escuchado porque se fueron a buscar sus nuevos cuartos, entonces les advirtió a las sirvientas si las niñas llegan a abrir las ventanas serán ustedes las que lo paguen, y caro, porque apenas yo vea una ventana abierta ustedes se largan.

Había cuartos de sobra, pero las niñas decidieron que dormirían juntas. Lo dijeron en voz alta para que lo oyera Anabel, que se había quedado quieta en la mitad del patio, cargando la misma talega con la que llegó a Yarumal, aturdida porque de un lado venían las órdenes de Libia mencionando puertas y ventanas, y de otro, los chillidos de las niñas anunciando que dormirían solas, sin intrusas. Anabel se dio cuenta de que Pablo Santiago se iba a demorar afuera en la descarga del trasteo, entonces, sin que se lo dijeran y por su cuenta se fue a la cocina, porque el instinto la llevó, no el de cocinera sino el de supervivencia, y allí, detrás, junto al solar, encontró un cuarto pequeño, más bien oscuro pero que a ella le pareció acogedor. No era el de las criadas, que quedaba justo al lado, sino otro más modesto que ocupó desde ese día hasta que se volvió vieja, cuando lo dejó para acompañar a Perla en París.

Tal vez porque el cuarto quedaba al otro lado de la casa se acostumbraron a llamarla a gritos. O porque ella nunca les contestó cuando la llamaban. Siempre gritaron su nombre, así la tuvieran a dos metros.

—¡Anaaaabeeel!

Perla asoma la cabeza desde su cuarto y la llama, ¡Anaaabeeel! Espera a que la otra aparezca, piensa: maldita vieja, cada vez está más sorda o cada vez obedece menos. La busca, entra a la cocina y en lugar de Anabel encuentra a otra mujer.

—¿Usted quién es? —pregunta Perla.

—Dayessi —contesta la otra, empanicada.

—¿Dónde está Anabel?

—Abajo.

—¿Y a usted quién la dejó entrar?

—Anabel —tartamudea Dayessi—. Cuando yo entraba ella salía y me dijo que entrara que ella iba abajo nomás.

—¿Abajo?

—Sí. Fue a darle algo a Tiburón.

—Tiburón.

—Sí. El perrito.

—El perrito —repite Perla.

Con cada pregunta, Perla ha ido arrinconando a Dayessi. Cuando la tiene a un paso la mira de pies a cabeza, con curiosidad y fastidio. Dilata las fosas nasales y le dice hágame un favor, señorita. Dayessi asiente con la cabeza. Perla le dice espere a Anabel afuera del apartamento, y cuando la vea, si es que algún día le da la puta gana de subir, dígale que la estoy necesitando. Dayessi asiente otra vez pero está acorralada y no puede salir. Lo intenta y dice permisito, pues. Perla se abre, Dayessi pasa y luego Perla le dice ¡espere! La otra frena sin mirar atrás. Perla le dice yo la acompaño hasta la puerta.

Cierra con rabia y camina decidida hasta la ventana. La abre y un chiflón le revuelca el pelo pero a Perla no le importa. Sólo tiene cabeza y ojos para mirar a Anabel abajo, inclinada, acariciando un perro. Anabel le habla a Tiburón, le dice

¿de quién es este perrito lindo?, ¿de quién? Perla la llama desde arriba ¡Anaaaabeeel!, pero Anabel no la oye porque le sigue diciendo al perro tienes que cuidarte, Tiburón, porque de pronto vienen los de la perrera municipal. El perro está concentrado en el hueso que le trajo Anabel y en las caricias. Cada uno está en lo suyo: Perla en su grito, Anabel en sus mimos y el perro en su roer. Dayessi, que bajó como por dentro de un tubo, llama dos veces a Anabel desde el portón y le señala hacia arriba con el dedo. Perla tiene medio cuerpo afuera, la cara abotagada y enrojecida de gritar en vano. Algo dice pero no se le oye. Con el brazo estirado, le hace señas a Anabel para que suba.

—Sube —le dice Dayessi—, pero te lo advierto, yo se lo vi en los ojos: te va a matar.

Anabel sonríe. Dayessi le dice:

—Si te deja viva, baja para que veamos televisión.

A Perla la encuentra de rodillas abrazada a mí, en un portarretrato. Tiembla como si estuviera abrazada a un bloque de hielo. Por la ventana abierta entra el ruido de París a las cinco de la tarde. Anabel prefiere refugiarse en la cocina pero Perla le dice esperate. Sin mirarla, le sigue diciendo qué tal que me le pasara algo a Vidal, si le llega a pasar algo yo me muero. Anabel se ha ido a acostumbrando a no entender esta situación conmigo. Perla dice si me lo maltratan, o si me lo secuestran, si alguien se lo lleva yo me muero. Anabel se acerca un poco y dice pero si ya se perdió, ya se fue o se lo llevaron, no sabemos… Perla le dice ¿no lo ves? ¿No ves que lo tengo aquí abrazado? Perla me mira, mira la foto, mira a Anabel que está por decirle se te salieron los mocos, Perla. Pero sabe que acaba de encender la mecha y faltan pocos segundos para que la chispa llegue a la pólvora.

(—No debería quedar un cuerpo cuando uno muere —le digo.

—¿En qué habíamos quedado? —me pregunta, molesta.

—El cuerpo debería desaparecer, esfumarse. No hay peor recuerdo que el de un cadáver.

—Contestame, ¿en qué habíamos quedado?

—Uno necesita hablar de lo que viene.

—Todavía no. Todavía no hablemos de eso, ¿sí? —me dice y se limpia los ojos—. Me estás dando miedo).

La pólvora estaba mojada y no explotó. Perla se ahoga en sus mocos y en sus lágrimas, en la saliva que escupe en cada intento por decir algo que no es distinto de lo que dice siempre. Quiere decir te odio, Anabel, malparida, Anabel, o simplemente repetir mi nombre hasta el agotamiento: Vidal, Vidal, Vidal. Cualquier cosa que quiera decir se le mezcla en su llanto y le suena como el clamor de una sirena afanada entre el tráfico.

Una baba le chorrea y cae sobre mí. Por suerte me cubre el vidrio del portarretrato.

7

—Una vez más, Vidal. Repetime todo otra vez.

Tenía los ojos rojos por el cansancio, aunque el trago la había reanimado. Le dije:

—Esto no se lo podés contar a nadie, Perla. Ahora vienen Florencia y Flávia, no les vas a comentar nada.

—¿Quiénes son esas? —preguntó.

—Ya te lo dije.

—Me has dicho muchas cosas desde que llegué y todavía no entiendo nada.

—Ellas viven en este apartamento y vos vas a vivir con ellas por un tiempo —le dije.

—Pero me dijiste que iba a vivir con vos.

—Todavía no.

—¿Y ahora dónde vivís? —me preguntó.

—Con los condes.

—¿Cuáles condes?

—Adolphe y Suzanne.

—Pero si Suzanne se murió —dijo Perla.

—Sí —le dije—. Ahora sólo vivimos allí milord y yo. Y dentro de poco vas a vivir con nosotros.

—No te entiendo —dijo Perla.

Tal vez mi error ha sido mezclar en la historia a los muertos con los vivos. Pero cómo no hacerlo si la muerte es la que ha ido abriendo el camino que ahora voy recorriendo. Sólo ella puede trazar destinos, al fin y al cabo todos los destinos y caminos terminan en ella. Fue Suzanne la que, agonizando, me dijo no tengo hijos, Vidal. Yo pensé que al final se había arrepentido de no haberlos tenido. Sin embargo, no fue eso, fue más. Suzanne dijo tú has sido como un hijo. Yo le agradecí y ella prosiguió. Tú sabes muy bien lo que has sido para mí. Yo le tomé la mano, ella dijo fuiste mi salvación, lo dijo y se rió, así moribunda insistió: a punto de morirme y digo que tú has sido mi salvación. Pensé que iba a dejar de reírse para ponerse a llorar. Me miró con esos ojos transparentes que el cáncer comenzaba a oscurecer, y me dijo:

—Serás mi heredero.

Le pedí que se tranquilizara, que durmiera. Yo les había dicho a los médicos que me parecía que algunas drogas le avivaban la angustia. Ellos me dijeron: no son las drogas sino la proximidad.

—Serás mi heredero —dijo otra vez Suzanne—. Ya lo hablamos Adolphe y yo y él está de acuerdo.

—Yo no puedo —la interrumpí.

—Si no eres tú lo será Clémenti, y ya sabes lo que pensamos de él.

—Madame —le dije sin saber qué más decir. Lo mejor era esperar a milord y contarle los delirios de Suzanne. Ella me agarró los brazos como si buscara apoyo para levantarse. Me le acerqué por si quería decirme lo que necesitaba, y me agarró los hombros y después trató de juntar sus manos en mi espalda, como si buscara un abrazo. Me acerqué más para darle gusto y vi que me miraba la boca, y que ponía la suya como si esperara un beso. Creí que eso era lo que quería y la besé.

—Entonces eso era lo que quería —me dijo Perla después de un quinto aguardiente, y se lo repitió en voz baja para creérselo—: quería hacerte tu heredero.

Asentí, contento de que por fin hubiera entendido. Sin embargo, dijo:

—¿Y yo qué pitos toco ahí?

¿Volvemos a lo mismo? ¿A seguir buscando el puro principio? Muchas noches me he quedado despierto pensando que el comienzo de mi final fue a mis seis años. El niño de seis estaba sentado en la alfombra mirando una revista, apenas estaba aprendiendo a leer. Su papá estaba sentado a su lado en una silla, borracho y mirando la televisión. El niño pasó la hoja y vio una foto que lo enmudeció, le pareció que había visto el juguete más grande del mundo: una torre de armar donde la gente podía subir y caminar. Sobresaltado, trató de leer pero no pudo comprender por la emoción. Le preguntó a su papá pero se dio cuenta de que se había quedado dormido, aunque el niño tuvo suerte porque un balazo de la televisión lo despertó. ¿Qué pasa?, preguntó el papá y el niño le acercó la revista y le preguntó ¿qué es esto? El papá, sin necesidad de leer, le dijo la torre Eiffel. El niño preguntó ¿dónde queda?, y el papá le dijo en París. El niño se quedó mirando la foto y dijo cuando sea grande voy a vivir en París. Todavía no sabía dónde quedaba pero se puso la revista en el pecho y repitió ¡París! Se puso de pie y gritó ¡París, París! El papá preguntó ¿y a éste qué le pasa? Pero el niño no contestó sino que hizo algo parecido a una *pirouette* y repitió extasiado ¡París! El papá lo miró y dijo éste se enloqueció, pero el niño estaba tan feliz que no lo oyó.

Yo pensaba en ese niño mientras seguía recostado en el espejo del hammán de la Gare de Lyon, desnudo y pensativo hasta que apareció una empleada y me preguntó ¿se siente bien? Le dije no me pasa nada, y ella me miro incrédula. Voy a la piscina, le dije. No olvide ducharse antes, me dijo, y esperó a que yo saliera. Monsieur, oí que me dijo, y cuando me di vuelta me entregó una toalla.

A las diez de la noche yo flotaba como un muerto en una mezcla de formol. Tres viejos me vieron flotar y morir, y también clavaron sus ojos en mi verga muerta. Antes, en otra oportunidad, habría hecho algo para estimularla y que creyeran, como cualquier pez, que la carnada estaba viva y era mejor ser veloz y picar. Varias veces había flotado boca arriba en esa piscina y nunca había detallado la pintura romana que había en el techo: una mala imitación de una bacanal, con esclavos, niños y un fauno dormido pero con tremenda erección. En estos sitios uno aprende a poner la mirada en algún lado sin dejar de mirar de reojo cualquier acecho. Cuando el instinto confirmaba que alguien había caído, se le miraba con decisión a los ojos. Esa noche, después de llevar más de media hora flotando, sólo un ojo me inquietaba, ninguno de los míos que a cada instante se encharcaban, sino ese ojo que desde arriba decide hasta cuándo parpadearán los nuestros: el ojo de Dios, tan ciego, arrugado, profanado y pudibundo como el mismo ojo del culo.

¿Qué estás diciendo?, ¿qué estás diciendo?, diría Libia, siempre atenta a cualquier mención de Dios. A las niñas les pegaba en la boca cada vez que lo involucraban en asuntos distintos de la religión, o cuando no le agradecían o porque no lo mencionaban en sus logros. En fin, creo que les pegaba para no perder su costumbre de maltratar. Quería aislarlas de Medellín, a toda costa, en el propio Medellín, a tres mujercitas en pleno crecimiento. Decía de esta casa sólo se sale al colegio. Las había metido a estudiar con las monjas de la Presentación. Y a misa, decía Libia, y las llevaba cada domingo a la catedral Metropolitana, en el parque Bolívar, temerosa de los andrajosos del parque y de las sinvergüenzas que no faltaban a misa, según ella, no para pedir perdón por su vagabundería sino para reclutar muchachas para su ejército de putas.

Mientas tanto, Pablo Santiago iba y venía, subía y bajaba en su Willys de Medellín a Yarumal y viceversa, para atender sus negocios, para ver a sus hijas y decirles los negocios van muy bien. Ellas lo único que querían era aire y luz natural, un poco de libertad para jugar en la calle o salir a comerse un helado. Medellín ya podía ofrecerles muchas cosas, ya no era un pueblo sino una ciudad señorita con casi cuatrocientos mil habitantes, pispa y hasta con ínfulas. Pablo Santiago trataba de ablandar a Libia pero era como hacer entrar en razón a una pared o a un policía. Al principio ella le decía no a todo. Luego ni le contestaba. Cuando Pablo Santiago estaba con sus hijas aprovechaba para sacarlas y llevarlas de paseo por el pasaje Junín a que tomaran algo en el Ástor, y dejaba a Libia sola porque también sacaba a Anabel. Cuando salían, Libia le gritaba ¡proxeneta, chulo, pecador!, y amenazaba ¡me devuelvo para Yarumal así nos maten los liberales! Invocaba a monseñor Builes, que por desgracia seguía vivo y disfrutando del espectáculo que él mismo había propiciado con devoción: el desangramiento de Colombia, sin anticoagulantes para que el derramamiento de sangre durara hasta hoy. Monseñor mismo patrocinaba las procesiones en honor de la Virgen de Fátima, que tantos muertos dejaron a su paso. La efigie había llegado en avión a Medellín y comenzó a recorrer todos los pueblos quieta y tranquila, alcahueteando desde su silencio de estatua a quienes la cargaban. ¡Viva la Virgen de Fátima!, gritaba el coro, y mientras avivaban a la muda, chequeaban a quienes se despacharían en su nombre, con el resentimiento y las armas que escondían debajo de las sotanas. Y monseñor feliz.

Libia adiestró a Anabel para que fuera su tercer ojo. Mejor dicho, la amaestró y a punta de amenazas la convirtió en sapo. Le dijo: aquí en esta casa todos tienen que ganarse su lugar y su comida, y vos sos una perezosa que no va al colegio ni ayudás ni hacés nada, te la pasás todo el santo día oyendo radio y quién sabe qué programas oirás, pero allá vos y lo que querás hacer de tu alma, que vos no sos hija mía ni de nadie, pero si querés seguir aquí y comer, me tenés que obedecer y hacer obedecer a las otras; cada vez que ellas desobedezcan va a ser culpa tuya por no decirme lo que hacen y te vas a tener que ir para la calle. Anabel la miró con los ojos inflados y la boca abierta. Libia le preguntó ¿entendiste?, y Anabel negó con la cabeza. A Libia le dieron ganas de pegarle, por un instante se aguantó, dijo ay, Dios mío, pero no aguantó más y le soltó una cachetada. Y mientras la muchacha lloraba, Libia le decía despacio: bruta, lo único que tenés que hacer es decirme lo que hacen las otras, aquí en la casa y afuera cuando las saca Pablo Santiago. La miró severamente para que no le quedara ninguna duda de la orden, y luego sacó un dulce del bolsillo de la falda y le dijo tené, tomá este dulce y no sigás llorando.

Así fue como Anabel se convirtió, en el tiempo y en el espacio, en una extensión de Libia, en su sombra desmejorada. De inmediato, las muchachas notaron la presencia constante e inexplicable de Anabel en cada sitio donde ellas estaban. Incluso cuando estaban separadas, a cada una le parecía que Anabel las rondaba. Ni siquiera descansaba cuando las muchachas se iban para el colegio porque tenía que entrar al baño para cerciorarse de que se habían bañado con chingue, y luego tenía que ir a los cuartos a abrir cajones y armarios para buscar indicios. Y a cada instante, un reporte:

—Marta abrió una ventana.

—Mireya guarda revistas debajo del colchón.

—Nancy abrió la puerta de la calle y se asomó.

—Perla fuma al escondido.

La casa se llenó de odio y a Libia no le importó. Lo justificaba como una vicisitud más para alcanzar la pureza. Ninguna se dio cuenta de que, poco a poco, la casa se fue llenando de insultos y gritos. Para bien o para mal y por todo gritaban, como si fuera una casa de sordos, pero fue Anabel la que siempre llevó la peor parte.

—Marta se encerró una hora en el baño.

—Mireya se levanta la falda y se mira en el espejo.

—Nancy salió a la calle.

—Perla tomó ron y se emborrachó.

En la casa había ron porque a Pablo Santiago le gustaba tomarse un trago de vez en cuando, sobre todo las noches en que llegaba cansado de Yarumal. Encontraba a las hijas dormidas y a Libia despierta pero encerrada. Ella salía un instante a saludarlo como si fuera el plomero, luego se encerraba otra vez, y él, entonces, se servía un ron con coca-cola y una rodajita de limón, y se sentaba junto a la radiola, tranquilo, a oír música hasta cuando calculaba que Libia ya estaba dormida. Muy tarde, se metía a la cama junto a ella. Aunque desde la concepción de Marta nada había vuelto a pasar bajo aquellas sábanas, Libia seguía creyendo que en un matrimonio que se respetara se tenía que dormir juntos.

Pablo Santiago llegaba y otra ley imperaba en la casa. Las muchachas dejaban de gritarse y Anabel hacía una pausa en su espionaje. Pero apenas él se iba regresaba el rencor a la casa y el jaleo entre sus muros. Marta se escapó hasta la esquina, Nancy se mete las manos entre los calzones y en los calzones de Perla encontré sangre. Tanto se acostumbró Anabel a denunciar que aún hoy le cuesta dejar de hacerlo.

—Se lo voy a contar a tu mamá —le dice a Perla, que se le ríe en la cara y le responde:

—Pues te va a tocar ir hasta Medellín.

Anabel se da cuenta de su despiste y también se ríe. Pasa un trapo por el polvo de los muebles, simplemente lo cambia de lugar, está justificando su estancia en París, matando el tiempo antes de que el tedio y el tiempo la maten a ella.

—De todas maneras —le dice a Perla—, algún día tu mamá se va a enterar de todo, y no porque yo se lo cuente.

Perla está echada en el sofá, de medio lado, esperando la hora del almuerzo para justificar un trago que le abra el apetito.

—Cuando se muera se va a enterar de todo —dice Anabel—. Los muertos lo saben todo.

Anabel sabe que camina por terreno minado, que fue ella la que puso el tema y en cualquier momento puede estallar el suelo bajo sus pies. Perla le dice:

—Los muertos no saben nada. Si supieran algo vendrían a contar.

—¿Ni siquiera Vidal? —pregunta Anabel.

Perla le habla a una foto en la que estoy sonriente en un caballo y con uniforme de equitación. Me dice:

—¿Sí la oís, Vidal? ¿Oís lo que está insinuando esta desagradecida? La deberíamos matar para que sepa la diferencia entre estar vivo y muerto.

Anabel se encoge. Deja de sacudir porque le ha entrado un frío en el cuerpo. No le teme a Perla sino a la posibilidad de que mi espíritu esté por ahí. Dice:

—Vidal está muerto, Perla.

—¿Sí la oís? —me dice Perla, casi con risa—. Deberíamos matarla para que entienda —se sienta, se pasa las manos por el pelo y dice—: a ver si entendés, zorra maicera, que para que haya un muerto tiene que haber un cadáver, y ¿dónde has visto el cadáver de Vidal?

Anabel ya no se puede mantener de pie. Con el mismo trapo que movió el polvo se limpia el sudor debajo de la nariz. Le dice a Perla:

—Hay muertos que no aparecen.

—Eso es porque hay muertos que sí se mueren —le explica Perla— y hay otros que no.

Anabel se pasa el trapo por la frente y se muerde los labios. Sonríe nerviosa.

—No te entiendo —dice.

Perla se impacienta, mira el reloj, se para y viene hacia mi altar.

—Por qué no le explicás vos —me dice.

—¡No! —grita Anabel. Se pone de pie y dice, tragando aire—: dejalo tranquilo, Perla, que ya te entendí.

Perla se acerca al mueble donde guarda el trago, abre las puertas, aspira y luego las cierra. Otra vez mira el reloj y le pregunta a Anabel:

—¿Qué fue lo que entendiste?

Anabel se pasa el trapo por el cuello, mastica saliva, mira hacia arriba, hacia abajo, hacia los lados y dice:

—Que Vidal es como un muerto que no se ha muerto.

—¿Es decir…? —pregunta Perla, capciosa.

—Que si no se ha muerto es porque está vivo.

—¡Muy bien! —exclama Perla— ¡Bravo! —abre otra vez las puertas del mueble y dice—: ¡eso se merece un trago!

Anabel siente que le vuelve el calor, se pasa el trapo por los ojos y se limpia la nariz. Perla ya está en lo suyo, ha decidido prepararse una ginebra con tónica, para variar. Camina de aquí para allá, sirve, busca hielo, canturrea contenta el inicio de una probable borrachera. Le dice a Anabel apuesto a que vos también querés. Pasa junto a mí con dos vasos, va a la cocina, me lanza un beso. No entiendo la razón de tanta dicha si se la pasó llorando toda la noche y esta mañana ni siquiera pudo desayunar. Si supiera lo que canturrea podría tener una pista de su repentina felicidad. Regresa con dos vasos llenos, prueba de los dos y se relame, le extiende uno a Anabel y le dice el tuyo lo preparé más suave porque te ponés muy cabrona cuando bebés. Perla se para junto a la ventana y sonríe. Mira a lo lejos sobre el parque Monceau los edificios de la rue de Lisbonne. Un poco más allá le parece ver la cúpula de la iglesia de Saint Augustin. Dice:

—Anoche Vidal volvió a hablarme en sueños.

Anabel bebe un sorbo grande y carraspea. Perla sigue:

—Se sentó en la cama junto a mí y me dio hasta vergüenza porque yo, con todo lo que me muevo, estaba un poquito descubierta. Me cubrí y le pregunté ¿qué estás haciendo en mi cuarto, Vidal? Y él me dijo: cómo que qué, si de aquí no salgo. Y me tomó la mano y me la apretó.

Perla se acerca a Anabel y le muestra la mano, le dice mirala, me la agarró tan fuerte que todavía está roja. Anabel aprieta los labios y mira a Perla con horror. La mano está roja, pero es la misma con la que sacó el hielo, la misma que se mordió esta mañana cuando se despertó llorando y la misma con la que ha sostenido el vaso frío.

—Esta mañana estaba vuelta mierda —dice Perla—, pero poco a poco he ido entendiendo que soy la mujer más afortunada que existe. Imaginate vos —le dice a Anabel—, que el amor de mi vida siempre va a estar conmigo, eternamente.

Agita el vaso, hace sonar el hielo y bebe despacio, casi hasta el fondo. Bebe con lentitud mientras se mira la mano, y todavía con el vaso en la boca uno puede ver que Perla comienza a ensombrecerse, como si descubriera en esa mano toda la mentira que son los sueños. Baja el vaso y la mano. Dice:

—Tal vez habría sido mejor seguir dormida.

La luz ha entrado hasta la mitad de la sala y se puede ver el polvo soliviantado que Anabel estuvo sacudiendo. Por la ventana veo salir el tiempo absorbido por un jalonazo que hace del presente un pasado no lejano, donde lo único que no ha cambiado es la sombra en la cara de Perla, diciéndome:

—Mejor me habría quedado en Puerto Berrío —y luego, pasando rápido del dolor a la ira—: ¿para eso me hiciste venir? ¿Para casarme con otro? Mejor me habría quedado con Fernando, que al menos me sabía comer.

—No lo tomés así —le dije—. Miralo por el otro lado, por el de la herencia. Milord está muy viejo, él quiere que yo sea su heredero, Suzanne también quería, y la manera más fácil, con la que nos ahorramos trámites y nos va mejor es casándote con él.

—¿Me tengo que acostar con él? —preguntó.

—No.

—¿Tengo que dormir con él?

—Tampoco.

—Pero tengo que vivir con él.

—Vamos a vivir los tres —le dije—. Sólo tenés que ir a un juzgado, firmar un papel y contestar dos o tres preguntas.

—¿Contestar? —dijo ella—, ¿y en qué idioma?, ¿en francés? Yo no entiendo ni mierda de esta jerigonza.

También le dije que ya estaba matriculada en un curso de francés, pero no para que pudiera responder las preguntas del juez, sino porque de ese momento en adelante tendría que acompañarme a las fiestas, a las cenas, a los eventos sociales. Le dije: antes lo hacía con Suzanne pero ahora te necesito a vos, quiero hacerlo con vos. Se quedó mirándome con desconfianza. Me preguntó:

—¿Y por qué no podemos vivir vos y yo solos?

Prendí un cigarrillo y me levanté a mirar si quedaba más café. Ella también fumó, callada, esperando mi respuesta.

—Porque milord quiere que yo viva con él.

—¿Y por qué?

—Porque está viejo —le repetí, pero le gustó menos cuando le dije que mientras tanto ella tendría que vivir ahí, con la Mudita y Flávia. ¿Y por qué no podemos vivir juntos desde ya?, me preguntó. No supe cómo, pero habría querido explicarle que milord era gente distinta, que había que parecerse a ellos para que nos aceptaran, que era meticuloso, exigente, refinado al extremo, pulcro, caprichoso, y que por eso me tocaría hacer con ella un trabajo de educación y pulimento, un curso intensivo de glamur y etiqueta. Sólo le dije: porque tenemos que prepararte, aquí las cosas son un poquito distintas.

—Distintas en qué —me preguntó.

—Distintas.

—Pero, ¿no me acabás de decir que es cuestión de firmar dos papeles y contestar dos güevonadas?

—Milord es distinto.

—Distinto en qué —dijo—. ¿Acaso no caga?

—Perla.

—¿O es que qué? ¿Tiene un solo ojo o dos vergas, o qué?

—Es un conde, Perla. Y está viejo.

—¡Yo también estoy vieja! —dijo y se paró furiosa. La vi caminar decidida y le pregunté ¿para dónde vas? Ella me contestó ¡y yo también soy distinta!, así que no se qué vamos a hacer dos distintos viviendo juntos. Siguió caminando como si buscara algo. Le volví a preguntar ¿para dónde vas? Se paró frente a mí y me dijo:

—No sé. No tengo ni puta idea. ¿Para dónde me puedo ir si ni siquiera sé dónde está la puerta de este puto apartamento?

La puerta se abrió y entraron Flávia y la Mudita. Saludaron efusivas desde lejos pero se les enfrió el entusiasmo apenas vieron que Perla bufaba descompuesta. Las presenté y Perla trató en vano de recuperarse. Las dos se quedaron a medio camino cuando quisieron saludarla con dos besos. Le dije a Perla estas son mis dos grandes amigas, o las únicas, ya te hablé de ellas en las cartas, ¿te acordás? Perla asintió seria. Yo seguí: si no hubiera sido por ellas… Flávia es la dueña del salón de belleza y Florencia es su mano derecha. La Mudita sonrió orgullosa, y dijo con señas que yo exageraba.

—¿Qué está diciendo? —preguntó Perla.

—Que yo exagero —le dije—. Pero es verdad, es muy buena trabajadora.

La Mudita se sonrojó, hizo señas para decir que estaba muy cansada y que se iba a dormir.

—¿Qué está diciendo? —volvió a preguntar Perla, pero Flávia evitó la traducción, dijo *yo também estoy cansada*. Y a Perla le dijo *e la segnora debe estar também, después de uma viagem tan longa*. Perla exclamó:

—Ay, cómo habla de raro.

—Flávia es brasileña —le dije—. Ya te lo había contado.

Las otras dos se despidieron y se fueron. Le dije a Perla vos también tenés que descansar. Le pedí que nos fuéramos para el cuarto, le dije adiviná qué. Ella, molesta, me dijo ay, Vidal, ya estoy que me vomito con tanta adivinanza, ¿con qué me vas a salir? Le dije me quedo a dormir hoy con vos.

—¿Todavía sabés hacer *pirouettes*? —me preguntó.

Busqué el espacio, abrí los brazos, tomé impulso y le hice una *pirouette* chambona. Perla me aplaudió.

Un poco más tarde yo estaba en la cama, casi dormido, y ella salió en piyama del baño, untándose una crema en la cara. Con las palabras enredadas en el masaje, me dijo:

—Yo no me puedo casar con ese señor.

—Si querés hablamos mañana de eso.

—No puedo —me dijo—. ¿O es que ya se te olvidó lo más importante? —seguía regando la crema por la cara y el cuello—. Acordate que por más güevón que sea, por más borracho, por más inútil, por más enfermo que esté y por más que esté encerrado en un hospicio, Osvaldo sigue siendo mi legítimo esposo, ¿o me equivoco?

Quedé sentado de un brinco. A Osvaldo lo había borrado de mi vida desde hacía muchos años. Sabía que existía pero lo había convertido en un extraño en la vida de Perla y en la mía. Osvaldo. Todo se me derrumbó con sólo nombrarlo, pero a ella parecía alegrarle. Se frotó la crema con más vigor, y en lugar de desvanecérsele le blanqueó más la cara. Parecía un mimo, y con la misma expresión de alegría dibujada, me dijo:

—Acordate, querido, que a pesar de mis vueltas y mis necedades, yo sigo siendo una mujer casada.

Se rió a carcajadas. Ya no me parecía un mimo sino una payasa cruel.

8

Estuve metido en nube de agua y calor. Estaba desnudo y había otros hombres conmigo que me miraron entre la bruma pero no me vieron llorar. Es fácil confundir el vapor, el sudor y las lágrimas cuando todo es humedad. No se dieron cuenta de que yo lloraba en silencio. Las mujeres de mi historia siempre han llorado a gritos: Perla, Libia, Anabel y otras locas que se atravesaron en mi vida. Llorarán cuando les cuente lo que me va a suceder, unas por tristeza y otras por alegría, como Libia. Todas gritarán, excepto la Mudita, que por más ganas que le den tendrá que conformarse con el silencio de sus gestos desesperados.

Del techo me caían gotas grandes en la cara. Ninguno podía diferenciar entre una gota de agua y una lágrima, aunque ya para entonces poco me importaba lo que pensaran de mí. En la penumbra sólo vieron lo que siempre fui a mostrar. Uno de ellos, de los que moría de la enfermedad de la vejez, se sentó a mi lado. Yo ya conocía esa forma de acercarse con aparente naturalidad. Él me dijo yo te conozco de algún lado. Volteé a mirarlo y vi que ni la masa de vapor le disimulaba las arrugas. Y pensé: pensar que este viejo marica se morirá después que yo. Y pensé que por más espeso que fuera el velo que nos separaba no había nada en el mundo que encubriera la vejez, ni siquiera la oscuridad total. Saqué de mis recursos un francés de turista para chapucearle *excusez-moi, je ne parle pas français*. Él optó por el idioma universal y puso una mano sobre mi muslo, que tembló, como si hubiera olvidado todas las manos que le han puesto encima. Una razón más para convencerme de que el cuerpo de quien va a morir comienza a registrar, a la menor alarma, su pavor a la muerte. Yo sabía cómo reaccionar a cualquier intento de seducción y le tomé la mano arrugada, apenas apretándola para que no se me fuera a soltar, y la devolví a su muslo, que temblaba igual al mío. Su muslo también sabía que su dueño iba a morir. Así aprendí a hacerlo para no ofender. Nada de escándalos. Cuando uno se desnuda cualquier cosa puede pasar, y si uno es hermoso tiene que aceptar que la belleza es un patrimonio universal. Todos pueden mirarte, todos quisieran tocarte. Entonces no hay muchas opciones: o dejas que esa mano se quede en tu muslo, suba y esculque, o con todo el respeto del mundo se la regresa a su lugar y aquí no pasó nada.

Yo estaba hecho un charco, acurrucado sobre el baldosín. Me derretía al pensar cómo y a qué horas iba a llegar a la casa y con qué cara se lo contaría a Perla. A esas horas ya debía estar preocupada porque yo no había llegado ni llamado. Habría tenido que guardar la comida en el horno y estaría echada en la cama cambiando, impaciente, los canales de la televisión, mirando de seguido el teléfono y el reloj.

Había una alternativa y era no llegar. Que le llegara sólo la noticia anticipada: a Vidal lo mató un tren, Vidal se cayó al Sena y se ahogó, Vidal resbaló y cayó a los rieles justo cuando llegaba el metro, Vidal se tomó un veneno por equivocación, Vidal subió al piso cincuenta y nueve de la torre Montparnasse y no sabemos qué pasó. Tantas cosas que le pueden pasar a uno en un instante, tantas maneras que hay de morir en la calle. Si estuviera en Colombia sería más fácil: morir por una chaqueta y un par de zapatos que te quieren robar, o por una billetera, o porque pasaba una bala perdida y uno se la encontró. Si de todas maneras iba a morir, ¿por qué no morir antes?

(—¿En qué estás pensando? —me pregunta.

—En nada —le digo. Ella se queda mirándome con desconfianza.

—Eso no es verdad. Algo estás tramando.

—Estoy escribiendo.

—No te creo —me dice).

Tal vez bastaría con mirarla y no decirle nada. Me conocía tan bien que inmediatamente me vería el espectro en la cara. Me ahorraría las explicaciones y las palabras adornadas con las que uno trata de suavizar la tragedia. También podría hablarle como si la cosa no fuera en serio: te tengo una noticia buena y otra mala: la buena es que me voy a morir y la mala es que será muy pronto, hecho un monstruo, fosilizado, lleno de tubos, vuelto mierda y desprestigiado. O con los brazos abiertos, como anunciando feliz una sorpresa: ¡¿adiviná quién se va a morir?!

Una vez Clémenti me persiguió en la calle y me dijo ¿por qué no se regresan a su república platanera a ver si los matan? Yo le respondí, sin dejar de caminar: hasta donde yo sé no hay guepardos en Colombia, Clémenti. Él dijo: pero hay balas, tratando de seguir mi paso con su vaivén de cojo. Le dije balas hay en todas partes, incluso aquí en París, donde usted se siente tan seguro. Me preguntó: ¿y por casualidad una de esas balas no será para mi tío? Le dije: sólo si usted la dispara. Me dijo: quién se beneficiaría más, ¿usted o yo? Me detuve y lo miré, le dije sáqueme de una duda, Clémenti; ¿usted siempre se está riendo o son las cicatrices las que le hacen tener cara de chiste?

Tal vez fue la cara que puso cuando de niño se encontró al guepardo. A casi todos los niños les gustan los animales y él también se habrá puesto feliz cuando se lo encontró. Le habrá estirado la manito para jugar con él, y el guepardo, que no habrá distinguido entre un niño y una liebre, le habrá saltado encima sin darle tiempo de cambiar la expresión de alegría. O Clémenti habrá creído que el animal se abalanzó para jugar con él. No hubo ningún testigo para contar lo que pasó y explicar por qué el guepardo no se lo tragó entero. A lo mejor se llenó con el hermano menor y no le quedó espacio para Clémenti. Me pregunto si él habrá gozado mientras el guepardo se comía a Jacques, porque si no, ¿de dónde le salió esa cara de chiste que mantiene? Más de una vez deseé encontrarme a Clémenti en un hammán y, aprovechando la penumbra y el vapor, habérmelo culeado en una ducha. Y llevarlo después a la luz para mostrarle que fui yo el que lo puso en cuatro y lo hizo pedir más. Pero la vida no da ese tipo de regalos.

Perla está en mi cuarto, sentada en la cama vacía y le dice a Anabel:

—La vida no regala nada. Solamente te presta y hay que ver cómo te cobra.

—La vida sí regala —dice Anabel—, pero lo que uno no le ha pedido.

—Ya sé por qué lo decís, desagradecida. Si no fuera por mí, nunca habrías conocido Europa.

—¿Y quién te dijo que yo quería conocer Europa? —le pregunta Anabel. Luego dice—: además, lo único que he podido conocer de este país es este apartamento y lo que se ve por la ventana.

Oigo un ruido de vasos, el chorro de una bebida crepitando contra el hielo. Se oye un fósforo que se enciende, un silencio y después una explosión:

—¡Claro! —dice Perla—, si todo tenemos que hacerlo por vos. Nos toca respirar por vos, comer por vos y ahora me toca salir y conocer París por vos. Ahí está la puerta, aquí nadie te está amarrando, Anabel.

Anabel empieza a hablar llorando y hasta ahí se le entiende. Lo único que suena claro es cuando dice ustedes, ustedes, y una que otra palabrota.

¿Imaginé otro silencio y otro vaso, y a Perla diciéndole a Anabel mejor tomate un trago y no jodás más? Cuando llegue el día en que tome nevirapina y zidobudina se me perderán las voces y las ideas, y confundiré lo que imagino con la realidad. Bajo el efecto del whisky mezclado con el antirretroviral imaginaré a Perla asomada en la puerta de mi cuarto, callada, y al igual que otras veces que estuve enfermo, se asomará a cada rato y en su cara voy a notar que no está verificando si estoy dormido, como las otras veces, sino que vendrá a ver si sigo vivo. La sentiré acercarse, y creyendo que duermo, pondrá dos dedos debajo de mi nariz hasta que sienta el aire y se irá más tranquila. Y si ese día yo amanezco con ganas de hacerle una broma pesada, aguantaré la respiración y cuando ella no sienta el aire va a pegar los dedos a las fosas o me los meterá en la nariz como si buscara el aire por dentro. Cuando yo oiga su primer lamento voy a soltar una carcajada débil, con la poca fuerza que tendré, y ella descubrirá el chiste, llorará pero de la rabia y al rato se alegrará de que yo todavía tenga alientos para reírme. Hay momentos de mi final que desde ya puedo imaginarme.

Perla también presintió un final: el de su papá. No pudo imaginar cómo sería pero la última vez que Pablo Santiago llegó a la casa, Perla notó que la bocina sonó gangosa, y dijo el jeep de mi papá está enfermo. Con todo y eso sus hijas no lo dejaron bajar del carro sino que lo invadieron y le suplicaron que las sacara de paseo.

—Pero si yo vengo de muy lejos —les dijo él—, y además estoy muy cansado.

—Llévanos más lejos de donde viniste, papá.

Lo hacían sacar el carro del garaje para dar alguna vuelta mientras Libia les gritaba de noche solamente salen las putas! Durante la media hora que tardaba el paseo eran felices y les bastaba para compensar las dos semanas de encierro que duraba la ausencia de Pablo Santiago.

—Mi mamá está loca —le decían a su papá.

—No hablen así de ella —les decía él.

—Se está tomando los remedios que no necesita.

Ya no eran tan niñas. Perla iba a cumplir quince y las otras la seguían, pero Libia las trataba como si no crecieran. Perla casi tuvo que llorarle para que le comprara toallas higiénicas, y Libia le contestó arreglátelas como podás que si te viene sangre es por pecadora. Por mucho tiempo tuvo que arreglárselas con papel higiénico, hasta que un día decidió no protegerse con nada y aposta se sentó en la cama blanca de Libia, se sentó en el sofá crema, en el tapete beige y donde se sentaba dejaba su protesta roja.

La última vez que vieron a su papá vivo, Pablo Santiago habló a solas con Perla, le dijo ya casi vas a cumplir quince años, y Perla, que sabía por dónde iba la cosa, lo abrazó muy fuerte. Él se rió y le habló de la fiesta. Habrá que hacerla en algún club, le dijo y ella asintió contenta. Habrá que invitar muchos invitados, dijo Pablo Santiago y ella lo abrazó de nuevo, con los ojos encharcados. Él le dijo hay que contratar una orquesta y un profesor de baile para que te enseñe a bailar el vals. Ella se despegó del abrazo y ya estaba llorando, él le dijo y para que me enseñe también a mí, porque yo no sé cómo se baila eso y me toca bailarlo con vos. Perla le dijo yo no tengo amigos, papá, pero mis compañeras sí, y me prometieron que iban a invitarlos. Pablo Santiago la miró con malicia y le dijo pero mirá qué tan fregada, yo anunciándote la fiesta y vos ya la tenés lista. Perla le alegó ojalá la tuviera lista, falta lo más complicado: mi mamá. Él le dijo dejame yo hablo con ella.

—Por encima de mi cadáver —le dijo Libia a Pablo Santiago—. Que hagan fiestas cuando yo esté muerta, pero antes, ni muerta.

—Pues entonces —le dijo él— tenés hasta el 2 de septiembre para morirte. Buscate a ver de qué te morís en estos cinco meses.

—No hay problema —dijo Libia, con desaire—, no necesito tanto tiempo. Uno solamente necesita un segundo para morirse.

Libia hablaba de su muerte y Pablo Santiago no presintió el segundo absurdo que él necesitó para morirse. Cuando se despidió le prometió a Perla que a su regreso comenzarían los preparativos, que pensara en lo que quería y en lo que le gustaba. Le dijo a Perla que soñara en esas dos semanas: en dos semanas yo vuelvo para hacerte realidad los sueños. Fueron días en los que a Perla y a sus hermanas les pareció que Libia no existía. Hablaban delante de Anabel sin miedo a que las acusara, le decían vos no estás invitada. Sentían que algo nuevo rondaba la casa y acompañaban a Perla en sus fantasías. Dos semanas de espejismos, mucho más de lo que se puede pedir que dure un sueño. Dos semanas sin poner los pies en el piso.

Pablo Santiago solía llegar a Medellín al final de la tarde o al puro comienzo de la noche. Cuando sabían que venía, Perla y las otras no se empiyamaban hasta que él llegara. Pero aquel día pasaron las horas, pasaron las horas… y ni la bocina ni el ruido del motor anunciaron la llegada de Pablo Santiago. Perla se quedó dormida sobre el sofá de la sala, en su uniforme de colegio, con los zapatos puestos, aunque se despertaba con cada carro que pasaba frente a la casa.

Nadie supo lo que sucedió esa tarde porque tal vez el único testigo fue un perro que Pablo Santiago habrá esquivado para no pisarlo con el carro. Y no fue por esquivarlo que el jeep rodó por el precipicio. Pudo haber sido un segundo antes, cuando Pablo Santiago trató de tocar el pito para despertar al perro que se habría dormido en la mitad de la carretera, pero el pito no habrá sonado y tal vez él le dio un par de golpes, tan fuertes que el botón de la bocina saltó de su resorte y golpeó a Pablo Santiago, como una pedrada, en el ojo izquierdo. Lo hizo perder el control, salirse de la carretera y rodar por el abismo sin obediencia y sin freno, hombre y carro hechos una bola de lata que sólo se detuvo cuando el terreno dejó de ser como una pared y se puso plano. Lo encontraron a la madrugada, cuando alguien que pasaba a pie se intrigó por saber qué era lo que miraba ese perro quieto que no dejaba de mirar hacia abajo desde el borde del precipicio.

Además de los golpes y las magulladuras el cadáver también tenía un ojo morado, pero nadie tenía cómo deducir, como lo hice yo, que ese fue el primer golpe, el de la muerte. Aunque Perla, desconsolada, con la cara arañada por sus propias uñas, repetía yo sabía, yo sabía. Ella sabía que algo no andaba bien con el Willys, ya lo había diagnosticado en la bocina afónica que lo mató. En cambio, Libia decía que a lo mejor lo mató una alucinación. A las niñas les dijo su papá temblaba y alucinaba porque tenía mercurio en el cerebro, desde la época en que fue minero; últimamente estaba muy despistado, ni siquiera me respondía cuando yo le hablaba. Su papá se estaba volviendo loco, niñas.

(—Papá venía por el alto de Ventanas, no le faltaba mucho para llegar —me cuenta—, pero ahí siempre hay neblina, como si le pintaran a uno de blanco el vidrio del carro, y el pobre no vio la curva y siguió derecho. Al otro día llamamos a Yarumal a decir que papá no había llegado. Empezaron a buscarlo por toda la carretera, pero donde se había accidentado la neblina tapaba todo y tuvimos que esperar dos días, ¿te imaginás?; dos días completos hasta que la niebla dejó ver el carro vuelto mierda y a papá vuelto más mierda que el carro).

Perla está sentada en el piso y a su lado tiene la caja grande donde guarda más de mil fotos. Esculca y busca, con desespero, una foto en particular: la última foto que se tomó con su papá. Caminaban por el pasaje Junín y uno de esos fotógrafos callejeros se les puso enfrente, los retrató y les entregó el papelito para que reclamaran la foto después. Perla tenía catorce y lucía un vestido dominguero, y Pablo Santiago se había vestido de sport para la caminada. Perla revuelve fotos y Anabel aparece para decirle que la necesitan al teléfono.

—¿Y quién es? —pregunta Perla.

—*Je ne sais pas* —dice Anabel y se va.

Perla reniega y se para con dificultad. Pone cara de fastidio cuando oye que quien habla es el abogado. Modot le dice: de todas maneras van a hacer la exhumación, un juez penal la ha ordenado. Ella le alega: pero no pueden hacerlo sin mi autorización. Modot le dice: sí pueden, madame, el tema está en el código sanitario o en circulares, yo lo voy a verificar, pero ellos dicen que hay sospechas de que el deceso del conde de Cressay se debió a causas violentas y que el cadáver fue inhumado sin necropsia.

—Hábleme en cristiano, Modot —le dice Perla.

—Lo siento, madame, pero no sé.

—Quiero decir que me hable claro.

Modot le dice que más claro no puede ser: hay una solicitud de parte y la autoridad competente ha expedido una orden judicial.

—No le entiendo nada, Modot. Y lo que menos entiendo es a qué vinieron el otro día Clémenti y un policía. Me pidieron que les firmara una autorización y usted me dice que no se necesita autorización familiar para desenterrar al pobre Adolphe.

Modot se ríe y luego tose.

—¿De qué se ríe? —le pregunta Perla.

—Tratan de ser astutos —dice Modot—. Me parece que Clémenti anda muy metido en la investigación.

—¡¿Cuál investigación?!

—La que se lleva a cabo por homicidio, madame.

—¡¿Cuál homicidio, maldita sea?!

Modot carraspea, hincha el pecho y dice la entiendo, es ofensivo, pero era de esperarse en el caso de esta herencia. Cuando hay tanto dinero de por medio siempre queda alguien inconforme que quiere darle la vuelta a todo, pero déjelos que investiguen, usted tiene la conciencia tranquila y yo la certeza de que nada raro pasó. Al final, tendremos la razón.

Mientras Modot habla, Perla le hace señales a Anabel. Le muestra la alacena donde están los vasos, la nevera donde está el hielo, el mueble donde guarda el trago, y para terminar, le hace con la mano el gesto de beber. Anabel no entiende y le pregunta ¿qué es lo que querés? Modot sigue en su discurso y Perla con sus señas. No quiere interrumpirlo, pero sabe que si no bebe algo rápidamente, no aguantará.

—Me siento muy mal, señor abogado —le dice ella—. No puedo tenerme en pie.

—La entiendo, no es fácil.

Perla le pide venga a verme, por favor, y entre los dos encontraremos una solución. Antes de colgar le dice estoy mal, muy mal. Cuelga con rabia y le pregunta a Anabel ¿a vos en qué idioma hay que hablarte? No dice más y hace el recorrido que le había señalado a Anabel: vaso, hielo, licor, y bebe como si tuviera más sed que desazón.

Ahora que el trago la ha puesto lúcida, ha podido encontrar la foto que buscaba. Saca otras fotos mías y compara el tamaño y la proporción. Con cuidado me recorta por los bordes y luego me pega en la foto de ella con su papá. Perla quedó en el medio y a cada lado los hombres de su vida: Pablo Santiago en blanco y negro y yo en color, en una calle donde nunca coincidimos los tres, ni siquiera en el tiempo porque no alcancé a conocer a Pablo Santiago, porque yo en la foto tengo más años que Perla y eso nunca fue así, y porque a la hora de la verdad los tres estamos muertos ahí en la foto: nadie vive en un papel, ni siquiera el recuerdo de quien mira la fotografía lo puede hacer vivir a uno, ni siquiera el vivo que se mira a sí mismo porque se mira en un tiempo atrás, y entre el tiempo muerto y la muerte no hay ninguna diferencia.

Perla busca a Anabel y le muestra la foto que acaba de armar. Le dice:

—Mirá, así es como siempre debió ser.

Dos hombres jóvenes y una adolescente, que todavía en la foto creen que la vida es una cosa de nunca acabar.

Si yo hubiera estado ahí, de cuerpo presente, cuando Perla armó esa foto, y si hubiera tenido conciencia y sensatez para ver la ingenuidad en nuestras caras, se lo habría advertido a Perla y habría sido más fácil decirle esto se acabó, Perla. Pero siempre fue al contrario, lleno de soberbia le dije varias veces ahora nada ni nadie podrá contra nosotros. Lo decía sin saber que no tenemos más resistencia que una espora, que una pluma, que un segundo. El sermón del médico dio fe de mi fragilidad: vamos a prepararte para lo que pueda pasar, si no tienes familia podemos buscarte un buen grupo de apoyo, procuraremos eliminar las desventajas socioeconómicas potenciales, ayudaremos a elevar tu capacidad de autoprotección, trataremos de identificar los trastornos de preinfección y posinfección, te abordaremos con terapia de orientación psicodinámica, terapia cognitivo-conductual y psicoterapia de grupo en sus diversas modalidades, detectaremos la etapa de tu infección, en fin, dijo el médico y levantó los hombros; en fin, no te dejaremos solo en este trance.

A pesar de tanta verborrea ahí seguía yo solo y en pelota en un hammán, tratando de tragarme su discurso que no se lo creía ni él mismo. Lo mejor era cambiar de lugar a ver si al moverme mis sensaciones cambiaban. Me paré y me fui a vestir. Detrás quedó una estela de miradas que no sabían que quien los dejaba era un condenado a muerte. La vida me condenaba a morir por haberme matado a mí mismo.

Salí otra vez a la calle y lloviznaba sobre París. El cielo le ayudaba a la Tierra a barrer de las aceras y las calles toda la mierda de perro que a diario cubre esta ciudad. De otra manera uno no se explica por qué llueve tanto aquí. Nunca entendí, además, por qué en París había tanto perro, con lo brutos que son los perros y con lo inteligentes que se creen los franceses. Como dijo mi médico: en fin. Salí otra vez a la calle sin saber adónde ir. Todavía no era hora de llegarle a Perla con la mala noticia, ni de pasar antes donde la Mudita para entrenarme con su silencio forzoso. Todavía no era capaz de decir lo que nadie es capaz de aceptar. De todas maneras, pensé, siempre es bueno caminar por París, a pesar de la llovizna y la mierda de perro, de que uno camina aquí como en un campo minado, donde no se pierde un pie pero sí un zapato. A pesar de que se maldice con frecuencia, siempre es rico caminar por París.

Esa fue la terapia que utilicé con Perla cuando llegó, después de que hubo descansado. Sin importarme que era invierno, yo también necesitaba caminar para resolver qué iba a hacer con el problema que Perla me había planteado la noche anterior:

—Acordate, querido, de que yo ya estoy casada.

Le pedí que se abrigara y que me acompañara a caminar. Fuimos tomando calles que nos llevaran al Petit Pont. Quería mostrarle el Sena y descrestarla con todo lo que hay en sus orillas, y que al pasar por Notre Dame se quedara sin aliento al ver una iglesia de un tamaño que nunca había visto en su vida.

—En un par de días vas a comenzar las clases de francés —le dije.

—¿Vos creés que a esta edad voy a aprender algo? —preguntó.

—Claro que sí. Y también vas a aprender historia de Francia, vas a aprender a vestirte y a comer.

Frenó en seco. Se calentó a pesar del viento de enero, y como si estuviera en la plaza de mercado de Puerto Berrío, me gritó:

—Malparido. Malparido hijueputa. Si fui yo la que te enseñó a comer, culicagado; si fui yo la que te dijo cómo te tenías que vestir, ahora vas a venir, a decirme que no sé comer ni vestirme, sólo porque llevás un tiempo aquí. ¿Y esto que llevo puesto qué es, gran güevón? ¿Estoy en bola, o qué?

—Perla.

—Y la comida de anoche y el desayuno de esta mañana, ¿me los comí con la mano, o en el suelo como un perro?

Sacó una mano del bolsillo del abrigo y me pegó. Dio media vuelta y comenzó a devolverse por donde veníamos. La agarré y por la fuerza la recosté contra un muro. La gente nos miró. Ella resoplaba y el frío le hacía salir vapor por la boca. Le dije:

—No es como vos creés. Aquí es distinto. Hay etiqueta, hay que vestirse diferente para cada ocasión. Hay platos que vos ni conocés, te vas a comer animales que en la vida te imaginaste que se pudieran cocinar, y te vas a comer otros que ni se cocinan porque se comen crudos.

Perla sudaba dentro de su abrigo. Me miraba con el rencor que yo ya había olvidado, desde la época en que Libia me miraba como queriéndome matar.

—A mí también me tocó aprender —le dije—. No es complicado, y no te imaginás lo que nos va a servir.

—¿A mí o a vos? —me dijo Perla.

—A los dos. Lo que vamos a conseguir es para los dos.

—Qué ira —dijo y se relajó un poco.

Seguimos caminando y para distraerla le mostré cosas aquí y allá. Cuando llegamos al río se recostó en el muro y, callada, miró el agua mucho rato, de lado a lado y hasta se atrevió a saludar con la mano a algún incauto que viajaba en un bote de turismo. Me dijo yo también quiero dar un paseo, ¿se puede? Pensé que si algún conocido me veía montado en un *bateau mouche* sería mi ruina, no tendría cómo recuperarme de semejante vergüenza. Pero acepté por ella.

—¿Alguna vez has visto un ahogado en este río? —me preguntó.

—No.

—Diitas antes de venirme, en Puerto Berrío, me fui a caminar muy temprano y vi un ahogado que bajaba boca abajo y con las manos amarradas a la espalda. Ya venía hinchado y traía un gallinazo parado encima de él, como si viajara en un tronco, y se lo estaba empezando a comer. Ese fue el único instante en que me dieron ganas de irme de ahí.

—¿Nunca te dieron ganas de venir a verme? —le pregunté.

—Siempre tuve ganas de verte —me dijo—, pero siempre tuve miedo de venir.

El bote avanzaba. Perla miraba asombrada a lado y lado del río. Me puse las gafas de sol, me bajé la gorra, me subí las solapas del abrigo y me hundí en el asiento. Cada vez que pasábamos bajo un puente yo miraba hacia abajo, no fuera que me encontrara con alguien que pasara por ahí, aunque los parisinos hace mucho dejaron de mirar y saludar a los turistas de los barcos. Sin embargo, el esfuerzo valía la pena: Perla se veía feliz.

Mientras tanto, yo pensaba en cómo resolver el asunto del matrimonio existente de Perla. Era posible casarla aquí por lo civil, pero una bigamia era exponerse a un riesgo muy alto. Clémenti nos rondaba y andaba pendiente de cualquier irregularidad. Pensar en un divorcio de Perla y Osvaldo podía tomar muchos años en Colombia. La edad de milord nos exigía actuar de inmediato. Cuando pasamos junto a la réplica enana de la estatua de la Libertad, se me ocurrió algo. Me pegué al oído de Perla y le dije:

—Perla, tenemos que buscar la forma de matar a tu marido.

9

A Pablo Santiago se lo comieron los gusanos hasta dejarlo en la calavera que nos iguala. Mientras se descomponía bajo la tierra, pasó de todo y no pasó nada. Hubo tiempo de llorarlo, de que Perla, desgreñada, lo reclamara a gritos, hubo lugar para el desconsuelo, para la pena y, finalmente, para la resignación. Hubo tiempo de que pasara el tiempo. Pasó parsimonioso, sin el afán con que pasa ahora, y dejó aburrimiento en su recorrido y desesperanza para Perla y sus hermanas, a las que la vida poco les cambió, asfixiadas por los tentáculos de Libia. Hubo tiempo para que Colombia se echara encima otros treinta mil muertos por la violencia, de que la gobernara el diablo y después una junta militar y de que el monstruo, patrón de Colombia, se apareara para dejar la semilla de un engendro que me iba a tocar a mí. Anabel tuvo suficiente tiempo para repetir como una lora lo que oyó durante esos años en la radio: mandaron un ruso al espacio. Estalló la revolución en Cuba. Mataron a Kennedy.

Perla tuvo tiempo para conocer a Fanny Cardona, para que a su casa viniera Osvaldo, el que sería su marido, y hubo tiempo para que llegara la televisión al país y para que en Medellín construyeran un seminario con forma de teta. Ah, al único que no le pasaba el tiempo era a monseñor Builes, que seguía vivo y feliz, sumando muertos.

—No me gusta esa amiga tuya —le dijo Libia a Perla—. La Fanny esa.

No le gustaba porque Fanny se ponía minifaldas y tacones altos, blusas con escote, porque se maquillaba y porque se paseaba por todo el centro de Medellín con un tigrillo de mascota. Fanny hacía bachillerato comercial con Perla y, sin mucho esfuerzo, se volvieron amigas.

(—¿Cómo se llamaba el tigrillo de Fanny? —le pregunto.
—Ni puta idea —me dice.
—Bonito nombre).

En los descansos, Fanny le hablaba a Perla de la última moda, le enseñaba a maquillarse, y lo mejor de todo: le hablaba de hombres. Perla había cumplido dieciocho y su mayor deseo no era el mismo de Fanny. Si Perla quería un hombre con urgencia no era para que la desvirgara y le quitara ese estorbo de una vez por todas, sino que lo quería para que la sacara de la casa con el pretexto del amor y el matrimonio. Fanny le preguntó:
—¿Serías capaz de casarte sin estar enamorada?
—Sí —le dijo Perla—. Yo me enamoro del que me libere.
Entonces Fanny se puso en la tarea de buscarle un redentor a Perla. No era fácil porque Perla era fea y porque era mucho lo que se podía perder al tratar de romper el cerco de Libia. Fanny le decía, mientras le daba una chupeta a su tigrillo: no te preocupés, querida, que el día menos pensado cae un hombre en el patio de tu casa. Perla le preguntó ¿del cielo?, y Fanny le respondió de donde sea, pero que cae, cae, así como caen los aguaceros. Y a Perla se le metió la costumbre, cada vez que pasaba por el patio, de mirar hacia arriba, no fuera a ser que por no estar atenta cayera en otro patio el enamorado.
—Andá fijate qué es lo que quiere Osvaldo —le ordenó Libia a Perla.

—¿Cuál Osvaldo?

—El administrador de la gasolinera —le dijo su mamá—. Andá, está en la sala.

Perla caminó con desgano pero de su desinterés la sacó un trueno. Todas en la casa gritaron ¡Virgen santa!, pero a Perla se le escapó un hijueputazo. Se fue la luz, como sucede siempre en Colombia cada vez que cae un rayo. Lo único que Perla vio en la sala, a las cinco de la tarde, fue la silueta de un hombre contra la ventana. Ella le preguntó qué quería y él dijo que solamente había venido a traer plata y a hablar con doña Libia. Mi mamá está rezando, le dijo Perla y le pidió que se sentara. Como el sofá quedaba frente a la ventana, Perla pudo verlo con el último resplandor de la tarde. Luego le contó a Fanny:

—La que resplandeció fue mi alma.

—¿El hombre de tu vida? —le preguntó Fanny.

—No —le dijo Perla—. Es un pobre güevón pero es el que me sirve para salvarme.

Perla se sentó junto a Osvaldo y en voz muy baja, para que su mamá no sospechara de una visita, le preguntó por la gasolinera y por los negocios. Le dijo que Pablo Santiago le había hablado mucho de él, su mano derecha. Osvaldo se sobreexcitó. Ella le puso una mano en la pierna y ahí la dejó mientras siguió hablando. Le preguntó si era soltero y él, ruborizado, le respondió que sí, ella le preguntó ¿con o sin?, y como él no entendió se limitó a responderle con una risa de bobo que ella le correspondió, mientras le hacía la pregunta completa, ¿con o sin novia? Él cambió la risa boba por una carcajada de asno que resonó por todas partes y atrajo a Libia a la sala para aplacar lo que no se permitía, por ninguna razón, en su casa: cualquier muestra de alegría.

Perla entendió que estaba en juego una próxima visita de Osvaldo y antes de que Libia preguntara qué estaba pasando, ya Perla estaba ahogada en llanto, tratando de imitar el rebuzno de Osvaldo para que pareciera parte del lloriqueo.

—¿Y a esta cagona qué le pasó? —preguntó Libia. Y antes de que Osvaldo metiera la pata, Perla exclamó jadeante:

—¡Mi papá!, ¡mi papá!

Le explicó a Libia que Osvaldo le había hablado de Pablo Santiago, de lo bueno, de lo justo, de lo especial que era, y que ella no había aguantado. De paso, esperaba que Osvaldo entendiera el mensaje.

—Traele una gaseosa a este pobre que viene cansado desde Yarumal —le dijo Libia— y que no tiene por qué aguantar tus embelecos.

Perla aprovechó y de paso se cambió de ropa. Se puso una falda mucho más corta, se echó polvo en la cara y se pintó los labios de rojo. El maquillaje lo guardaba escondido y a la falda le había subido el ruedo sin que Anabel y Libia se dieran cuenta. Regresó a la sala con la gaseosa sobre una bandejita. Encontró a dos figuras que hablaban de dinero en la penumbra, y justo cuando estaba colocando el vaso en la mesa de centro, llegó la luz y Libia vio lo que Perla no vio por maquillarse al oscuro. Libia preguntó escandalizada:

—¿Y esta puta?

La miró de arriba abajo y sintió que le daba un espasmo. Perla salió de la sala sin prisa y contoneada. Antes de desaparecer, le echó a Osvaldo la mirada que había preparado para embaucarlo. Cuando pasó por el patio, vio que se había largado un aguacero.

Tres goterones le golpean la cara, treinta y cinco años después, en París, junto a la ventana donde se sienta todos los días a ver atardecer. Un ventarrón sacude los *platanes* de la calle y a ella cuando trata de cerrar el vidrio. Una hoja alcanzó a entrar y cayó sobre el tapete. Perla la mira y la recoge, la mira otra vez con más atención. A lo lejos, en otro cuarto, se oye el bisbiseo del radio de Anabel. Perla piensa que si no estuviera lloviendo podría ir al Angelina a tomarse un té, pero cuando no llueve se le van la ganas de salir.

Yo desaparecí hace seis meses y Perla hace cuentas y piensa que hace seis meses y trece días todavía me sentía respirar. Apenas ve que la va a atacar el llanto sacude una mano frente a los ojos para espantarlo. En la otra mano todavía tiene la hoja. Quiere pensar en algo que no sea en mí. Busca a Anabel en la cocina y le dice:

—Mirá esta hoja, Anabel, ¿sabés qué es?

Anabel no responde. Perla sigue:

—Es una hoja de plátano, pero no de los plátanos nuestros. Éstos dan unas frutas redondas, como peludas —y luego dice en francés—: *platane*.

Anabel sigue sin poner atención. Perla le entrega la hoja y le dice sermoneando:

—Te lo digo para mostrarte que, si uno quiere, puede aprender mucho en París.

Se da la vuelta y sale. Desde lejos le grita:

—¡Y apagá ese radio que no me deja concentrar!

El radio apenas se oye con la lluvia de afuera. Llueve ladeado contra las ventanas y a través del vidrio parece que París se estuviera disolviendo. Por algún lado entra un chiflón que amenaza con apagar las velas que me alumbran. El citófono suena y Perla pega otro alarido desde la sala:

—¡Contestá!

Se deja caer en el sofá y queda mirando el techo. Ve que son las seis de la tarde en su reloj y grita otra vez ¡contestá, Anabel! Oye el chancleteo de la otra y la oye preguntar, la oye maldecir y la siente venir.

—Ya he contestado dos veces y nadie habla —dice Anabel.

Perla se incorpora y le dice:

—Debe de ser la Mudita. Iba a venir hoy. Decile que suba.

Era como si la Mudita hubiera llegado nadando. Chorrea agua por montones y en el propio umbral ya tiene un charco armado. Tirita descontrolada y lo único que se oye de ella es el castañetear de los dientes. Perla le dice:

—Por Dios, Mudita, vas a volver mierda el tapete.

La Mudita zapatea furiosa sobre el charco bajo sus pies. El golpe le sacó el agua que tenía dentro del zapato. Perla insiste en lo mismo pero esta vez la llama por su nombre:

—Me vas a volver mierda el tapete, Florencia.

Le pide a Anabel que traiga una toalla y un trapero para secar. Le dice preparale también algo caliente, un café, un chocolate; ¿qué querés tomar, Florencia? La Mudita le dice por señas que prefiere un té, que el café la desvela y el chocolate le da gases. También le dice a Perla que cuando se subió al metro hacía un sol radiante y que cuando salió en la estación Courcelles ya estaba diluviando.

—Así es el clima de esta ciudad, querida —le dice Perla—. Por eso prefiero no salir a ninguna parte.

Anabel llega con dos toallas y le dice a Florencia que lo mejor es que se quite toda la ropa, que ella se la seca en la secadora. La Mudita le hace señas para explicarle que no le importa quedarse así, que con la toalla se puede secar un poco.

—Pero a mí sí me importa —le dice Perla—. Así no te podés sentar en ningún lado.

La Mudita sale del baño envuelta en las toallas y Perla, burlona, le dice parecés de la época de los romanos. Florencia sonríe. Perla le señala el té, le dice tomátelo antes de que se enfríe y antes de que te dé una gripa y nos contagiés a todas. La Mudita entra al salón y cuando va a coger el pocillo, una luz y una energía a su derecha la distraen. Se da vuelta lentamente hasta que me ve sobre la chimenea, en la foto enmarcada en dorado y del tamaño de media puerta, adornado con girasoles, rosas y claveles, con velas y velones, con estampas de santos y mártires, con cosas mías: un reloj, mis gafas de sol, mi peinilla, una cadenita y otros chécheres, engrandecido por la fuerza de la distancia y por el aliento mágico que emana de los ausentes.

La Mudita se mete todos los dedos a la boca y gime. Sacude la cabeza de un lado a otro. Gime. Sacude el cuerpo con rabia y la toalla que lleva atada a la cintura cae hasta sus tobillos. Florencia patalea y llora, camina hacia mí sin darse cuenta de que apenas conserva una toalla sobre los hombros.

—Con cuidado —le advierte Perla. Va tras ella y de paso recoge la toalla que quedó en el piso. Se pega a la Mudita, trata de enrollarla de nuevo y confirma que las nalgas de Florencia son tan duras como le pareció al verlas. Florencia se da golpes en la frente contra la repisa y llora desencajada. Perla la agarra del pelo mojado y le dice—: te vas a lastimar, niña. Controlate.

La Mudita trata de zafarse pero Perla la tira más fuerte del pelo. La Mudita manotea y cae al piso la toalla de arriba. Perla trata de agarrarla por los hombros pero la Mudita no se deja. Perla opta por aplicar la fórmula que ha visto tantas veces en televisión: saca la mano y con impulso le suelta una cachetada escandalosa. Un rayo sacude a París. La Mudita queda pasmada.

—¡Anabel! —llama Perla.

Anabel aparece y encuentra a dos mujeres que la miran con extrañeza: una desnuda y con la mejilla roja y la otra, respirando con dificultad, se soba la mano. En medio de las dos, yo en un altar que crece día a día. Perla le dice a Anabel, tratando de recuperar la calma:

—Florencia necesita un trago, Anabel. Traete la botella de aguardiente y tres copas.

Todavía llueve y ya ha entrado la noche. La Mudita les cuenta de la última vez que me vio, que me vio salir con afán de la peluquería pero que no dije para dónde iba. Perla dice: todo pasó tan rápido. La Mudita se abraza a sí misma para explicar lo que le habría gustado hacer. Anabel le pregunta a Perla ¿qué está diciendo? Y Perla le cuenta:

—Que si hubiera sabido que era la última vez que lo iba a ver, se habría quedado abrazada a Vidal para siempre.

La Mudita asiente. Perla sirve otra ronda de tragos. Las tres beben y se quedan calladas de pronto. Perla me mira en una foto en la que estoy sobre un elefante en la India. Florencia me mira en la que estoy montado en una moto BMW y Anabel me mira en la que simplemente miro la cámara. Hay tantas fotos mías en esta casa que uno podría mirar una diferente cada día y no repetiría nunca durante un año. La Mudita le toma las manos a Perla porque quiere pedirle un favor muy grande: quiere que Perla le dé permiso de bajar la imagen del altar para cargarme un rato.

—Pero si me prometés que te controlás —le dice Perla.

La Mudita lo promete. Perla la acompaña, se empinan y entre las dos me bajan con mucho cuidado. Perla me suelta de a poco hasta estar segura de que la Mudita me tiene bien agarrado. Ella me abraza con nervios y luego con mucha fuerza, apenas pierde el miedo pega la cara contra el retrato y camina conmigo por la sala, como si yo fuera un niño de brazos que no quiere dormirse.

La Mudita camina y Perla y Anabel siguen bebiendo en el sofá. Perla no deja de mirarnos con desconfianza a la Mudita y a mí, en el retrato. Nos señala y le susurra a Anabel: y pensar que una vez me encontré a estos dos encerrados en un baño. Anabel le pregunta ¿y qué estaban haciendo? Perla le responde querrás decir qué le estaba haciendo ella, porque con la cara de boba que tiene y con todo lo muda que es, no te imaginás lo puta que ha sido. Anabel hace una mueca de sorpresa, se bebe lo que queda en la copa y le pregunta a Perla ¿vos cómo hacés para entenderle? Perla bebe lo que queda en la suya, levanta los hombros y dice bajito:

—Por tener que aguantármela. Me faltó poquito para terminar hablando manoteado como ella.

Vivieron juntas durante los meses que duró la preparación de Perla. Salían juntas en las mañanas: la Mudita para el salón de belleza y Perla a su curso de francés, primer nivel. Después de mediodía, Perla regresaba a vaciarme su cantaleta: te voy a decir cinco cosas, Vidal. Primera, yo no entiendo ni mierda; segunda, los que estudian conmigo son casi unos niños, yo podría ser su abuela, creo que se burlan de mí, pero hasta razón tienen, quién no se caga de la risa al ver una vieja totalmente perdida cuando le hablan; tercera, hay que tener gripa para poder pronunciar parecido a los franceses; cuarta, yo ya estoy muy vieja para volver al colegio, querido, ya no aprendo más, yo ya me fui así. Le pregunté ¿y la quinta? Ella se quedó pensando hasta que me dijo no me acuerdo, pero el día que me acuerde te vas a acordar de mí. Me amenazó que no iba a regresar al curso, me dijo dejame a ver cómo me las arreglo para aprender esta berraca lengua.

—Perlita —le dije—, también te toca aprender lo más chic para moverte en sociedad. Eso te lo voy a enseñar yo.

No ponía muy buena cara cuando le hablaba de cambiar modales, pero prefería quedarse conmigo a ir a estudiar francés. Entonces salíamos a caminar mientras yo la instruía, o íbamos a restaurantes para foguearla. A veces, también hacíamos simulacros en el apartamento. Yo le explicaba:

—La servilleta se coloca siempre encima del plato, o si se va a servir sopa o consomé, se pone a la izquierda, junto al tenedor. Luego la extendés sobre las piernas, que quede en forma de rectángulo. Se deben limpiar los labios antes y después de beber, y cuando terminés de comer dejás la servilleta al lado derecho del plato. Por ninguna razón te podés amarrar la servilleta al cuello.

—¿Cómo es el conde? —me preguntó.

—Es un señor común y corriente, pero muy elegante y culto. A ver, repasemos, ¿tinto joven?

—Con los aperitivos, con las carnes rojas —respondía Perla en tono de lección—, con los cocidos, con los arroces...

—¿Tinto de guarda?

—Ese... con los asados, con los estofados, también con las carnes rojas, ah, y con el pato.

—¿Blanco con crianza?

—¿Cuántos años tiene? —me preguntó Perla.

—¿Quién?

—El conde.

—Esa pregunta no se debe hacer nunca, Perla.

—No se debe hacer directamente —me dijo—, pero uno sí puede averiguarle a otro, ¿o no?

—No sé cuántos años tiene. Nunca se lo he preguntado. Y no me cambiés de tema: ¿blanco con crianza?

—Pero más o menos cuántos. Vos sí podés calcular —insistió.

—No sé —le dije—, más de sesenta y menos de noventa.

—Güevón —me dijo.

—¿Blanco con crianza?

Lo que más le gustó del entrenamiento fue ir de compras. Hubo que renovarle toda su ropa: la que trajo de Puerto Berrío, que nunca dejé de verla como ropa de burdel, y la que se ponía en Medellín, que era un poco más discreta para no enfurecer a Libia. Mientras se probaba la nueva ropa yo seguía con la lección: si la invitación es a un té, las señoras deben llevar traje de chaqueta, un vestidito clásico, lo mismo que para una cena formal. No se debe abusar de los pantalones, sobre todo si se tienen problemas con la silueta; además, los colores vivos engordan. En ese caso es mejor vestirse de negro, que siempre es elegante, y si se tiene mucho busto es mejor que el escote sea discreto. Perla abrió la cortina del vestidor, y desde adentro, con los brazos en jarras, me preguntó:

—¿Qué me estás queriendo decir?

Hubo días en que fue imposible avanzar, días en que no salió de su cuarto y dejó de asistir al curso de francés, en los que ni la carnada de las compras sirvió para sacarla de su empeño de no hacer nada.

Mientras se desenfurruscaba, yo seguía planeando cómo deshacerme de Osvaldo, el marido de Perla que se consumía en un asilo para borrachos, allá en Medellín. Por eso busqué a Modot, un abogado muy cercano a milord; él mismo me lo recomendó cuando le comenté el asunto, pero Modot no aportó nada diferente de lo que ya sabíamos. Me dijo es sumamente arriesgado que la señora se case si tiene un matrimonio vigente, va contra la ley. Yo me negaba a la espera de un divorcio o a la anulación de un matrimonio, dos opciones viables pero eternas. Le insistí a Modot: no me malinterprete, señor abogado, pero el esposo de Perla se tiene que morir. Con advertencia y todo, Modot abrió los ojos y negó con vehemencia; yo le expliqué lo que tenía en mente, le dije no es como usted cree, abogado, yo me refiero a que tiene que morir en un papel. Modot me alegó eso no es posible en Francia, monsieur, y yo le dije pero en Colombia, sí. Él volvió a negar con la cabeza, *non, ce n'est pas possible*, mientras yo asentí con la mía, *oui, c'est possible*, monsieur Modot, ya lo verá.

Yo mismo soy el mejor ejemplo para demostrar que uno puede morir en un papel. El resultado de laboratorio que me pasó el médico era un informe de mi muerte. Mostraba con cifras y conclusiones lo que podría suceder. El papel no hablaba de muerte pero ella estaba ahí. Entre el lexotan y el vodka se me escurre lo que le dije al médico pero fue algo como yo no me siento mal. Le dije que no me sentía enfermo y me atreví a hablarle de una equivocación. ¿Cómo voy a morirme si no siento nada malo, si me siento tan bien como usted? Él tomó nuevamente el papel y me dijo podemos hacer una segunda prueba, pero… Se quedó callado un momento y luego dijo tengo el pleno convencimiento… Su seguridad de médico fue la que me hizo vomitar, creí que alcanzaría a llegar a un baño pero no pude pararme de la silla y vomité entre las piernas. El médico llamó a su asistente, me pasó un kleenex y me dijo no te dejaremos solo. Lo dijo por decir porque unas horas más tarde yo estaba más solo que Dios.

Yo caminaba por caminar, guiado únicamente por ese Dios solitario que me llevó del hammán cerca de la Gare de Lyon al boulevard de La Bastille, y de ahí me hizo tomar la rue Saint-Antoine. Luego, como a un ciego, me guió hasta la calle donde vivía la Mudita. Sólo cuando miré la ventana encendida, me pregunté: ¿cómo vine a dar aquí si todavía no es la hora, si todavía no sé qué hacer con la noticia? Y decidí darme un tiempo y la oportunidad de que la Mudita se asomara por la ventana y me viera abajo mirando hacia su piso, suplicando, tan mudo como ella, que alguien compartiera esa carga conmigo. Me di tiempo y la Mudita no se asomó. Quien bajó fue José Roberto, que a veces se quedaba a dormir con Flávia; el mismo que una vez, con su delicioso acento brasileño, me dijo tengo una curiosidad, y yo, más curioso que él, le pregunté ¿cuál?, y él me dijo tengo curiosidad de saber cómo eres. Le miré el dedo meñique, y me pareció tan grande que le dije yo también, José Roberto. Un rato después matamos la curiosidad.

José Roberto no me vio cuando bajó. Yo estaba recostado en el muro del frente y cuando lo vi salir se me enfrió el cuerpo, imaginé que me vería y me preguntaría qué hacía ahí, que por qué no entraba, y al ver mi cara putrefacta y mi silencio delator abriría otra vez la puerta y me haría subir al apartamento. Tal vez llamaría en voz alta a Flávia y a la Mudita, quienes al verme se llevarían las manos a la boca: Flávia para encerrar un grito entre las manos y la Mudita para encerrar en ellas su silencio impotente. Pero José Roberto no me vio ni yo lo llamé cuando lo vi alejarse. A lo mejor la llovizna lo hizo salir apurado. Se perdió en la esquina y alguien en el apartamento apagó la luz. La oscuridad de la fachada matizó la lluvia contra las lámparas de la calle. Recordé la costumbre de Perla de mirar, cuando era muchacha, la lluvia cayendo en el patio de su casa, desde cuando Fanny le dijo que en un aguacero le caería un hombre, y la coincidencia de la llegada de Osvaldo con el aguacero de aquella tarde. Recordé que el agua en su corriente también se lleva lo que trae, como se llevó a Osvaldo a un manicomio y como me llevó a mí a seguir caminando agónico por París.

10

Mucho tiempo antes de convertirse en un pelele de la bebida, cuando ni siquiera sospechaba su oscuro final, a Osvaldo le pasó lo que a todos, que nos creemos el cuento de que nos va a ir bien en la vida. Las pistas falsas se las dio Perla, que comenzó a esperarlo todos los viernes a mediodía cuando él bajaba de Yarumal con plata de la gasolinera, con frutas y con carne que le encargaba Libia porque eran más baratas por fuera de Medellín. Perla corría a atenderlo así la orden fuera que lo atendieran las del servicio, o Anabel, todas menos las hijas, que no estaban para atender pedidos ni empleados. Perla corría cuando sentía llegar el carro y a punta de saludos efusivos fue entusiasmando a Osvaldo. Le decía qué semana más larga, Osvaldito, me parece que el pasado viernes fue hace como un mes. Entonces Osvaldo se montó el cuento viejo de la muchacha rica que se enamora del joven pobre y honrado.

Perla le dijo a Fanny:

—Lo tengo medio loco.

Y Fanny le respondió:

—Pues hay que terminarlo de enloquecer.

Aunque Fanny era más alta que Perla, le ofreció prestarle ropa. Le dijo: no te podés seguir vistiendo así. Perla le preguntó ¿cómo?, y Fanny le dijo pues igual a tu mamá. Le prestó ropa de moda, zapatos altos, le mostró las tendencias del maquillaje, y cada viernes Perla sorprendió a Osvaldo con un atuendo de mujer decidida. Si Libia la veía por casualidad la agarraba a insultos y Perla corría a encerrarse en su cuarto hasta que sentía el carro y volvía a salir en carrera para llegar primero a abrirle a Osvaldo.

—Lo más raro —le dijo Perla a Fanny— es que mi mamá no sospecha de él. Les tiene más desconfianza a los muchachos de por aquí, a los del barrio.

—No es raro —le dijo Fanny, mientras acariciaba al tigrillo—, con lo güevón que es Osvaldo nadie sospecha de él. Creo que ni él mismo ha caído en cuenta de lo que está pasando.

—Entonces, ¿estoy perdiendo el tiempo? —preguntó Perla.

—Lo que tenés que hacer es no jugar más y hablarle claro a Osvaldo. Si no entiende, ahí sí te tenés que preocupar.

El tigrillo se le escapó a Fanny de su regazo y corrió hacia la cocina de la casa de Perla. Fanny salió tranquila detrás pero corrió cuando oyó los gritos. Fanny lo llamó ¡vení para acá, Jimmydín! Perla se quedó en la sala comiéndose las uñas.

(—¿Alguna vez estuviste enamorada de él? —le pregunto.

—A vos qué te importa —me dice.

—Mucho.

Creí que no me iba a responder porque la vi dudando, pero luego se decidió:

—Pues sí lo quise. No mucho tiempo, pero a veces lo quise.

—¿Y qué era lo que te gustaba de él? —le pregunto.

Vuelve a dudar, a hacer memoria o a inventar.

—No sé —me dice—. Era medio bobo y los bobos se hacen querer).

Por la noche, Libia, furiosa, le dijo a Perla no me volvás a traer a la casa a esa amiga tuya. Perla trató de decirle si es por lo del tigrillo…, pero Libia la interrumpió: el animal es lo de menos, es más inofensivo que ella, que es una perra de talla mundial. Perla clavó la cabeza, luego quiso levantarla para protestar pero ya Libia le estaba diciendo eso se lleva en la sangre, pero se puede controlar; vos naciste así, naciste puta, y esa amiga tuya es la que te está alborotando la enfermedad. Perla se puso a llorar y Libia comenzó a preguntarle ¿qué necesidad tenés de vestirte así?, ¿de pintarte así?, ¿de caminar así?, ¿qué necesidad tenés de hablar como las de las radionovelas?, ¿qué es lo que querés?, ¿qué es lo que estás buscando? Al menos podrías llorar como una mujer decente, mirate no más, tenés las lágrimas negras, como las putas. Perla se pasó las manos por las mejillas pero fue peor: de dos líneas pasó a dos manchas negras que le ensuciaron la cara desde la nariz hasta las orejas. Libia la miró con menosprecio y le dijo andá lavate, que parece que hubieras estado sinvergüenceando entre el hollín.

—Mamá es tan radical —le cuenta Perla a Anabel— que ella misma dice que se prostituyó cuando nos tuvo a nosotras.

Perla está recostada en la cama y Anabel está al lado en una silla. Ven la televisión sin volumen porque a Perla le molesta el ruido. A Anabel le da igual porque no entiende francés… Perla le dice:

—Ninguna se salva, para ella toda mujer es una puta. No sé qué pensará de su mamá, nunca se lo he preguntado pero me gustaría saber qué piensa. Es tan radical.

—Yo no soy puta —dice Anabel, sin dejar de mirar el televisor.

—Ella siempre ha dicho que sí lo sos —dice Perla.

—Lo dice por decir, pero ella sabe que yo nunca… nada de nada.

—Yo tampoco te creo.

—Te lo juro —dice Anabel—. Más rota que yo es la Virgen, que al menos se le rompió algo cuando parió.

—No digás blasfemias.

—Te lo juro —repite Anabel—. Yo nada de nada, ni de entrada ni de salida.

—Lo decís con orgullo.

—Con resignación, porque ganas no me faltaron.

—¿Y qué pasó? —le pregunta Perla.

—Lo fui aplazando —dice Anabel—, lo fui dejando para después y esas son cosas que después ya no se hacen.

Perla alcanza la cajetilla de cigarrillos, toma uno y lo enciende. Le dice a Anabel pues tu "después" se venció muy rápido porque yo hasta hace poquito... Anabel la interrumpe: esperate, lo van a matar. Perla pregunta confundida ¿a quién?, y Anabel le explica: hay otro escondido que está armado y éste no sabe. Perla suelta una bocanada y le dice apagá esa mierda, Anabel, no sé por qué te fascina ver todas esas balaceras. Anabel la mira y le dice porque las películas de bala son las más fáciles de entender.

Las dos se quedan en silencio mirando el televisor mudo. En efecto, al hombre lo quieren matar, pero para sorpresa de Anabel y del asesino, el otro también va armado y comienza un tiroteo espectacular. Anabel aplaude cuando el hombre logra aniquilar a su enemigo. Perla le pregunta:

—¿Alguna vez alguien te insinuó algo?

—Pues, sí —le responde Anabel.

—¿Un ciego? —pregunta Perla y luego suelta una carcajada.

—No, no era ciego —dice Anabel—. Si dependiera de la belleza, casi ninguna mujer conseguiría hombre. Hay otras cosas que...

—Eso es cierto —la interrumpe Perla—. A cada mierda le llega su cucarrón.

—Eso es cierto —la imita Anabel—. Fijate todos los que te han llegado a vos.

Perla fuma con arrogancia y Anabel parece masticar algo. Se retan con la mirada, como si apostaran a ver quién sostiene la mirada más tiempo. Las luces del televisor se reflejan en sus caras de perfil. De pronto las alumbra un resplandor naranja y las dos voltean a mirar la pantalla.

—¿Qué pasó? —pregunta Perla.

—Una explosión.

La pantalla se pone negra y aparecen los créditos de final de película. Perla pregunta otra vez ¿qué pasó?, y Anabel encoge los hombros. Le dice no me dejaste ver el final. Perla le pregunta ¿qué estás comiendo? Anabel la mira y se levanta, se para frente a la cama con las manos en puño, trata de controlar el batir suelto de sus mandíbulas. Perla se incorpora un poco y Anabel le dice:

—¿Sabés qué estoy comiendo? Tiempo, malparida, tiempo. El que he perdido con vos y el que me cae encima. El tiempo que le dediqué a tu familia, a Vidal…

—¡Con Vidal no te metás! —le dice Perla, pero Anabel sigue:

—El tiempo que me he pasado encerrada en esta ciudad, y el que he pasado cocinando, ordenando y limpiando la mierda que dejás en los calzones.

—¡Callate, desagradecida!

—El tiempo —continúa Anabel— que me paso esperando a que decidás qué vas a hacer con tu vida, que dejés de esperar a un muerto…

—¡Que no te metás con Vidal! —grita Perla, otra vez.

—Él no necesita que lo cuiden. Son los muertos los que cuidan a los vivos.

—Largate de una vez por todas —le dice Perla—. Largate y no volvás.

Anabel la mira con desilusión. Deja caer los brazos y con voz desprotegida le dice:

—Vos sabés que eso es imposible. Y sabés el porqué.

Da media vuelta y antes de salir apaga el televisor. Oye que Perla se ríe sin ganas. Sale y apenas pasa la puerta, le dice a Perla:

—Cuando querás comer me avisás para servirte.

Anabel está equivocada. A lo mejor dice lo que siente pero es justamente al revés: no es uno el que se come al tiempo sino el tiempo el que se lo come a uno, enterito, con apetito de piraña, sin dejar siquiera el recuerdo. Siempre llega el momento en el que no existe nadie que lo recuerde a uno; al último que nos tuvo en su memoria, también le llegó el tiempo y se lo comió. Y así hasta que el tiempo se coma al universo y de postre se coma a Dios.

A mí me empezó a comer sin que yo lo notara, como nos pasa a todos los que creemos que el tiempo no nos toca, que se traga a los demás menos a uno. Esa noche, caminando por París, sentí que en esas horas había vivido en tiempo los años que tenía de vida, y que a esa hora de la madrugada arrastraba el doble o el triple, así de sopetón.

Caminaba sin dirección. Crucé los dos puentes de la isla Saint-Louis, y por el boulevard Saint-Germain llegué hasta el gentío que siempre hay en el boulevard Saint-Michel. Recuerdo el horror de caminar entre tanto turista, los turistas y las palomas son las plagas de París. Habría que ponerles veneno a las palomas en los parques y a los turistas en los museos. Me conformé con arrollarlos mientras caminaba rápido para meterme en una calle con menos gente. Cada vez me alejaba más de Perla. Iba en dirección contraria a Courcelles, sin importarme que estuviera hecha un nudo porque yo no llegaba, porque no llamaba, porque había apagado mi teléfono celular. Ella ya habría llamado a Flávia y le habría preguntado por mí a la Mudita, se habría quejado, se habría lamentado de mi tardanza, y no habría llamado una sino cien veces.

Yo habría querido que nos muriéramos todos. Haber tenido la oportunidad de apretar un botón que hiciera volar el planeta entero. Sentía que cada uno de los miles de millones que habitaban este mundo era culpable de la muerte que me anunciaron. Un complot contra mí de esta tierra de feos.

Había escampado y no me di cuenta. Lo noté cuando empezó a llover otra vez. Así me pasó ese día, que me di cuenta de que estaba vivo porque me anunciaron que me iba a morir.

Así le pasó a Perla cuanto tenía veinte años, que se dio cuenta de que quería a Osvaldo un viernes en que él no apareció. Se quedó vestida con la ropa de Fanny, maquillada como le enseñaron en la revista *Vanidades*, taconeando por toda la casa mientras miraba cada minuto el reloj, aguantando los comentarios destemplados de Libia, que le decía en la calle te iría mejor que aquí donde no hay sino mujeres, o ¿es que te estás entrenando para la noche? Pero ella no escuchaba nada que no fueran los carros de la calle o su propia voz que le decía no puede ser, no puede ser, no puede ser que me haya enamorado de este güevón. Y en una de las tantas veces que pasó frente a Libia, Perla le preguntó:

—¿Qué le dijiste a Osvaldo? ¿Qué le hiciste?

Entonces Libia se iluminó. Abrió los ojos y la boca, y como si estuviera presenciando una aparición, dijo:

—Ah, entonces es él.

Ese día Libia se la pasó soltando una risita incómoda que puso a pensar a todas. Las que no sabían del asunto creyeron que tenía un descuadre en la cabeza, pero Perla sabía muy bien cuál era la causa y el destino de la risa de su mamá. Esa noche fue a hablar con Fanny y le dijo:

—Estoy furiosa conmigo misma. Creo que me enamoré de Osvaldo.

Fanny la tranquilizó:

—Eso es imposible, Perla, imposible. Tendrías que ser la más de malas.

—Eso me pasó por ponerme a jugar.

—A ver —le dijo Fanny—, contame qué sentís.

—Hoy sentí una cosa por aquí —se señaló el estómago— cuando supe que ya no iba a llegar.

—Eso es normal —le explicó Fanny—. Vos lo necesitás a él, vos estás preparando todo para que te saque de tu casa, y él hoy te falló y vos estás muerta del susto de que se te desbarate el plan.

—¿Es eso?

—Claro que sí. Te podés dormir tranquila.

—No creás —le dijo Perla—, estaba tan desesperada que mi mamá se dio cuenta de todo. Ya sabe que el hombre es Osvaldo.

—La cagaste —dijo Fanny y Perla asintió.

De todas maneras, el viernes siguiente Perla corrió a la puerta a pesar de la orden de su mamá de quedarse encerrada en el cuarto. Se había vestido y pintado como el viernes anterior, y estaba decidida a pedirle a Osvaldo que se la llevara esa noche con él, del todo y para siempre. Pero cuando abrió no vio a Osvaldo sino a otro hombre, un viejo de la gasolinera que desde entonces se encargó de bajarle el dinero y las novedades a Libia. Esa noche Perla lloró sin parar en su cama, y en la suya Libia se rió hasta quedar profunda.

—Tenés que hablar con Osvaldo —le dijo Fanny, al otro día—. Tenés que decirle que no podés vivir sin él. Montale una escena como las de Liz Taylor.

—Ojalá pudiera —dijo Perla—, pero no ves que mi mamá le prohibió volver por aquí.

—No me has entendido —dijo Fanny—. Tenés que ir a buscarlo, escaparte para Yarumal, llevarte todas tus cosas de una vez.

—¿Y mi mamá?

—¿Tu mamá? Apenas sepa que dormiste con él, los va a obligar a casarse y problema solucionado.

—Fanny, no puedo creer las cosas que me estás proponiendo.

—¿Por qué no? —dijo Fanny—. De algo me tiene que servir dormir con un tigre.

Perla lo dudó un par de días pero al tercero empacó sus cosas y se fue para Yarumal con diez pesos que le prestó

Fanny. Siguió paso a paso las recomendaciones de su amiga. A la semana de la fuga llamó a su mamá y le dijo que estaba viviendo con Osvaldo. Libia la vació, la insultó y le ordenó que se escondiera, que no se lo contara a nadie, que esperara instrucciones, y luego llamó a monseñor Builes para pedirle socorro. Monseñor estaba recibiendo a unas monjas pero de todas maneras la atendió, le dijo que Dios estaba ocupado devolviendo liberales para el infierno pero que él, su representante, podría ayudarla. Sólo tenía que llamar al párroco de Yarumal y exigirle que casara cuanto antes a Perla y a Osvaldo. Libia le dijo no, monseñor, así no puede ser, mire que con tanta prisa la gente va a pensar que Perla está embarazada. Monseñor le dijo pero ¿qué van a pensar los que la ven entrar y salir de la casa de tu empleado? Mirá, Libia, no compliqués las cosas, que se casen ya, y a la gente de Yarumal se le dice que la boda fue hace días en Medellín y a la gente de Medellín se le dice que Perla se casó hace días en Yarumal porque es el pueblo donde nació, etcétera, etcétera, ¿me entendés? Libia dijo apuesto a que esta idea se la dio a Perla la puta del tigre. Monseñor preguntó perturbado ¿qué estás diciendo, Libia? Ella dijo ay, monseñor, qué vergüenza, estaba pensando en voz alta, pero su reverencia tiene razón, hay que hacer todo lo que usted dice, yo no sé qué haría sin usted, que Dios nos lo guarde vivo para siempre y que me lo nombren papa, monseñor. Él le dijo que Dios te oiga, mujer.

Se casaron a las cinco y media de la mañana, acompañados por Libia y sus hijas. A Osvaldo le prohibieron llevar invitados. A Anabel la dejaron cuidando la casa en Medellín. Fanny no se atrevió a aparecer por allí. Perla y Osvaldo decidieron que por lo menos se merecían una luna de miel, pero Libia se opuso.

—Para qué una luna de miel si ya llevan viviendo más de una semana juntos —dijo.

—Para consumar el matrimonio —dijo Perla.

—¿Cómo? —preguntó Libia—. ¿Me vas a decir que en una semana que llevás puteando no ha pasado nada de nada?

—Así es —le dijo Perla, y con sarcasmo añadió—: yo tenía muy claro que eso no lo podía hacer hasta después de estar casada —y le preguntó a su mamá—: ¿para dónde creés que nos podemos ir?

Libia sacó la mano y le estampó una cachetada. Luego le dijo:

—Váyanse para la mierda.

Se fueron para Barranquilla porque Osvaldo tenía allá un pariente que manejaba un hotel y porque se podían ir en bus, ya que la carretera a la costa estaba pavimentada.

(—¿Sí es verdad que eras virgen cuando te casaste? —le pregunto.

—Aunque no es asunto tuyo —me dice— te voy a responder: sí, sí era muy virgen.

—Entonces él fue tu único y primer novio antes de casarte.

—Ni siquiera eso —dice—. ¿No ves que ni tuvimos tiempo de noviazgo? Lo conocí y me casé con él.

—¿Y cómo fue la primera vez que se acostaron?

—Eso sí no te lo voy a contestar, querido.

—Pero yo necesito saber eso.

—¿Para qué? —me pregunta—. Escribí lo que te dé la gana).

En Barranquilla, Perla confirmó que no estaba enamorada de Osvaldo. No le daban ganas de acostarse con él, ni siquiera se lo aguantaba para almorzar o comer. En la mañana no había problema porque ella se hacía la dormida hasta que él salía del cuarto, y desayunaba sola, pero cuando él regresaba de dar vueltas por ahí ya no tenía excusas para zafarlo. Había agotado los dolores de cabeza, el calor asfixiante de Barranquilla, los retortijones por el agua sin filtrar, el malestar de la menstruación, y hasta en un momento fingió estar desconsolada porque extrañaba a su mamá. Por las noches salía a caminar sola con el pretexto de que era la hora que mejor le sentaba. Él le decía yo te acompaño, pero ella no lo dejaba. No, dejame sola que hay mucha humedad. Entonces Osvaldo se iba a tomar unas cervezas con su pariente y Perla salía a caminar, y mientras se refrescaba con la brisa de noviembre echaba cabeza para ver cómo iba a salir de donde se había metido.

Estaba dándole vueltas a la piscina del hotel, disfrutando del vuelo que la brisa le daba a su falda, dejándose manosear por el viento, cuando vio que un hombre la observaba en su jugueteo.

—Ese hombre no parecía de verdad —le contó poco después a Fanny—, no hay manera de que fuera de verdad tanta belleza.

—Pero, ¿hablaste con él? —le preguntó Fanny y a Perla se le aguaron los ojos.

—No —le dijo—. No hubo mucho tiempo.

Perla lo vio sentado en una mesa, alumbrado como ella sólo por la luz de la piscina. Era casi medianoche, o eso le pareció, porque el hotel estaba muy solo a esa hora, y ella hacía tiempo a ver si encontraba a Osvaldo dormido. Ella notó que el hombre no dejaba de mirarla así a él casi no se le vieran los ojos, pero si ella se movía de un lado a otro sentía que él la seguía con la mirada. Se puso nerviosa pero no se alejó de la piscina, únicamente trató de controlar los aleteos de su vestido.

—Te voy a confesar algo —le dijo a Fanny—, pero es un secreto cerrado.

Fanny se abrazó emocionada al tigrillo. Le dijo:

—Será como si no me hubieras contado nada.

—No sé por dónde empezar —le dijo Perla, casi llorando.

Él estaba vestido de blanco, desde la camisa hasta los zapatos, era alto y un poco desgarbado, pero en conjunto parecía escapado de una de esas películas donde a los galanes los visten de blanco y los ponen a fumar tabaco cuando se pasean por el Caribe.

—Parecía extranjero —contó Perla—. Ya te dije, era muy bello. Yo sentía el peso de su mirada, como un imán, y cada vez que volteaba para mirarlo, me cruzaba con la mirada de él, aunque te lo confieso: por más que lo intenté, no pude verle los ojos.

Perla miró varias veces hacia donde suponía que quedaba la ventana del cuarto donde se hospedaba y siempre vio la luz apagada. No sabía si Osvaldo dormía o si todavía no había llegado. También le servía de descanso mirar hacia otro lado para no mirar a donde estaba el hombre. De pronto se asustó porque apagaron la luz de la piscina y todo a su alrededor quedó negro. Temió que de pronto pudiera caerse al agua y se quedó quieta, esperando a que los ojos se acostumbraran a la oscuridad. Luego sintió que otra vez el ventarrón le levantó el vestido y con la mano quiso acomodárselo, pero esa vez no se encontró al viento debajo de su falda sino otra mano que no era suya y que se le metió decidida entre las piernas, y antes de poder pensar ya otro brazo la estaba rodeando, y detrás de ella, pegado a su cuerpo, otro cuerpo firme y perfumado.

—Hay una parte de todo esto de la que no me acuerdo —le dijo a Fanny, con la voz descuartizada.

—No me digás que se te olvidó lo mejor —dijo Fanny.

—No —dijo ella—. Creo que era sólo el principio.

Lo que Perla no recordaba era el momento en que ella pasó de la piscina al cuarto del hombre, si tuvo que acercarse al edificio, caminar por los pasillos, atravesar la recepción, subir en ascensor hasta algún piso, caminar por el corredor hasta el cuarto y entrar.

—No sé qué me pasó, Fanny.

En cambio se recuerda desnuda, tendida en la cama, con la luz apagada, sólo iluminada por el resplandor que entraba por la ventana, sudorosa, húmeda, emparamada, con la entrepierna hecha pura agua, necesitando aire y que el hombre decidiera de una vez por todas qué iba a hacer con ella: si echársele encima, si golpearla, si matarla, lo que fuera, pero la incertidumbre ya se la estaba comiendo.

—Yo estaba dispuesta a todo.

Lo sintió encima de ella, sin aplastarla, más bien como si quisiera cubrirla con todo el cuerpo. Y en la mitad del cuerpo de él sintió lo que no conocía y ni siquiera imaginaba. Al comienzo lo confundió con una pierna o con un brazo, pero ella contó muy bien las extremidades: las dos piernas están abajo y los dos brazos están arriba. Entonces eso que sobraba y que él insistía en acomodarle entre las piernas no podía ser otra cosa que la cosa de la que tanto hablaba con Fanny, y con otras que ya habían probado.

—Es lo más raro que he tocado en mi vida. Parecía un animal con vida propia, como si no tuviera nada que ver con el cuerpo al que está pegado.

Perla trató de controlar los pequeños gritos que se le soltaron. Él, en cambio, bramó desinhibido. Sudaban a chorros y ella creía que no le iba a alcanzar el tiempo para deshacerse de tanta agua. De pronto, a Perla le dio por preguntarle, en plena faena, ¿cómo te llamás?, pero él siguió rugiendo y no le respondió. Ella le suplicó entre gritos ¡decime tu nombre, por favor!, pero entre tantos ruidos a ella apenas se le oía la voz. Ella insistió ¡no me hagás esto, por favor, decime tu nombre!, y cuando terminó de suplicárselo ella ya estaba metida, como él, en el asunto del orgasmo; por eso, lo único que oyó fue cuando él dijo, antes del último estruendo: Vidal. Eso dijo o le pareció entender a ella: Vidal, porque después Perla ahogó cualquier nombre con un grito que ella nunca se había oído, ni siquiera cuando le anunciaron la muerte de Pablo

Santiago, ningún alarido así le había escuchado a ninguna mujer. Al final quedó tan estropeada que no quiso volver a hablar ni preguntar ni saber quién la había hecho sentir al mismo tiempo tan desgraciada y tan feliz.

—¿Vidal? —preguntó Fanny, desconcertada.

Perla asintió callada, secándose los ojos. Y cuando pudo hablar, balbuceó:

—Sí, creo que eso fue lo que dijo.

11

El principio de mi historia, si es que uno puede ser tan arrogante de pensar que la historia de uno comienza con uno mismo, fue esa noche a una hora que nadie recuerda, en aquel hotel de Barranquilla, aunque con más precisión mi historia comienza en el útero de Perla.

Ella no sabía, cuando llegó temblorosa a su cuarto, que unas horas más tarde yo empezaría a vivir dentro de ella. Después lo sospecharía porque estaba al tanto de lo que ocurre en esos casos, pero cuando abrió la puerta y vio a Osvaldo acostado, ella creyó que dormido, sintió dos impulsos: primero que se derrumbaba y luego salir corriendo y no regresar nunca a ese cuarto, junto a ese tipo que roncaba en calzoncillos con una pierna flaca y lampiña por fuera de la cama. Quiso devolverse al cuarto de donde venía pero no recordaba el piso ni el número de la puerta, incluso dudó de que fuera el mismo hotel.

—Yo de lo único que me acuerdo es cuando ya estaba encerrada, en pelota y patiabierta.

De los dos impulsos que sintió no siguió ninguno. Muy callada se metió al baño y abrió la ducha.

—Yo tenía que quitarme de encima el olor de ese hombre, no porque me chocara sino por todo lo contrario.

Se quedó bajo el agua mucho rato, hasta que Osvaldo tocó la puerta y le preguntó si estaba bien. Ella le gritó acostate y dejame tranquila, mientras se acariciaba con las manos y con el agua la zona desflorada. Trató de recordar sin éxito la cara del hombre, o al menos su verga, que tampoco vio pero que la hizo ver estrellas.

Se acostó junto a Osvaldo, que se había dormido de nuevo, y se quedó pensando, hasta que amaneció, en lo que había hecho y en lo que haría: en la mañana iría a buscar a ese hombre y sin darle pretextos, sin explicaciones, le suplicaría, fuera él quien fuere, así fuera el peor de todos los hombres, que se la llevara con él a donde quisiera, a hacer lo que él le pidiera. Yo a él me le habría comido hasta su mierda, le dijo a Fanny. Se levantaría primero que Osvaldo y se pararía en el vestíbulo al lado del ascensor hasta que el hombre bajara y ahí, planeó Perla, comenzaría su nueva vida.

Pero le pudo el cansancio justo cuando salió el sol, y se quedó dormida. A esas horas, al que iba a ser yo se le habían disuelto ya las paredes nucleares y todo mi material genético quedaba en el plasma celular del óvulo.

Osvaldo se despertó temprano y cuando la vio al lado estiró el brazo y con maña empezó a tocarla. En los hombros, en la cintura, hasta que Perla abrió los ojos, horrorizada, y brincó de la cama. Le preguntó a Osvaldo ¿qué hora es?, él le dijo las seis y media, y ella, descontrolada, le tiró lo que encontró a la mano: una revista y un zapato de él. Le dijo malparido, malparido, y él le preguntó ¿qué pasó?, ¿yo qué hice? Ella comenzó a meter a toda prisa la ropa en la maleta y a vestirse de afán. Él le preguntó pero ¿qué te pasa?, ¿para dónde vas? Ella paró de hacer lo que hacía y, apuntándole con el dedo, le dijo voy a traerte el desayuno, no te movás de acá, ¿me entendiste? Él le dijo vos estás loca, Perla, si el desayuno nos lo pueden traer al cuarto, vos estás enferma, ¿dónde estuviste anoche?, ¿qué te está pasando? Ella le gritó

¡¿entendiste?! Osvaldo asintió con la cabeza y ella terminó de empacar, se puso las sandalias de tacón, agarró la maleta y antes de salir le dijo:

—Ahora vengo.

Osvaldo se paró junto a la ventana a ver si Perla salía del hotel, pero pasó el tiempo y no la vio salir. No dejó de mirar hacia abajo durante la hora que esperó sin saber qué hacer. Llegó a pensar que ella se había escapado por otra puerta. De lo que siempre estuvo seguro fue de que ella jamás aparecería con el desayuno. Se vistió sin dejar de mirar por la ventana y decidió bajar.

La encontró sentada en el vestíbulo, en una silla frente al ascensor. Tenía la maleta junto a sus pies y se mordía los dedos de la mano, descorazonada. Apenas lo vio se cubrió la cara y empezó a llorar. Él le preguntó buenamente ¿qué te está pasando, Perla? Ella le mostró la cara enrojecida y le pidió vámonos ya, Osvaldo, vámonos para Yarumal. A esa hora yo era un embrión dividido en dos mitades, en espera de dividirme en dos mitades más.

—¿Lo buscaste? —le preguntó Fanny.

—Por todos los rincones del hotel —le dijo Perla.

—¿Preguntaste por él?

—Sí, pero no existía. Nadie sabía de él, ni lo habían visto, jamás habían oído su nombre. No había ningún Vidal en el hotel.

—A lo mejor no se llamaba así —dijo Fanny.

—Yo qué sé —dijo Perla.

Al no encontrarlo por ninguna parte, preguntó por él en recepción. Le preguntaron por el nombre y ella dijo Vidal, y luego le preguntaron por el apellido y de nuevo ella tuvo que decir Vidal. Le pidieron una seña y ella levantó el brazo muy arriba y dijo es como así de alto. Los empleados se miraron y le dijeron que no la podían ayudar. Uno de ellos le preguntó si había tenido algún problema, si el tipo era alguien que había entrado al hotel a molestarla. Ella les dijo: no, solamente es alguien que me quedó debiendo una plata.

Fanny puso cara de extrañeza, metió al tigrillo entre sus pies y lo apretó. Le preguntó a Perla:

—¿Plata?

—Fue lo primero que se me vino a la cabeza —dijo Perla—. Creo que mi mamá me ha dicho puta tantas veces que a lo mejor creí que le tenía que cobrar.

El animal mordió a Fanny en el tobillo y la hizo gritar. Perla le preguntó:

—¿Qué vas a hacer con él? Está creciendo muy rápido.

Fanny le respondió, besando al tigre:

—Nos vamos a ir a vivir a un zoológico, los dos.

—¿A una jaula?

—Sí —dijo Fanny.

Perla volvió a preguntar:

—¿Vos creés que me porté como una puta?

Fanny le dijo:

—No, yo creo que sos muy afortunada.

Perla y Osvaldo regresaron en bus a Yarumal. A pesar del cansancio, esa noche ella decidió repetir en la imaginación su noche con Vidal. Apagó la luz y cerró la ventana para que no se colara un solo rayo que pudiera alumbrar el cuarto. Se desnudó enceguecida y arrecha, y le dijo a Osvaldo, que ronroneaba en la cama: no vas a hablar hasta que yo te diga. Entonces tomó la mano de él y la colocó en su sexo, buscó el sexo de él, imaginando que esa mano de hombre era la de Vidal y que la verga que ella escarbaba en los calzoncillos de Osvaldo era la misma que la hizo sangrar dos noches antes. Pero a medida que avanzaba y que Osvaldo asumía, sin saberlo, el rol de otro hombre, a ella se le deslizaba ese otro hombre de la imaginación. Y aquel que trataba torpemente de encontrar el agujero se parecía cada vez menos a Vidal y cada vez más al que en realidad era. Con los ojos apretados trataba de recuperar a Vidal en su recuerdo y de adaptarlo al cuerpo fofo e inexperto que le rebotaba encima, pero ni los movimientos, ni el aliento, ni el olor, ni el sudor, ni las caricias ni la verga se aproximaban a lo que ella recordaba. Vidal terminó desvaneciéndose, y con tristeza y con rabia Perla empujó el bulto que tenía arriba, justo cuando el bulto eyaculaba adentro.

—¿Te acostaste con Osvaldo? —preguntó Fanny, desconcertada.

—¿Qué tiene de raro? —dijo Perla—. Es mi marido.

Fanny puso cara de asco. Perla le dijo:

—De todas maneras no he repetido. No creo que sea capaz de volver a hacerlo.

Las dos se miraron calladas y el tigrillo soltó un rugido de tigre grande. Fanny exclamó algo pero Perla seguía pensativa. Se le abotagó la cara y se le encharcaron los ojos, de nuevo. Con voz de quien está a punto de llorar, le dijo a Fanny:

—Yo no voy a ser capaz de vivir con este recuerdo.

A todas éstas yo ya había sido mórula y blastocisto, y ahora medía dos milímetros. Mis genes comenzaban a concentrar su desarrollo en las tres capas germinales, mi corazón estaba a punto de comenzar a latir por primera vez en mi historia, y en unos días Perla se iba a sorprender porque su período no le iba a llegar.

En Medellín, Libia entraba de urgencia a la clínica con una hipotensión severa, casi desmayada, deshidratada y con dolores abdominales, luego de tragarse una caja entera de Accuretic, para bajar la presión arterial. En Vietnam los gringos hacían llover napalm y en París, ahora mismo, Perla se dispone a salir. Va al salón de belleza a tinturarse el pelo. Abre el portón del edificio y se topeta con el perro, que siempre que la ve le gruñe y no la deja pasar. Perla le dice quitate de ahí, chandoso, pero Tiburón sigue gruñendo. Un taxi la espera junto al andén.

—¡Señor, señor! —llama al taxista y le hace señas, pero el tipo no la oye.

Perla salta sobre Tiburón y corre hasta el carro con miedo de que la vaya a morder, pero el perro se queda quieto y le ladra echado desde la puerta. Perla le dice al taxista: yo no sé qué hace un perro de esos en este barrio. Él, mirando al perro, le comenta: alguien lo debe tener cebado. El taxi arranca y desde la ventana del cuarto piso Anabel lo ve alejarse, sonriendo de oreja a oreja.

Perla nunca se aprendió la dirección exacta de La Reine des Ciseaux, por eso siempre se queda en la place du Châtelet y camina dos cuadras hasta la peluquería. Saluda de beso, con uno sólo, a cada uno de los peluqueros, y luego a Flávia, que también se queda esperando, con la mejilla lista, el segundo beso de rigor. Perla ni se entera. Se mira en los espejos y dice estoy horrible, no me había visto con tanta luz y en tantos reflejos. Flávia a veces le habla en francés teñido de brasileño, a veces en mal español, en portugués o en portuñol. Siempre se hace entender, como ahora, para decirle a Perla: *no estás horrible, querida, es la tristeza que da mais rugas que el sol.* La Mudita toma a Perla del brazo y la lleva a un rincón para mostrarme pegado en un espejo, sonriendo en primer plano. Le explica que ella misma me tomó la foto, ahí mismo en la peluquería, cuando trabajábamos juntos, y le ofrece una copia, si Perla quiere. Flávia, un poco más lejos, dice: es muy bello. Y Perla, sin dejar de mirarme dice, después de un suspiro: tal vez demasiado.

Escoge el tono de rubio que se va a poner, y antes de elegir hace que todos tengan que ver con su elección. Va de puesto en puesto preguntándole a cada peluquero su preferencia. Hace comentarios en voz alta: ese si tuviera veinte años menos, ese es muy blanco, quedo como una cucaracha de panadería. Nadie le entendió y tuvo problemas para explicarlo. *Comme le cancrelat d'une boulangerie.* Luego dice con rabia: ¿por qué nadie se acuerda del color que le gustaba a Vidal? La Mudita levanta la mano y por señas le dice que ella sí se acuerda. Le muestra el mechoncito en la carta de colores.

Le dice a Perla que se siente y se relaje, que deje todo en sus manos, y con gestos sobresaltados le explica que la va a dejar igual a cuando yo estaba con ellos. Perla le dice ay, Florencia, lástima que no hablés.

Se deja hacer, cierra los ojos y echa la cabeza hacia atrás para que le mojen el pelo. Oye secadores, tijeras, comentarios, la música ambiental que suena suave. Aspira el aroma de los champús y los acondicionadores, y el olor fuerte a amoníaco de los tintes. Piensa en mí y luego piensa en la intención de su visita al salón de belleza. A la Mudita le confiesa tengo una cita muy importante. Ella le pregunta con quién y Perla le dice con monsieur Modot, mi abogado, es una cita definitiva. La Mudita la mira con malicia y entonces Perla le aclara ¡no, querida, yo ya no estoy para esos trajines!, esta es una cita profesional. En voz baja dice tiene que ver con la herencia, me están acusando de cosas que no hice, de cosas que no tengo ni idea.

Mientras vivimos juntos, Perla nunca tuvo que ir a la peluquería porque yo mismo la arreglaba, yo la teñía, la maquillaba, le cortaba el pelo y la peinaba. Le cambié el *look* cuando llegó de Colombia, le quité el musgo que traía pegado de Puerto Berrío y su apariencia de salonera arrebatada. La depilaba mientras le decía no debés peinarte en público, no debés sacar la peinilla o el cepillo delante de la gente, para ir a una cena te tenés que peinar distinto de como te peinás en el día. Le hacía el *manicure* y le decía si te vas a retocar el maquillaje en una comida es mejor que lo hagás en el baño, es de muy mal gusto hacerlo en la mesa, y acordate que la elegancia no se lleva sólo en la ropa sino que se lleva por dentro, si te sentís elegante vas a ser elegante. Yo le alisaba el pelo y repasábamos juntos la lección, le preguntaba ¿vaso corto y ancho?, y ella respondía whisky en las rocas. ¿Vaso alto? Whisky con agua o con soda, gaseosas, cerveza. ¿Copas de flauta? Champán. ¿Copa de coñac? Pues coñac, güevón.

146

El único problema seguía siendo el francés, que ella se negaba a aprender y lo poco que sabía lo pronunciaba como si siguiera hablando en español. Muchas veces le dije tenés que aprender a sostener una pequeña conversación con milord, lo básico. Ella me preguntaba ¿y yo cómo sé qué es lo básico para él? Se ofuscaba y decía: si me voy a casar por conveniencia no entiendo para qué necesito hablar, si ni siquiera me voy a acostar con él. Con que lo salude por las mañanas y me despida por las noches es suficiente. Yo le decía no es suficiente, él va a vivir con nosotros y uno necesita hablar con la gente que vive. Entonces ella, más ofuscada, me dijo: eso es lo que menos entiendo, que él vaya a vivir con nosotros, hay algo que vos no me has contado, Vidal. Le dije así lo quiere él. Y ella, al borde de la rabia, dijo pues si él quiere hablar conmigo que aprenda español.

Ahora la Mudita ha tomado mi lugar, ella se sabe de memoria los trucos para mejorar a Perla. Apenas se mira al espejo le dice a Florencia: parece que lo hubiera hecho él. La Mudita sonríe satisfecha. Perla busca la cartera para pagar pero la Mudita la frena, no le va a cobrar. Pero, ¿por qué?, ¿y cómo vas a hacer con Flávia?, pregunta Perla. La Mudita le dice que arreglará con ella pero que a cambio quiere un favor. Perla le dice ah, entonces no es gratis. La Mudita se sonroja, toma fuerzas para decirle lo que quiere, sabe que no es fácil. Quiere que la próxima vez Perla lleve al salón de belleza mi retrato grande del altar. ¿Y eso para qué?, ¿ya no tenés una foto de él pegada ahí?, pregunta Perla. La Mudita trata de explicarle que no es lo mismo. Señas más, señas menos le dice que no es lo mismo la cruz que uno cuelga sobre la cama que la cruz de un altar. Y le añade que si me lleva no le vuelve a cobrar. Perla hace cuentas en la cabeza: cuánto le costaría traerme y cuánto arreglarse el pelo. Entonces le dice está bien, la próxima vez vengo con Vidal.

Sale a la calle y mira hacia las nubes para adivinarles su estado de ánimo. Están grises y con ganas de joder. Ella, por el contrario, se siente regia. Uno sale contento de las peluquerías mientras el peluquero no falle. El cambio cae bien. Sobre todo en París, que es un lugar tan difícil, es conveniente consentirse con un cambio que lo haga sentir a uno nuevo por un rato.

Desde mi desaparición, es la primera vez que Perla se siente más o menos parecida a la mujer que fue hasta el día en que no llegué. El día en que yo, al igual que un cohete a punto de lanzar, comencé a contar de para atrás. La Mudita la había dejado parecida a la que era a esa hora de la noche cuando Perla todavía me esperaba para cenar. Más tarde, cuando mi tardanza había superado lo normal, Perla empezó a deteriorarse, de a poquitos, hasta verse tan moribunda como yo.

Esa noche seguí caminando sin parar y en sentido contrario a donde debería ir. Crucé veloz el distrito vi y me metí en el xv. Pasé junto a la torre de Montparnasse y me vi repitiendo un recorrido que hice muchas veces recién llegado, excitado y con afán por entrar a L'Ange Rouge (El Ángel Rojo), un sitio exclusivo para ángeles como yo. Tal vez ese era el lugar del crimen. Ahí me pudo haber matado otro desahuciado y en medio del entusiasmo no me habría dado ni cuenta. Creía que los ángeles no moríamos, que entre ángeles todo estaba permitido y por eso nos reíamos de la muerte. Decíamos que morir era de mal gusto, era cursi morir, y por reírnos nos cayó la más fea, la muerte que más nos iba a deformar, la que borraría cualquier indicio de hermosura y, de tajo, la soberbia que acompaña a la belleza. ¿Cuántas veces no habré salido de L'Ange Rouge convencido de que estaba lleno de vida por el solo hecho de ser el más deseado, sin saber que a lo mejor ya cargaba con una fecha de partida?

Ese día, esa noche, con el final ya anunciado, volví a entrar al sitio donde se reunían los ángeles necios de París. No vi al portero de siempre, ni al recepcionista, y los del bar tampoco eran los mismos. Los nuevos eran igual de bellos a los de antes, que a lo mejor habrán muerto precisamente por bellos y los habrán remplazado por éstos, a los que también matará su belleza. En El Ángel Rojo todo es rojo. Uno se ve rojo por la luz y así ve a los demás. El rojo embellece, erotiza, colorea los cuerpos, enciende los ojos, se suda escarlata, se desea y se piensa en rojo, la música es roja y los ángeles bailan sin camisa. El volumen de la música los hacía moverse, se tocaban y se buscaban. Me miraron cuando entré, aún no se notaba mi desliz y tal vez el rojo hizo ver a la muerte como un ángel más. Quién sabe cuántos bailarían, como yo, con la peste adentro. Pedí un trago y me consolé a lo tonto: todos tenemos la muerte adentro. La potencia de la música hacía que los vasos se movieran solos sobre las mesas. En cada esquina había un video de hombres hermosos comiéndose entre sí. Las vergas hinchadas y rojas, las bocas llenas y rojas, rojos los anillos del culo y más rojo el culo desgarrado en su interior.

(—¿De qué color es la muerte? —le pregunto.

—Ella se viste de negro —me dice.

—¿Y por qué de negro si el muerto casi siempre queda teñido de rojo?).

Una manchita roja en la mitad de un renacuajo, así era yo cuando Perla se dio cuenta de que no le bajaba la sangre. La manchita era el corazón y yo era un bicho de un centímetro de largo, todavía sin pies. Perla orinaba con más frecuencia, vomitaba sin razón, y un cansancio, como nunca había sentido antes, la dejaba en la cama toda la mañana. Sin embargo, un entusiasmo escondido la hacía soñar. Llamó a Fanny y le dijo:

—Creo que estoy embarazada.

Fanny gritó y aplaudió contra sus muslos. Luego del pequeño escándalo, le preguntó:

—¿Sabés de quién es?

—Me estás hablando como a una puta, Fanny —le reclamó Perla—. Claro que sé de quién es: del único que puede ser, de aquel hombre.

—¿Cuál? ¿El del hotel?

—Ese. El único.

—Pero vos también... —le dijo Fanny—, vos también con Osvaldo.

—Una o dos veces, nada más.

—Pero también pudo haber pasado en una de esas.

Perla se ofuscó y tajantemente le dijo a Fanny:

—No me alegués. Una mujer sabe muy bien quién la preña. Osvaldo no es capaz de tanto. Este hijo es de Vidal.

Llamó a su mamá, a Medellín, para contarle que iba a darle su primer nieto, pero la encontró enferma y sin ganas de hablar. De todas maneras, Libia le preguntó:

—¿Cuánto tenés?

—Calculo que mes y medio —le dijo Perla, y como sabía el origen de la curiosidad de su mamá, añadió—: y dos meses de casada.

—Andá a ver al médico —le dijo Libia.

—Papá se habría alegrado mucho.

—Yo no estoy para fiestas, Perla. Me duelen los huesos y tengo palpitaciones, me siento como nerviosa. Debe de ser la próstata.

—Nosotras no tenemos próstata, mamá.

—¿Ah, no?, ¿y eso por qué? —preguntó Libia.

Ya se había tomado unas pastillas, casi vencidas, para la hiperplasia benigna de la próstata que alguna vez le formularon a Pablo Santiago. Sin embargo, se olvidó del asunto y le dijo a Perla:

—Ya te paso a tus hermanas para que les des la noticia. Yo me voy a recostar.

El médico del pueblo le pidió a Perla que le llevara orina matinal para hacerle la prueba del sapo y confirmar el embarazo. Ella no le contó a Osvaldo hasta que tuvo el resultado.

—¿Vamos a tener un hijo? —preguntó él.

—Voy a tener un hijo —rectificó Perla—. La embarazada soy yo.

—Pero es mío.

—Pues sí —dijo ella sin muchas ganas, y agregó—: pero es más mío que tuyo.

Osvaldo quiso acercársele pero ella lo rechazó. Le dijo:

—Dejame tranquila que estoy muy maluca.

—¿Ya fuiste adonde el doctor? —le preguntó él.

—Sí.

—¿Y cuánto tenés?

—Seis semanas.

—Y, ¿qué más dijo?

—Que me dejaran sola —le dijo ella—, que no me jodieran, que me iba a volver muy sensible, que era mejor que no te me acercaras mucho, que de ahora en adelante era más conveniente que durmieras en otro cuarto, no vaya a ser que me pegués una gripa y afectés al niño.

—¿Niño? —preguntó él—. ¿Te dijo que va a ser niño?

—No, no me dijo nada de eso —dijo Perla—, pero yo sé. Voy a tener un hombrecito.

Desde ese día, Perla se la iba a pasar entre el alborozo y la rabia. Lloraba y rabiaba con facilidad, así como fue siempre, pero ahora movida por la sensibilidad y por la frustración, porque la ira venía de no saber nada del hombre que, según ella, me engendró. Todas las mañanas llamaba a Fanny y le decía:

—Tengo que encontrarlo. Tengo que mostrarle lo que me hizo.

—Lo decís como una queja —le dijo Fanny.

—Es una queja. Nadie tiene derecho a darle a uno todo y después quitárselo.

—Algo te dejó —le dijo Fanny.

—Sí, pero yo quiero todo, que me devuelva todo lo que se llevó.

Fanny la dejó llorar durante unos minutos. No le dijo ni tranquila, ni calmate. La dejó llorar en silencio, la sintió moquear, suspirar, tragarse el llanto, que es lo que toca cuando no hay nada que hacer. Fanny le dijo:

—Estoy viendo una telenovela mexicana que se parece mucho a tu historia. La deberías ver, la pasan todos los días a las once.

—Yo no estoy para telenovelas, Fanny —le dijo Perla—. Con la mía tengo.

Le dieron náuseas y tuvo que colgar. En el baño, con una mano se agarró el pelo y con la otra el vientre, para vomitar. Más que vómito soltaba gritos, lamentos encolerizados, reclamos pasados por babas, pero en cada espasmo se deshacía un poco de su inconformidad.

En París, en el taxi, de regreso a su apartamento y estrenando color de pelo, Perla tuvo un asomo de paz, que a veces se consigue cuando uno entiende que hay que tragarse lo que no tiene solución. En El Ángel Rojo yo tuve un asomo de paz. Alguien me tocó el culo y entendí que seguía vivo y provocativo, y por un instante percibí esa sensación como un regalo. En Yarumal, Perla se miró desnuda al espejo y tuvo un asomo de paz. Yo todavía no le deformaba el cuerpo pero ella me sintió adentro, también como un regalo de vida para que recordara en mí ese único instante en que sintió la vida en todo su esplendor. Aunque más adelante, también por mí, olvidaría esa noche, ese momento y a ese hombre. Ya no tendría más ojos, más corazón y más memoria que para mí, que ni ausente dejo de existir dentro de ella.

En París me muestra su peinado y el tono rubio que le pusieron, le dice a una foto mía ¿te gusta? La Mudita me dijo que era el color que siempre me escogías. Desde la foto la miro con dulzura, como si no existiera esa distancia infinita entre nosotros. Se acomoda el pelo en el reflejo del vidrio. Parece que estuviera peinándose delante de mí, pero la verdad es que juega con el pelo para disimular que llora otra vez. Ha desaparecido esa paz que se le asomó en el taxi, al igual que antes, unos meses antes, a mí también se me fue la paz en el baño de L'Ange Rouge, y en el reflejo rojo del espejo también comencé a llorar con lágrimas rojas. Igual que muchísimo antes, unos veintiocho años antes, a la misma Perla también se le fue la paz en el frío de Yarumal y lloró en pelota con un frisol que se movía dentro de ella: yo, que ya tenía una médula espinal y sangre propia, y que así ya tuviera un corazón que latía a ciento cincuenta por minuto, todavía no me servía para entender por qué lloraba la gente.

12

—Llegaron las colombianas —anuncia Anabel.

—Deciles que entren —ordena Perla.

—Ya están adentro —dice Anabel.

Son las tres amigas que tiene Perla en París, con las que se reúne de vez en cuando, en esas veces que le entra la nostalgia por su gente. Aunque no son familia, con ellas al menos se olvida de pensar en francés, y ahora que ya no estoy, las voces de ella son las únicas que oye en español.

—Tu voz no cuenta, Anabel. A vos te estoy oyendo desde hace más de cuarenta años —dice Perla.

Con ellas, sobre todo, puede chismosear a rienda suelta, como le gusta: Gloria de Mejía, esposa del tercer secretario para asuntos militares de la embajada de Colombia en Francia; Luz Helena García, divorciada y comisionista *free-lance* de propiedad raíz, y Fiona Franco, divorciada y empleada en tierra de Avianca, *la aerolínea de Colombia*. Las tres rondan los cincuenta y tantos.

—Qué más, muchachas —las saluda Perla, con un solo beso, menos a Fiona, que la asalta con dos y por eso Perla le dice—: tan francesa vos, Fiona, qué pereza.

Llegan al final de la tarde y encuentran una mesita dispuesta con pasabocas de bolsa, vasos, hielo y trago. Anabel no ha dejado de sonreír desde que llegaron. Perla le dice andate para la cocina, Anabel, que yo te llamo si necesito algo. Las otras, por cotorrear, no se dan cuenta de que Anabel les dice qué bueno que vinieron. Perla habla fuerte para pedirles que pasen a la sala:

—Sigan, que allá está Vidal.

Lo poco que queda de sol ha entrado por la ventana y me hace resplandecer por el marco dorado del retrato. El reflejo las encandila pero así y todo abren los ojos con asombro.

—¡Cómo ha crecido! —exclama Luz Helena.

—Cada día más hermoso —dice Gloria, fingiéndose conmovida.

Se refieren a mi altar, que es como mi nuevo vestido, hecho de plata y flores, de velas, fotos y recuerdos. Me adornan una docena de veladoras, dos vírgenes pequeñas, una estatua en color de María Auxiliadora y otra del Divino Niño, con su trajecito rosado y su cinturón verde y a los pies un letrero: *Yo reinaré*. Tres crucifijos de tres tamaños, más el que cuelga en mi cadena de oro que no me puse el día en que fui a recoger los resultados. También hay un par de escarpines de cuando yo era niño, una Biblia, las estampas de medio pliego de las Ánimas del Purgatorio, el Divino Rostro, la Mano Poderosa y el Espíritu Santo. Una foto del padre Marianito, paisano nuestro, otra escultura colorida, de unos treinta centímetros, de san Miguel Arcángel, fotos y foticos del ausente, mis gafas para el sol, una miniatura de la torre Eiffel, una burbuja que al agitarla hace caer nieve sobre un París diminuto y las tijeras con las que yo cortaba el pelo, mis tijeras favoritas. Y flores por montones, vivas y de plástico, rosas, claveles, girasoles, en fin, tantas que junto con las velas han impregnado el apartamento con un olor que puede ser de capilla o también de puteadero.

—De cuando en cuando le cambio todo para que no se canse de ver siempre lo mismo —dice Perla.

Las tres amigas se miran entre sí, muertas de ganas de decirse algo, pero les tocará esperar hasta que termine la visita. Las tres buscan sentarse lo más lejos de mí. Perla les dice:

—Todas estamos como para un trago, ¿cierto?

En su cuarto, Anabel pescó un tango en el radiecito y lo oye bajito porque también le gusta sentir el cuchicheo de la visita. Siempre pone una oreja en el radio y otra en las conversaciones. A veces se le enreda lo que escucha y no sabe qué es qué, como la vez que oyó que alguien dijo ¡Perla está en embarazo!, y creyó que era la radionovela y no Mireya la que vociferaba.

Perla decidió confiarle su embarazo a un médico en Medellín, y cada mes bajó de Yarumal para consultarlo.

—Este muchacho es un gigante —decía Perla de mí—, tiene seis meses pero parece de nueve. Cuando nazca ya va a saber gatear.

No, yo apenas tenía veintidós semanas pero como Perla se dedicó a comer todo el embarazo, parecía que estuviera preñada de muchos meses más. También se le llenaron las piernas de várices, le daban calambres y se le notaba una mayor sensibilidad que le hacía aflorar nuevos sentimientos.

—Ya está desesperado por salir —decía Perla—, se mueve como un loco aquí adentro, no me deja ni dormir.

Mis fibras nerviosas se estaban conectando y ya movía deliberadamente mis brazos y mis piernas. Perla no tenía manera de saberlo, la medicina entonces no estaba tan avanzada como para confirmarle que yo medía unos veinticinco centímetros y que ella había atinado en su corazonada: yo era un varoncito con un lindo pipicito.

La linda verga que un ángel buscaba dentro de mi pantalón, en el cuarto oscuro de L'Ange Rouge. Lo había mirado unos minutos antes porque él no me quitaba los ojos de encima. Me quedé viéndolo pero no porque me gustara sino porque me elevé pensando. Yo me preguntaba por los milagros y los santos, que por qué si había tantos santos en el cielo, si todavía seguían canonizando a tanto loco y a tanto hampón, por qué no vigorizaban su estrategia de mercadeo concediendo más milagros a los que sin creer rogábamos un favor. Los santos se anotarían un *hit* si le concedieran un milagro a un incrédulo como yo. Y como si me estuviera leyendo el pensamiento, el que me miraba me hizo una seña para que lo siguiera al cuarto oscuro. Antes de perdernos en la oscuridad absoluta, me tomó de la mano y me llevó a tientas hasta recostarnos en una pared. La mano libre me la metió en el pantalón, manoseó mi verga flácida que en otra oportunidad ya estaría dura y mojada, pero esa noche tenía motivos suficientes para no responder. Intentó con mis testículos, los acarició, los apretó. También jugó con mi prepucio, metió un dedo entre la piel, hurgó y como tenía la nariz pegada a la mía sentí cuando sacó el dedo y se lo puso frente a las fosas. Aspiró con fuerza para impregnarse del olor. Pegó la boca a mi oreja y, continuando con lo que yo estaba pensando sobre santos y milagros, me dijo tienes que rezar.

La petición me sonó rara entre tanto jadeo de hombres a punto de correrse. En la oscuridad total de un cuarto dispuesto para que los hombres sintieran sin ver, excitados nada más que por el tacto, por los gemidos de los otros y por el dolor y el placer del sexo condenado. Tienes que rezar mucho y con mucha fe, me insistió. Le dije que cuando niño yo había aprendido a rezar y a pecar al mismo tiempo, que fue rezando como conocí el sexo. Quise contarle a alguien, por primera vez, la historia de tío Amorcito, pero sólo alcancé a decirle que un hombre me llevaba a la iglesia y aprovechando la soledad y la penumbra me tocaba como usted. Le quise contar más pero varias voces nos pidieron que nos calláramos. *Ce n'est pas un endroit pour en parler!* Yo quería decirle a él: conocí a Dios y el sexo en la misma tarde.

—Tienes que perdonar a Dios —me susurró—. Él te ha perdonado infinidad de veces.

Le pregunté si era un pastor y me dijo que no, y otra vez nos volvieron a callar. Alguien se vino sin importarle que conversáramos, luego se vino otro, tal vez su pareja. Más lejos alguien se quejaba rítmicamente. Él comenzó a lamerme la oreja. Podría ser un cura, conocí a muchos en sitios como esos; también en cuartos oscuros se dejaban dar por el culo para expiar con su dolor, según ellos, el dolor de aquel otro en la cruz. De la oreja pasó al cuello y siguió bajando, pero se encontró con la misma desgana de antes. Le agarré la cabeza y lo obligué a subir. Sin la intención de perturbar el placer de los demás, le dije muy bajito: me voy a morir. Tal vez alguien rugió cuando lo dije, tal vez no me salió la voz o si salió se perdió en la celebración de algún orgasmo. Le dije otra vez, un poco más alto: me voy a morir y tu Cristo no va a hacer nada para impedirlo. Y él, jadeante, partiendo las sílabas como si estuviera aprendiendo a hablar, me dijo en la oreja: Cristo resucita en tu cuerpo, Cristo vive en el cuerpo de los hombres. Lo dijo mientras me salpicaba la ropa de semen.

—Miren cómo tengo el vestido, miren, gordas, miren —les dijo Perla a sus amigas, que apenas la vieron, exclamaron en coro—: ¡juajuarajuá!

Lo tenía mojado de trago por todas partes. Ya no eran salpicaduras sino regueros de un vaso entero, manchas por el descuido y por la falta de equilibrio. Sólo eran las nueve de la noche y Perla y las otras apenas podían mantenerse en pie. Gloria de Mejía se alzaba la bata para bailar y mostraba los calzones; Luz Helena García saltaba sobre el sofá y Fiona Franco cantaba con los ojos cerrados y una mano en el pecho, mientras que con la otra sostenía el vaso. Perla brincaba de aquí para allá, cambiaba la música, servía trago, bailando, me echaba besos cada vez que se paraba frente a mí, alzaba su copa y decía ¡por vos, papacito ingrato! A veces Anabel fisgoneaba desde la cocina, con ganas de unirse; a veces aparecía para ofrecer su servicio pero Perla la despachaba con un largate, Anabel, que no te necesitamos. Aunque a veces sí la llamó: ¡traenos hielo, Anabel! ¡Traé un trapo que se armó un reguero!, ¡Traé una escoba, Anabel, que se quebró un vaso! Entonces ella se demoraba en su oficio para ver si alguna le decía quedate con nosotras, Anabel, o si de pronto alguna le ofrecía un trago. A ella también le habría gustado emborracharse, cantar y bailar, pero las otras apenas se daban cuenta de que Anabel andaba por ahí.

—Voy a cambiarme, muchachas —les dice Perla, mostrándoles su vestido hecho una sopa, y se va al cuarto. Pero en lugar de cambiarse se tira en la cama, boca arriba, con los brazos abiertos, sintiendo que el cuarto gira a millón.

Así pasó un rato largo. Perla creyó que sonaron tres o cuatro canciones. También le pareció que por un momento se quedó dormida y cuando abrió los ojos el cuarto ya no giraba tan rápido. Ya puede pararse y va al baño, se echa agua en la cara, trata de componerse el pelo pero resulta peor. Va a buscar qué ponerse, no se decide y opta por la piyama. De una vez, se dice. A una foto mía en la que salgo de perfil, le dice así llego derecho a la cama apenas se vayan éstas. Sale del cuarto y la parranda sigue. Ve a Anabel corriendo de un lado para otro y diciendo angustiada: no jueguen con eso, dejen eso quieto. Perla aparece en la sala y encuentra a las tres amigas bailando cumbia con las velas de mi altar. Cuando ven a Perla comienzan a bailar alrededor de ella, con las veladoras en alto y agitando las faldas, sintiéndose las más cumbiamberas. A Perla, inmóvil, la van consumiendo la ira y la indignación. Anabel corre para la cocina y Perla rompe el círculo, apaga el equipo de sonido y, con el mismo volumen que sonaba la música, grita ¡váyanse de mi casa, malparidas! Alguna quiere decir algo pero Perla grita de nuevo ¡y dejen esas velas donde estaban! Fiona dice Perla, por Dios, no te tomes las… Perla no la deja terminar: con un brazo señala la puerta, con el otro se apoya en lo que encuentra, y le dice todo lo de Vidal es sagrado, jugar con sus cosas es jugar con mi dolor. Las otras, atónitas, regresan las velas a mi altar, se miran entre ellas, se calzan y buscan sus abrigos mientras

Perla resopla. Con el brazo rígido señalando la salida, Perla suelta el llanto que se ha aguantado. Perras, les dice. Las otras van saliendo en silencio. Sin embargo, Gloria de Mejía pregunta en voz baja y con la lengua enredada: ¿y ésta por qué salió en piyama?

Luego de que la última cerrara la puerta y de que pasaran unos cinco minutos, Anabel decide salir de su trinchera y encuentra a Perla arrodillada frente a mi altar, musitando la culpa es tuya, Vidal. La culpa es tuya por egoísta, por dejarme sola, yo qué te hice para que me hicieras esto. Anabel se acerca un poco más y cuando siente que Perla se queda en silencio, le dice yo les advertí pero estaban muy tomadas. Perla levanta la cabeza y me mira en el gran retrato, dice ese no es el problema. Suspira. Se pone de pie con dificultad y continúa: todos creen que Vidal es un invento mío. Anabel le dice pero si todos lo conocimos, yo lo conocí desde que nació. Perla se da vuelta y le dice ese era otro Vidal, yo me refiero al que comenzó a existir después de que desapareció. Camina hasta la poltrona, dice es como cuando alguien muere, uno comienza a construir otra persona a partir del recuerdo y la ausencia, a veces más viva que cuando estaba viva, y muy diferente. Anabel se sienta frente a Perla, no entiende nada pero no se lo dice. Perla toma un vaso que alguna dejó, dice nadie cree en el Vidal ausente, si hasta yo misma a cada rato me lleno de dudas, si no fuera por las pruebas que a veces me manda… Anabel toma otro vaso empezado, bebe y le dice a Perla nunca has querido aceptar la posibilidad de que esté… Perla recuesta la cabeza, trata de retener por un instante más los lagrimones que se le asoman. Sí lo he pensado, y aunque vos no me creás, a veces he deseado que esté muerto, dice. Los ojos se le rebosan y los lagrimones ruedan: un desaparecido es como un muerto que no termina nunca de morir, dice. Se pasa la mano por los ojos, bebe hasta el fondo y se pone de pie. Antes de irse para el cuarto mira toda la sala y le dice a Anabel arreglá un poquito todo esto, no vaya a ser que llegue Vidal y encuentre este desorden.

(—Anoche soñé que era rica —me dice.

—¿Alguna vez fuiste rica? —le pregunto.

—Y que vivíamos en un apartamento lujoso y no en esta pocilga —sigue contando.

—Yo soñé que me buscaban para matarme.

—¿Alguna vez han querido matarte?

—Todos, alguna vez, hemos querido matar a alguien —le digo.

—¿Querés matar a alguien?

—A todos —le digo—. En esta historia todos van a morirse).

Perla no aguantó mucho: primero la aburrió el frío. Me preguntaba por la primavera y el verano y a cada rato me decía que esos eran inventos míos. Decía qué berraco invierno más largo, y yo que me quejaba del frío de Yarumal; si esto no se calienta me devuelvo. Después fue el francés y después la compañía: yo a éstas no les entiendo, la brasileña habla un enredo que no es español ni francés ni es nada, y a la muda menos le entiendo, se la pasa haciendo garabatos en el aire. Después dijo lo que quería: lo que quiero es irme a vivir con vos. Era lo justo y lo que yo le había prometido, pero le expliqué que aún no habíamos encontrado una forma con los abogados para deshacernos de su matrimonio y para que pudiera casarse con milord. Entonces el desespero la hizo tomar cartas en el asunto y agilizó un trámite que a nosotros nos tenía enredados.

—Ustedes no sirven para nada, yo misma me voy a encargar de eso —me dijo—. Ya mismo me consigo una prueba de que Osvaldo está muerto.

—Pero si está vivo —le dije.

—No es sino verlo para darse cuenta de que está más allá que acá.

Ella misma lo había hecho internar en un hospicio del gobierno. Osvaldo se pudría en una cloaca con otros desgraciados que fueron tirados allí para desentenderse de ellos de la manera más barata. Perla se excusaba: en el estado en que está Osvaldo no se da cuenta de nada, lo habría podido dejar en la perrera municipal y no se habría inmutado. Él sí se daba cuenta pero todo había dejado de importarle desde la muerte de Sandrita, cuando se dedicó a beber. Su idea era borrar cualquier rastro de dolor. Cuando Perla decidió internarlo, él, hacía rato, había dejado de ir a la casa; dormía en la calle, bebía alcohol antiséptico con gaseosa y la última vez que vio a Perla, cuando ella fue a recogerlo, no la reconoció y le estiró la mano para pedirle limosna. Yo que nunca lo quise, apenas lo vi sentí que se me partía el alma, dijo ella. Fanny le reclamó: pero al menos lo hubieras internado en un lugar decente. Y Perla le dijo ya te lo dije: era como gastar la plata en un perro enfermo. Más se asombró Fanny cuando Perla la llamó desde París y le dijo:

—Necesito que me consigás un certificado de defunción de Osvaldo.

—Pero si Osvaldo no se ha muerto, Perla.

—Eso lo sabemos cinco personas. Para el resto del mundo, Osvaldo no existe.

Perla recordaba que alguno de los cuatro maridos que había tenido Fanny era médico, y que como con todos se llevaba bien le podía pedir que la ayudara a conseguir el certificado. Fanny le dijo:

—Pues con el médico es con el que sigo casada, pero no sé si Darío se le mida a hacer una cochinada de esas.

—¿Cuál cochinada? —dijo Perla—. Es un favorzote que me hace a mí y de paso al pobre Osvaldo, que va a coger un poco de estatus con el certificado, pues si se muere sin papeles lo entierran como N.N. en una fosa común. Eso si es que no se ha muerto ya y nosotros no nos hemos enterado.

—Eso es corrupción, Perla.

—¿Y? ¿Vas a arreglar el país si dejás de hacerlo? En cambio Vidal y yo podemos meternos en problemas muy graves. Esperate que aquí Vidal me está diciendo algo.

Perla tapó la bocina y Fanny se mordió una uña. A los diez segundos Perla habló de nuevo:

—Ve, Fanny, aquí me está diciendo Vidal que por qué no nos traen ustedes mismos el certificado, y que de paso se quedan en Europa unos quince días. Dice Vidal que nosotros nos encargamos de todos los gastos durante el tiempo que estén por aquí.

—¿De verdad? —preguntó Fanny.

—Y que de todas maneras les consignamos lo que se necesite para el papel ese. Ni más faltaba que los pusiéramos a ustedes a pagar por eso.

—Pues… —dijo Fanny.

—¿Vos no conocés Europa, Fanny? —comentó Perla—. No lo puedo creer, no puedo creer que seás tan montañera.

Era una solución más económica que cualquiera que nos ofrecieran los abogados de París, además rápida y eficaz. Era también un descanso para Perla, que ya estaba cansada de sentirse extranjera y la visita de los amigos le iba a caer muy bien. Y yo salía airoso del atolladero.

Llamé a Modot y le di la noticia: nos tomó por sorpresa, señor abogado, aunque en el estado en que se encontraba el hombre, era de esperarse. Él dijo ¡una feliz coincidencia! Yo le aclaré: una triste casualidad, abogado, Perla está muy conmovida; al fin de cuentas, él fue su marido. Modot me preguntó ¿y usted? Le dije yo apenas lo conocí, nunca pudimos entendernos.

Osvaldo no fue nadie en mi vida. Fue él quien desde el principio no quiso serlo. Nos tratamos siempre como dos extraños, no veíamos el uno en el otro lo que decían que éramos. Sin embargo, cuando a las pocas semanas tuve el certificado de defunción en las manos, me corrió por el cuerpo una sensación muy rara, algo que no llegaba a ser desánimo, ni abandono ni molestia, nada que se pareciera a un duelo. En el papel Osvaldo estaba muerto, y aunque nunca tuve una idea clara de un padre, Osvaldo fue lo más parecido a mi idea confusa de tener un papá.

13

Hay un sueño que he soñado tanto que ya se parece más a un recuerdo. O es un recuerdo que de tanto recordar se me ha metido a los sueños. Me deslizo de cabeza por un túnel oscuro, arrastrado por chorros de agua, tengo vértigo y miedo por la velocidad y por lo inesperado. La boca del túnel se ilumina y yo avanzo hacia esa luz. Apenas salgo, la incandescencia no me deja ver otra cosa que un resplandor blanco. Del espanto y la incertidumbre paso a la agitación.

Entre líquidos y sangre vi el resplandor de esta tierra un 16 de agosto en Medellín, en 1967, un año en que no pasaron grandes cosas, excepto que en esa fecha y a las ocho y veinticinco de la noche llegué a este planeta de monstruos, con el sol en Leo y mi ascendente en Aries, lo que me dotó de virtudes de líder y pionero. El país seguía aletargado en su calma chicha, tranquilo porque la bestia aún dormía, eso creíamos, pero de vez en cuando abría un ojo para ver si ya habíamos engordado lo suficiente para levantarse y comernos. Ese año asesinaron en Bolivia al Che Guevara con una ráfaga de fusil ametralladora M-2, y en un hospital de Ciudad del Cabo el doctor Christian Barnard hizo el primer transplante de corazón. Del Che sólo supe que puso de moda la boina y que utilizaron su imagen para hacer calcomanías que todavía pegan en los vidrios traseros de los buses colombianos. Del otro, el paciente del transplante, supe que murió a los dieciocho días porque no aguantó la presión de vivir con un corazón ajeno. De mí supe que al nacer pesé seis libras y medí cincuenta y dos centímetros. Me contaron que Perla lloró una hora seguida mientras yo dormía en sus brazos. Que Libia llegó una hora más tarde porque tenía vómitos, le había caído mal un jarabe, pero finalmente se decidió a ir a la clínica para que no fueran a pensar nada raro de ella. Cuando llegó, entró sin saludar y se fue a buscarme derecho a la cuna.

—Está aquí conmigo —le dijo Perla.

Libia se nos acercó y Perla abrió un poco la manta para mostrar mi cara. Libia me vio y dijo:

—Qué horror. Otra niña.

Perla le aclaró es un niño, mamá. Libia insistió pues parece una niña. Perla dijo debe de ser porque es muy bello. Libia levantó los hombros y dijo no sé. Luego se llevó las manos al estómago y buscó dónde sentarse. En la habitación también estaban Marta y Mireya, y Fanny, que se refugió en una esquina para estar lejos de Libia. Sin embargo, no se aguantó y desde su esquina dijo:

—A mí no me parece ni niño ni niña. A mí me parece un bebé.

Marta y Mireya se miraron esperando alguna grosería de Libia, pero lo único que ella hizo fue quejarse de su dolor de estómago. Luego preguntó por Osvaldo y le dijeron que estaba abajo arreglando lo del bautizo. Libia dijo me parece bien. Y preguntó:

—¿Cómo lo vas a poner?

Perla, sin pensarlo porque ya lo tenía muy claro desde antes de que yo naciera, les dijo:

—Vidal.

—¿Qué? —preguntó Libia.

—Vidal.

—¿Eso no es un apellido? —preguntó Libia, otra vez.

Fanny se rió bajito y las hermanas de Perla se miraron sin entender. Libia dijo:

—Al menos podrías hacerle un homenaje a tu papá. Se debería llamar Pablo o Santiago.

—Se va a llamar Vidal —dijo Perla.

Mireya quiso mediar y propuso pues podrías ponerlo Vidal Santiago o Pablo Vidal. Perla le contestó:

—Para qué dos nombres si con uno hay.

—Esto es un disparate —dijo Libia—, como todo lo tuyo.

—Uno se llama como le dé la gana —dijo Perla—. Se llama Vidal, y punto.

—Ayúdame a parar —le ordenó Libia a Marta, y mientras se levantaba, dijo—: como si no hubiera suficientes nombres en la familia… o en el santoral… Vidal… parece sacado de una radionovela. Empezamos mal con ese muchachito —puntualizó.

Tampoco se despidió. Les dijo a las otras dos hijas ustedes se vienen conmigo, esas dos no les convienen. Así fue mi primer contacto con ella, y los que siguieron, y hasta el último. Yo era el hijo de una falta, y eso que ella ni sospechaba el verdadero desliz, el que sólo conocían Perla y Fanny, y el hombre que se llamaba igual a mí, aunque él nunca supo lo que supuestamente salió de esa noche. No supo que Libia lo llamó pecado y que por esa razón nunca me permitió llamarla abuela.

Libia diría que por el mismo camino que vine me voy a ir. Diría que el final será igual que el principio. Que todo en mi vida ha sido un tropiezo y dirá que en una caída fui concebido y que en otra caída me voy a ir. Recitará todo lo que se puede decir de alguien que ha caído en el momento en que uno nunca debe caerse. Caer en el punto más alto puede ser la mayor fatalidad pero el mayor placer para los que esperan abajo. Libia esperará a que yo ruede hasta sus pies para decirme con la boca llena: te lo dije, maricón.

Algo parecido sucederá con Clémenti, que por el momento se contenta con caminar dando saltitos frente al apartamento de Perla, esperando a que ella salga o entre. Desde muy temprano se paró al frente pero no la ha visto en toda la mañana. Ha tratado de verla a través de las ventanas pero no ha visto nada. No se cansa de esperarla. A veces se molesta porque el viento lo despeina, se peinó como siempre con secador y cepillo, cree que arreglándose el pelo disimula las marcas de su cara, el recuerdo del guepardo, y que vistiéndose extravagante desvía la atención de la cara al traje. En eso piensa Clémenti cada mañana cuando se mira al espejo y las cicatrices de la cara se disparan como alarmas. Ahora espera a que Perla llegue o salga pero la puerta casi no se ha abierto. Sólo ha visto a ese perro echado, que no se mueve del portón como si fuera el vigilante del edificio.

Perla sale a mediodía. Clémenti la ve taconearle al perro para que le dé paso y a él lo ve gruñirle sin aliento, alejándose con la cola entre las patas. Clémenti cruza rápido el boulevard de Courcelles, alcanza a Perla y le dice sonriente:

—*Bonjour madame, je suis si heureux de vous voir.*

Perla apenas lo mira y acelera pero los pasos de Clémenti son más largos. Él se adelanta y se le cruza, ella fastidiada le dice permiso, señor, déjeme caminar. Él le dice le tengo una buena noticia, señora. La ataja, ella lo empuja y le dice vaya lávese los dientes, Clémenti, que con ese olor… no me moleste, mire que voy de afán.

—¿Para dónde? —pregunta él—. ¿Para el banco? ¿A alguna joyería, madame?

—A usted no le importa —le dice ella—. Déjeme seguir.

—Mi tío quiere verla —le dice él y ella frena en seco—. Está casi igual —dice Clémenti—. Bueno, algo ha cambiado pero yo lo pude reconocer.

—¿Lo desenterraron? —pregunta Perla, muy pálida.

Clémenti asiente y le dice:

—Yo lo vi ayer. Créame, tiene cara de estar poco contento allá abajo.

—¿Con qué derecho? —pregunta Perla.

—Con el derecho que nos da la ley para averiguar quién lo asesinó.

Perla trata de seguir caminando pero Clémenti vuelve a bloquearla. Le dice:

—Bueno, del asesino ya se sospecha. Lo que queremos saber es cómo lo mataron. El porqué también lo sabemos.

—Quítese de ahí, maricón. Déjeme pasar.

Clémenti se aparta. Se siente satisfecho, la ve alejarse y, antes de que la pierda, le dice:

—Debería verlo, madame. Tiene muy mal semblante. La muerte no le ha caído muy bien al pobre tío Adolphe.

La ve desaparecer en una esquina. Le habría gustado seguirla para ver de cerca cómo Perla se fue desmoronando hasta quedar pulverizada en una silla del primer café que encontró.

Parecía otra, pero era la misma mujer que, deshecha por los trabajos de parto, me amamantaba feliz una madrugada en Medellín. Y yo era el mismo que salía desmoronado de L'Ange Rouge a un París en pleno aguacero. No era el paso del tiempo el que nos hacía ver tan distintos y tan triturados sino las circunstancias: la de ella, un muerto que despedazaban los gusanos, y la mía, un muerto que todavía camina.

En el café ella pidió un trago. El mesero le preguntó ¿cuál quiere? Ella le dijo cualquiera. El mesero insistió tiene que decirme alguno. Y ella, sudando frío, le respondió tráigame el que más le guste a su puta madre. Él no le dijo nada porque la vio llorando; al rato volvió con un coñac y la cuenta. En París, Perla lloraba y bebía; en Medellín yo bebía de su teta, y al salir de L'Ange Rouge le puse la cara a la lluvia, abrí la boca y bebí el agua roja que caía de las nubes sucias que mojaban París de noche. Las gotas caían coloreadas por las letras luminosas de El Ángel Rojo. No parecían gotas de agua sino de sangre. Abrí bien los ojos para ver y sentir la ducha de sangre, de fuego y muerte, el rojo que caía del cielo para bañarme de culpa. El mismo color que antes se disfrazó de amor apasionado, ahora me ensopaba para despertarme y mostrarme que no era rojo de amor sino de muerte.

Después el tono cambió a violeta. Yo ya estaba lejos del bar y la noche más cerquita del día. Yo no sabía dónde estaba. Por caminar mirando hacia las nubes caminé hacia cualquier lado. Bajé la mirada en la mitad de alguna calle cuando oí un chirrido de un carro que frenó en seco, y unos gritos adentro, y una puerta que se abrió, y una mujer que siguió diciendo cuando el carro la dejó tirada en plena calle: ¡no es tan fácil confundirse, imbécil! Todavía estaba oscuro pero ella llevaba una gabardina clara y se reflejaba en el pavimento mojado. Todavía llovía y ella corrió a escampar debajo de un árbol o de una cornisa, pero me encontró mirándola desde la acera, emparamado y perplejo. Ella vio un bulto mojado y se detuvo. Muerta de miedo, me estiró el brazo con la cartera y me dijo:

—Tenga. No me mate.

Me quedé quieto. Ella miró para los lados pero la calle estaba sola. Di un paso adelante y ella uno hacia atrás. Yo otro adelante y ella otro hacia atrás. Entonces me alumbró la luz de un poste y ella dejó de retroceder. Bajó el brazo en el que llevaba la cartera. Se movió un poco para buscar un ángulo desde el que pudiera verme mejor. Yo a ella la veía bien. Le dije:

—No voy a robarle.

La lluvia le empapó el pelo y el agua le chorreaba por la gabardina. Me acerqué más y vi que con el pelo mojado cogía aspecto de niña; sin embargo, le calculé unos cuarenta, tal vez menos. Ella miró hacia arriba y arrugó la cara cuando sintió las gotas de agua. Me pareció que acababa de darse cuenta de que estaba lloviendo. Me preguntó:

—Entonces, ¿qué quiere?

—Nada. Sólo quiero caminar.

—Voy muy lejos —me dijo.

Empecé a caminar sin rumbo fijo, como si ella me fuera a seguir, pero luego sentí, como en un baile, que ella me guiaba y yo simplemente tenía que dejarme llevar por el ritmo. A mí me bastaba con seguirle el paso.

—Me llamo Ilinka —dijo.

Le dije que me llamaba Vidal y que estaba enfermo. Ella me preguntó ¿qué tanto?, y yo le dije lo más enfermo que se puede estar. Ella me dijo bueno, hay que hacer algo. Se quedó callada y luego añadió podemos empezar por un café, cuando lleguemos. Volvió a quedarse en silencio hasta que dijo todavía falta mucho para llegar.

—Usted no es francesa —le dije.

—Y usted tampoco —dijo ella.

—Soy colombiano.

Me miró y me sonrió. Dijo:

—A mí no me va mejor: soy serbia.

Seguimos caminando en silencio, sin afán, como si en lugar de ir a su casa hubiéramos decidido salir a pasear.

—Me llamo Ilinka.

—Ya me lo dijo —le dije.

—Ah, perdóneme. Es que con lo del carro…

Pasamos varias cuadras sin hablar. La oía suspirar o respirar fuerte como si estuviera cansada. Tal vez lo estaba, ya era muy tarde y quién sabe de dónde venía. No se lo pregunté o no me importó. Al rato noté que estaba escampando y que comenzaba a amanecer. Entonces, me decidí y le dije:

—No quiero volver.

Ella aguzó su sexto sentido y me dijo:

—No tiene que volver.

—Es que no quiero volver nunca —le aclaré.

—No vuelva nunca.

Me sentí bien. Fue más que eso: me sentí muy bien. Sentí que no sólo vivía el mejor momento de toda la noche sino también de mucho tiempo. Tuve ganas de caminar más rápido, casi de correr, pero ya estaba claro que iba a seguir a Ilinka hasta donde me quisiera llevar. Me dijo mañana no trabajo, puedo dormir hasta tarde. Me miró unos segundos: usted también tiene que descansar. Si va a morirse, la muerte no lo puede coger cansado, dijo sin miedo a mencionar la muerte, y yo sentí que no se refería a mí.

—Perdóneme —dijo al rato—, pero tengo una memoria pésima. O tal vez usted no me lo dijo. ¿Me dijo cómo se llamaba?

Se va a llamar Vidal, dijo Perla otra vez, cansada de repetir lo mismo. Osvaldo le preguntó ¿por qué? Porque sí, dijo ella, y a pesar de que yo dormía en sus brazos, alzó la voz y enfatizó: porque sí, porque se me apareció un ángel y me dijo: vas a tener un hijo al que llamarás Vidal, y te liberará de todos los que te joden. Osvaldo le dijo no charlés con eso, Perla. Ella dijo no sé en qué idioma estoy hablando, yo no sé cómo explicarles. Era Osvaldo el que no sabía cómo hablarle, sabía que cuando Perla subía el volumen ya no había manera de dialogar con ella. Sin embargo, lo intentó:

—Debería llamarse como yo, o al menos como tu papá.

—Me da miedo —dijo ella— de que si lo pongo como vos, me salga igual de terco, igual de sordo o igual de bruto. ¿Es que no has entendido?

—Cómo voy a entenderte —le dijo Osvaldo—, si Vidal suena más a apellido que a nombre. Tampoco entiendo…

De pronto empecé a llorar a todo pulmón, pasé sin explicación del sueño al grito. En los últimos días todo había sucedido así, de súbito: de la oscuridad a la luz, del líquido al aire, del silencio al ruido. Todavía no me resignaba a la vida en el mundo de afuera, uno nunca se acostumbra, a duras penas un día uno entiende que una vez afuera no hay otra opción.

—Bueno —le reprochó Perla a Osvaldo—, ya conseguiste lo que querías.

Trató de calmarme con arrullos y con palabras que yo ya conocía antes de nacer. Las palabras cariñosas que uno nunca olvida y con las únicas que uno pasa de sentirse mal a sentirse bien. Son las palabras que nos regresan al útero, el paraíso del que fuimos expulsados.

Osvaldo salió vencido y nos dejó solos a Perla y a mí, que ya había dejado de llorar, y de la misma manera que exploté, repentinamente, regresé al sueño. Perla pegó su boca a mi cabecita y me besó. Pegó su boca a mi oído y me dijo: de todas maneras, mi niño, te vas a llamar como tu papá.

Me llamo Vidal, le dije a Ilinka, y ella sacudió la mano e hizo varias muecas como diciéndome ya lo recordé, ya lo recordé. Cruzamos el *périphérique* por un puente que no reconocí. Ya empezaban a circular los carros y la gente que va temprano a trabajar. Ilinka me dijo: en la próxima cuadra podemos tomar un bus, y añadió llevo seis horas sin sentarme. Yo vivía la primera mañana de la única noche que había pasado sin que Perla supiera de mí. Nunca salí sin decirle dónde iba a estar, siempre le decía algo, así fuera una mentira. Siempre creyó que sabía dónde encontrarme, pero esa mañana la habría cogido despierta como a mí, más desesperada, más perdida, suponiendo lo peor, mientras que yo caminaba, siguiendo a una desconocida, con la certeza inexplicable de que no iba a regresar.

(—Mirá —me dice con el periódico en la mano—, esto te sirve para tu historia.

Yo ni siquiera estaba escribiendo, miraba por la ventana, y sin mirarla a ella le pregunto:

—¿Qué es?

—Un hombre —me cuenta— llegó al hospital con un tiburón prendido a su pierna —entonces la miro y ella sigue—: estaba buceando y el tiburón lo mordió y no quiso soltarse. El tipo nadó hasta la orilla, con el tiburón pegado se subió al carro y se fue al hospital. Al tiburón le echaron agua dulce hasta que soltó la pierna. Después se murió.

—¿Quién?

—El tiburón.

—Es un cuento muy difícil de creer —le digo, y ella me extiende el periódico pero no se lo recibo.

—Era un tiburón muy chiquito —me dice.

—¿Y por qué creés que me sirve para lo que escribo?

—No te dije que para lo que escribías. Dije que para tu historia, la tuya. Fijate cómo cada uno se aferró a la vida: el hombre arrastrando la muerte pegada a la pierna, y el animalito creyendo que en esa pierna estaba su vida.

No le digo nada. La miro y luego miro hacia afuera. Antes de irse, ella dobla el periódico y me dice:

—De todas maneras, ¿no me contaste que en lo que estás escribiendo hay un tiburón?).

Ilinka caminaba arrastrando los pies y a veces miraba hacia atrás por si venía un bus. Le dije: ella tampoco debe haber dormido, debe haber llamado a sus amigos cada hora, no habrá parado de llorar, es muy llorona; habrá rezado, pues aunque grosera y todo es muy rezandera, habrá puesto una silla junto a la ventana y ahí se habrá quedado toda la noche, esperándome con el teléfono al lado, levantándolo a cada rato a ver si funciona, llamándome cada cinco minutos al celular, maldiciéndome, insultándome... Ilinka me dijo por qué no se fija a ver si tiene mensajes. Negué con la cabeza y le dije sé que tengo mensajes. Ilinka me dijo prometo que nunca lo voy a sermonear, y agregó no sé cómo va a morirse sin querer saber qué pasó con ella. Llegamos a un paradero. Ilinka por fin pudo sentarse y se le notó el alivio. Me senté a su lado y le dije: tal vez lo escriba. Ella estaba concentrada en mover los dedos de los pies. Seguí en lo mío y le dije: tal vez lo invente.

Y fue como lo imaginé: pasó la noche en vela, a veces se quedaba medio dormida por unos segundos pero la despertaba el sobresalto. Lloraba un rato, rezaba, se servía un trago, se asomaba a la ventana y miraba a las esquinas, buscándome entre las sombras de los árboles, levantaba el teléfono, miraba el reloj... Para decirlo en una palabra: sufría. Apenas amaneció llamó a Flávia y le contó que yo no había aparecido. Flávia le dijo *não se preocupe pois Vidal foi prá farra*. Perla le dijo no te entiendo un culo, Flávia. *El foi fazer la fiesta*, Vidal está de fiesta, dijo Flávia y Perla le preguntó ¿y por qué no contesta el celular?, ¿por qué no me ha llamado? La otra le dijo *porque está enrumbiado*. Perla exclamó no, no, no, yo sé que algo le pasó, y después dijo preguntale a la muda a ver qué sabe. Flávia, muy seca, le contestó *se Florencia soubesse de alguma coisa, já teria me contado*. Perla le dijo ay, Flávia, a veces le entiendo más a la Mudita que a vos. Y colgó.

Muchas veces me dijo que estaba cansada de no entender nada. Me decía que era como estar perdida. Se le notaba que hablaba con sinceridad y cansancio, entonces me tocaba animarla y le decía:

—Este asunto se arregla en menos de un mes. Se están consiguiendo todos los papeles, en un mes vas a estar casada con milord y viviendo conmigo.

—Eso me lo estás diciendo hace meses —dijo ella.

—Eso era antes de que consiguiéramos que Osvaldo se muriera.

—¿Y ahora qué están esperando? ¿Acaso no dizque ya tenían todo listo?

—Milord ya te quiere conocer —le dije.

—¿Ah, sí?

—Sí. Sólo estamos esperando el momento oportuno.

—A quién le tiene que dar la gana, ¿a vos o a él? —preguntó.

—Perla...

—Porque me imagino que "el momento oportuno" es cuando le dé la gana a alguno de ustedes dos.

—En unos días, Perla.

—Mirá, Vidal —dijo—, a mí ese señor me importa un carajo. Lo que yo quiero es salir de ese apartamento y de ese par de taradas que viven conmigo. Pero sobre todo, quiero lo que me prometiste y por lo que me hiciste venir aquí: quiero vivir con vos y pare de contar.

Luego dejaba su tono rebelde y, con desaliento, decía: me siento como mosca en leche. Uno la veía derrumbarse en cualquier silla, no importaba el momento ni la época; podía ser conmigo en sus brazos, arrullándome, se desplomaba en una silla y sollozaba, tal vez porque lo que cargaba ya no era un muñeco sino alguien de verdad y le preocuparían mi vida y mi destino. Habrá temblado al sostener un cuerpecito que hipa y patalea, y que está tan ligado a nuestros afectos y a la sangre. Se habrá preguntado ¿y ahora qué?, y se habrá preguntado ¿y ahora qué hago con ese muerto?, cuando pensaba en el cadáver exhumado del conde Adolphe. Yo en su caso habría pensado ¿qué hace uno con los vivos que lo odian?, porque ese muerto que no dejaban descansar no era otra cosa que el odio descompuesto y engusanado de Clémenti, las cenizas que atizaba para sacarle fuego al rencor. Pensando en ese muerto Perla regresa a su casa. Ignora el perro que le gruñe, no se da cuenta de que alguien dejó abierto el ascensor en algún piso y que por eso le toca subir por las escaleras, que por eso le toca gritar sin aire, apenas llega, ¿qué hacemos, Anabel? Y la otra, igual de descontrolada, de infeliz, igual de loca, contagiada por el grito y el miedo, pregunta:

—¡¿Qué hacemos de qué?!

Ni Perla sabía cómo encarrilar su vida ahora que tenía un hijo, ni yo sabía adónde me llevaba la serbia que conocí en media calle, de noche y en pleno aguacero; Anabel no tenía idea de qué le hablaba Perla; Perla no sabía qué hacer con su miedo; Libia no sabía qué hacer con los remedios vencidos y se tomaba todo lo que encontraba; Tiburón no sabía quién era su dueño; el conde muerto ignoraba que lo habían desenterrado; Clémenti no sabía dónde estaba su hermano, si en la panza del guepardo o todavía huyendo despavorido. Todas las mañanas uno se levanta sin saber nada, uno simplemente confía en que no haya cambiado lo esencial y que lo que duele y estorba haya desaparecido. Vivir es un acto de confianza en la suerte, pero esa mañana tenía claro que la suerte ya no estaba de mi lado. Tenía claro que lo único que me quedaba en la vida eran unas mañanas contadas y que segundo a segundo me iba a ir convirtiendo en esperpento. Pero esa madrugada, sentado en un bus con Ilinka a mi lado, había decidido no hacer de mi final un espectáculo. Que me recuerden bello, me dije, y decidí que nadie iba a ser testigo de mi deterioro. Mi decisión, aunque me doliera, incluía a Perla.

14

Fue humillante, me trató como a una delincuente, se burló de mí y hasta llegó a empujarme..., le dice Perla a quien le habla por teléfono y Anabel alcanza a oír. Luego regresa a la cocina porque donde Perla se dé cuenta de que ella está parando oreja, le va a gritar y esa mañana Anabel no se ha levantado para gritos. Por el tono en que Perla habla, a Anabel le parece que estuviera hablando sola. Vuelve a hacerse la tonta y pasa cerca, oye: ... estuviera vivo podría defenderme, o si vos estuvieras aquí, o si yo estuviera en Colombia, pero aquí todo es más complicado, y a mí no dejan de verme como una india o quién sabe cómo me verán de rara. Perla no hace pausas para que la otra persona hable, sólo se detiene para echarse un suspiro y luego sigue: pobre Adolphe, pobre su alma que no ha tenido reposo, aquí nadie ha tenido descanso, parece como si estuviéramos pagando una condena, pero bueno, esto tiene que terminarse... ¿Se te perdió algo, Anabel? Entonces, Anabel sacude su trapo sobre lo primero que encuentra, y exclama qué polvero. Regresa asustada a la cocina y prende un cigarrillo.

Al rato entra Perla, también viene fumando y le dice alístate que vamos a salir. Anabel pregunta ¿a mercar? Sí, a mercar, contesta Perla, y añade: Vidal me dio una idea buenísima. Anabel dilata los ojos y le pregunta ¿hablaste con él?

—No hablés con el cigarrillo en la boca —le dice Perla. Ella en cambio da dos bocanadas antes de decir—: claro que hablé con él, ¿no sentiste timbrar el teléfono? Él sabe que si no me llama yo me chiflo.

Anabel se muerde el labio. Perla está mirando la ceniza larga. De pronto suelta una carcajada:

—Este Vidal —dice—. Me sale con unos apuntes.

Luego mira a Anabel y le reclama:

—Bueno, qué estás esperando, boba, yo ya estoy lista. Alistate y vámonos.

Camino al mercado, Anabel se va quedando atrás. Perla siempre camina adelante, sola, y cuando comienzan a atravesar el parque Monceau intuye lo que vendrá después. Por un borde del ojo ve cómo Anabel se va haciendo la distraída con algún asunto en el jardín o en un árbol y merma su paso hasta tomar una buena distancia de Perla. No ha cambiado la fórmula a pesar de las mil veces que Perla le ha dicho ya vas a empezar otra vez. De una bolsa de papel arrugado, Anabel saca migas de pan y las esparce con disimulo en el suelo del parque, pero el sigilo le dura hasta que las palomas frenéticas la rodean picoteándole su andar. Cuando Perla la mira, ya parece un espantapájaros al que las aves le toman confianza. Así se lo dijo una vez:

—Parecés un espantapájaros después de un vendaval.

Pero a Anabel le gusta sentir el revolotear de las palomas sobre ella. No le importa el viento enfermo que desprenden, las plumas apestadas que sueltan en su aletear. Tampoco le importan las órdenes de Perla:

—Cuando estés conmigo no se te ocurra alimentar a esos bichos.

—¿Por qué? —le preguntó Anabel.

—Me dan fastidio —dijo Perla—. Vidal también las odia, dice que son ratas disfrazadas de aves.

Anabel no le hace caso y cada vez que se entera que van a atravesar el parque se apera de su bolsa de pan viejo, de arroz de la víspera, y apenas las ve comienza el ritual que la convierte, por un instante, en la reina de toda la fauna del parque. La magia le dura tres segundos, hasta el primer grito de Perla, que como un cañonazo espanta las palomas y las hace levantar vuelo en bandada. Anabel queda sola en medio de una nube de plumones, de polvo y estiércol, como una pobre palomita tan quebrantada como las que quiere alimentar.

—Esto no es un gallinero, Anabel —le dice Perla una y otra vez.

Después del estallido, Perla retoma su paso con el caminar altivo que cogió después que se casó con milord. Le comenta a Anabel que mañana irá el abogado a su apartamento, pero Anabel, todavía herida, mira las últimas palomas que aún vuelan nerviosas después del grito.

—Hay que prepararle algo bueno a monsieur Modot —dice Perla—. Al abogado le encanta el paté —dice mientras trata de recordar la marca preferida de Modot.

Llena el carrito con chucherías y antes de ir a pagar, echa una botella de vodka y otra de brandy. De regreso, Perla se apura porque comienza a enfriar. Sé que le habría gustado tenerme a su lado para pegarse a mí como lo hacía siempre que sentía frío. Me tocaba caminar despacio para emparejarme con su paso.

—No tan rápido —le pide Anabel. Perla se detiene y la ve venir cargada de bolsas con todo el mercado a cuestas, y en lugar de ayudarle le dice:

—Parecés una mula de las de Yarumal.

No me acuerdo de Yarumal. Una vez me llevaron cuando era niño pero nunca me llamó la atención volver. Pero no hubo un día, mientras viví en Medellín, en que no se mencionara el pueblo. Luego de que nací, Perla decidió no regresar a Yarumal y quedarse a vivir en el manicomio de Libia, que renegó de la decisión pero tampoco se opuso: mientras más locas tuviera en su casa más soberana se sentiría, más órdenes tendría que dar y más gente para joder.

Empezando por mí, que desde que nací me convertí en el blanco de sus flechas.

—Quedate si querés —le dijo a Perla—, pero te advierto dos cosas: primero, te vas a quedar sin marido, pues las yarumaleñas no son bobas y alguna te lo va a quitar. Segundo, el niño. Que no moleste por ahí, que no toque nada, que lo mantengan en el patio de atrás. Yo ya estoy muy vieja para volver a criar culicagados, sobre todo niños raros como el tuyo.

—¿Raro? —preguntó Perla, y dijo—: raro un sapo.

—Los hombres no deben ser tan bonitos —dijo Libia—. No es conveniente.

—Pues yo también te voy a decir unas cuantas cosas —dijo Perla—. Primero, me voy a quedar, no porque vos me invités, sino porque esta casa también es mía, fue la casa de mi papá y él nos la dejó a todas. Segundo, no te preocupés que a Vidal lo voy a criar yo y muy distinto de como vos nos criaste a nosotras. No te va a joder porque en esta casa la única que jode sos vos. Tercero, no me preocupa Osvaldo ni el cuento de que las yarumaleñas sean muy vivas y me lo vayan a robar. Estoy tranquila porque nadie se roba un bobo. Quinto,

—Cuarto —corrigió Libia.

—Cuarto —siguió Perla—, es mejor ser bonito que feo, y sólo por eso a Vidal le va a ir mejor en la vida que a todas nosotras, que salimos igual de feas a vos.

Libia medía casi el doble de Perla, y no era fea como Perla decía. De no haber quedado atrapada en un socavón del tiempo habría sido una mujer muy bella. Algo de su estirpe llegó hasta mí, saltándose a Perla. Y lo que Libia decía era en parte cierto: en esa época la belleza en un hombre era vista con desconfianza, y era normal que se extrañasen porque donde impera la fealdad un hermoso es un bicho raro. Cuando Perla me sacaba en el cochecito a la calle, a tomar el sol y a dar un paseo, no faltaba la que se acercaba y decía:

—Qué niña más hermosa.

Perla no disimulaba el disgusto y contestaba:

—Gracias, pero la niña tiene güevas.

La ambivalencia desorientó a Perla y luego me desorientó a mí. Crecí en una casa donde se hablaba en femenino. Decían *nosotras* cuando se referían a los que vivíamos allí. Las empleadas decían niñas, pasen a la mesa. Libia decía muchachas, vámonos para misa. El que llegaba de visita decía señoras, buenas tardes. Así crecí y aprendí a vivir, como *una* más de la familia. Era una casa de mujeres incluso cuando Pablo Santiago vivía, y a pesar de mí y de Osvaldo.

Crecía y cada mes que pasaba se asentaba mi belleza con propiedad y descaro. Una vez Anabel dijo yo no sé este culicagado de dónde salió tan bello. Y Fanny, que andaba por ahí, miró a Perla con suspicacia.

—Contame una cosa, Perla —le preguntó Fanny, en confidencia—. ¿Se parece a él? A mí no se me parece a nadie de esta casa.

—Es igual a él pero con cara de niño —le dijo Perla, mirándome.

Fanny trataba de imaginarme con cara de adulto para hacerse una idea del Vidal que enloqueció a Perla. Con voz triste, Perla le dijo:

—A cada rato me pregunto dónde andará.

Y Fanny le respondió:

—Como dicen los curas: no pienses más en eso, niña.

El tigrillo se desencajó en un bostezo y a todos en la casa nos paralizó un grito de Libia, desde su cuarto. No era por el tigre sino porque ese día había terminado de tomarse una caja de renitec, y sentía calambres muy fuertes y dolor cuando orinaba. Todos los días gritaba por algo y aun así no nos acostumbrábamos, igual que en los manicomios donde se grita día y noche y uno en lugar de familiarizarse se vuelve más desquiciado. Yo gateaba por la casa, escurriéndome entre faldas y medias veladas, sin entender por qué pasaban del lloriqueo a la euforia en un segundo. Viendo cómo saltaban sobre mí por reflejo. Me arrastré con pies y manos por toda la casa sin presentir que años más tarde, y sin quererlo, yo iba a arrastrar por mi vida con la casa entera.

Perla aprendió a tejer para matar el tiempo, aunque luego le sirvió para ganarse algunos pesos. Nancy se casó con un ingeniero mediocre, Mireya y Marta consiguieron novios que las visitaban bajo estrictas medidas de seguridad, Anabel siguió igual, Libia continuó envenenándose y desarrolló una gastritis que no la dejaba probar bocado, en París los jóvenes se rebelaron, en México se hicieron matar por una utopía, al Papa le dio por visitar Colombia y en lugar de recibirlo como un criminal lo recibieron como un héroe; en un suburbio parisino que yo no conocía, Ilinka me recibió con cariño y me ofreció un café caliente, y en el restaurante Fermette Marbeuf, bajo su domo de vidrio, Perla esperaba sentada y nerviosa a que llegara el conde Adolphe de Cressay, su próximo marido.

—Raro que no haya llegado porque milord es muy puntual —le dije.

—¿Quién es milord? —preguntó Perla.

—¿Cuántas veces? —le reclamé.

—¡Sí, sí, sí! —recordó Perla.

—Decile siempre *milord*, no le digás de otra manera.

Yo había reservado una mesa para tres, había quedado con milord en que yo llegaría con Perla, y me fui a buscarla. Ella estaba estrenando zapatos y vestido, me sugirió que le comprara una faja para entallarse, yo mismo la peiné y la maquillé, le regalé un perfume como premio, y como dijo ella misma cuando se miró al espejo: si me vieran en Medellín no me reconocerían. Con eso también quiso decir que no desentonaba mucho en el restaurante.

—Pedime un aguardiente antes de que llegue milord —me dijo.

—Aquí no venden —le dije—. Te voy a pedir un oporto.

—¿Qué es eso?

Me faltó un poco más de tiempo para prepararla pero el plan ya no daba espera. Yo estaba más nervioso que ella.

Milord estaba advertido de cómo era Perla pero aun así ella no me daba motivos para estar tranquilo.

—¿Es ese? —me preguntó mirando a un hombre canoso que entró al restaurante.

—No —le dije—, milord es calvo.

—¡¿Calvo?!

—Shhh —le pedí que se calmara y le pregunté—: ¿qué pasa con los calvos?

—Yo no soy capaz de tocarle la calva a un calvo —me dijo.

—Te mandé una foto con él, ¿qué la hiciste?

—Me mandaste mil fotos, Vidal, y la verdad no sé qué las hice. Por ahí deben estar.

La idea era que en dos semanas se hiciera la boda civil y después los tres nos iríamos de viaje. Luego todo volvería a la normalidad, sólo que Perla viviría con nosotros. Los abogados se encargarían del resto.

—¿Es ese? —volvió a preguntar Perla.

—No —le dije—. Te aviso cuando lo vea entrar.

—¿Vos también le decís *milord*?

Decidí llamarlo al celular, en él no era normal un retraso. Le hice señas a Perla para que no fuera a hablar mientras yo hablaba.

—¿Milord? —pregunté y seguí hablando en francés.

Luego de que el conde murió, Perla quitó todas las fotos de él y de Suzanne que había en la casa y las remplazó por fotos mías. Hoy, que preparó la casa para la visita de Modot, ha vuelto a poner una foto de milord en un lugar visible, y rescató otra del día de la boda y la metió en un portarretrato sobre una foto mía. Había convencido al abogado de que fuera a visitarla y al rato de que él llegara, fue directo al grano:

—Desenterraron a Adolphe, señor abogado —le dice—. Es una ofensa que nos han hecho a él y a mí, pero como el pobre no puede defenderse aquí estoy para poner la cara, o lo que haya que poner, monsieur Modot.

El abogado come galletitas con paté mientras ella habla. La nota muy excitada y le parece que se maquilló más de la cuenta. Ella dice:

—Y todo por la plata. Qué horror. No les importa mi dolor de esposa, ni mi dolor de madre. Ellos ya saben que Vidal ha desaparecido, ¿y sabe qué están diciendo, abogado?, ¿sabe con qué salieron ahora?

Modot niega con la cabeza porque tiene la boca llena. Perla toma impulso y dice:

—Dicen que Vidal está escondido, que huyó con la fortuna de Adolphe —habla con la voz cortada y poco falta para que llore, pero continúa—; que él fue mi cómplice para matar al conde pero que luego me traicionó y se fue con toda la herencia, y que me dejó aquí sola y pobre, para que enfrentara las acusaciones de la ley.

—Eso no es así, señora —dice Modot.

—¡Claro que no es así! Aquí nadie ha matado a nadie ni nadie está escondido. Pero entonces, ¿para qué tienen que molestar a Adolphe con lo tranquilo que estaba?

—El juez penal tiene la obligación de atender la denuncia que hizo monsieur Clémenti, pero recuerde, madame, recuerde que fue usted quien se opuso a conceder el veinticinco por ciento que inicialmente pidió monsieur Clémenti.

—De eso mismo quería hablarle, señor abogado, de una idea que me dio Vidal hace poco —dice Perla y cambia el cruce de piernas: ahora muestra más que antes, ahora hay más muslo al aire. Le dice a Modot—: voy a ser muy directa con usted. Le ofrezco ese veinticinco por ciento.

—Madame…

—No, no me conteste hoy, abogado, piénselo y piense en mí que ya no doy más con este asunto. Fíjese cómo estoy, todo el problema de Vidal me tiene destrozada.

—Tengo mis honorarios, madame, yo mismo los arreglé con su hijo, me extraña que…

—Sus honorarios más el veinticinco por ciento de la herencia, monsieur Modot —le propone y le pregunta—: ¿cómo la ve, abogado?

Él abre la boca y deja ver una galleta triturada. Perla le sonríe vanidosa. Anabel espera, adormilada, alguna orden en la cocina. Afuera se oye el sonido de París a mediodía.

Perla y yo nos quedamos esperando a milord en el Fermette Marbeuf. Luego de colgar con él tuve que buscar la manera de decirle a ella que milord no llegaría. Comencé negando con la cabeza.

—No puede venir —le dije y ella me miró con los ojos muy abiertos—. No se siente bien. Esta mañana se levantó muy… perceptivo. No tiene ánimos para venir.

Perla se tomó lo poco que quedaba de oporto y me dijo:

—¿Me podés pedir algo mejor que esto?

Busqué un mesero pero, como siempre, estaban mirando para otro lado. Le dije a ella:

—Lo siento, Perla, él tenía todas las intenciones de venir.

—Ya —me interrumpió—, no hace falta que lo excusés, no es la primera vez que me dejan maquillada —yo también quería hablar pero ella habló mas duro que yo—: solamente pedime un whisky, o cualquier cosa más fuerte. Y pidamos el almuerzo que estoy muerta de hambre. Ah, y después me explicás cómo es uno cuando se despierta muy perceptivo.

Fue de esas cosas que uno dice sin pensar. Lo extraño es que se dicen como si se le escaparan a uno de un repertorio del inconsciente. Tal vez quise decir otra cosa. Sin embargo, mucho tiempo después, cuando Ilinka se despertó a mitad de la tarde, entendí lo que realmente era *perceptivo*. Y entendí que así no era como se había levantado milord aquella mañana. También supe que no era una palabra de mi repertorio inconsciente sino que la tenía guardada para cuando conociera a Ilinka.

Yo había dormido una hora, me había acostado en un sofá estrecho, en el apartamento más pequeño que había visto en mi vida. Estaba dormido y me despertó una sensación de esperanza que duró medio segundo, en lo que uno alcanza a creer que todo es mentira. Luego del medio segundo quedé pasmado, mirando un techo que no conocía, conectándome con los últimos sucesos, reconociendo un lugar que apenas había visto, dominado por el cansancio, a las primeras horas de la madrugada. Más complicado fue recordar la decisión que había tomado antes de dormirme: no volver. Ilinka seguía dormida y yo en diez pasos caminé todo el apartamento. Abrí la cortina y me eché de nuevo en el sofá, con la manta que ella me dio para el frío. Al frente, llenando todo el espacio de la ventana, me quedó de paisaje otro edificio grisoso con cientos de ventanas y cientos de vidas que empezaban a desperezarse a esas horas de la mañana. Un rato más tarde, Ilinka me encontró mirando todavía hacia afuera, como si viera más de cien películas simultáneas. Me saludó con una sonrisa y me dijo:

—Has estado llorando.

Tal vez sí y no me di cuenta por estar pendiente de lo que hacían los demás en sus casas. O ya llevaba tantas horas llorando desde que me dijeron lo que he repetido tanto, que uno se acostumbra a hacer lo que hace y a llorar al mismo tiempo. Ilinka me dijo:

—Aquí puedes hacer lo que quieras.

Quería decirle algo pero ella lo dijo antes:

—Puedes quedarte si quieres.

No era suficiente. Quería hablarle del tiempo pero se me adelantó otra vez:

—Puedes quedarte todo el tiempo que quieras.

—Tengo plata, Ilinka —le dije—. Tengo mucha plata y puedo pagarte por quedarme.

Ella puso a hacer café y como no me dijo nada, pensé que no me había entendido. Éramos dos extraños que hablábamos un idioma ajeno, y aunque lo hablábamos bien, uno no termina de conocer el efecto de las palabras. Creí que la había ofendido con el tema de la plata, pero ella, simplemente, se había desconectado para concentrarse en las medidas del café y del agua. Después de que prendió la estufa, me dijo:

—Es mejor que cuides la plata porque la vas a necesitar más tarde —y sin adornos, añadió—: no olvides que vas a morirte.

Si uno está sano, lo olvida. Lo recuerda tan casualmente como cuando toma conciencia de su nariz y le estorba esa sombra entre los ojos. Luego, sin darse cuenta, uno se olvida de ella, de la nariz o de la muerte, y sigue la vida creyendo que el mal está lejos.

—No es por mortificarte —me dijo Ilinka—, sino porque tienes que aprender a pensar de otra manera.

No me miraba a mí sino a la cafetera, como si ella fuera la moribunda. Me decía sé por qué te lo digo, trabajo en un hospital y todo el día veo morir gente. Le pregunté ¿eres enfermera?, y ella me dijo hago el aseo. El café estuvo listo, Ilinka lo sirvió con gusto y se sentó a mi lado. Tenía puesto un suéter largo hasta la mitad del muslo, tenía buenas piernas y una piel tan blanca que le dejaba ver algunas venas. Me dijo sólo con trabajar allá aprendí a ver la muerte de otra manera. Le dije yo no voy a pelearle a la muerte, Ilinka, eso lo tengo muy claro. No hay mucho para hacer, conozco muchos casos como el mío y sé lo que va a pasar y cómo voy a terminar; por eso, mientras más rápido termine, mejor. Tomé café y le dije tampoco voy a esperar algún milagro. Ilinka se quedó mirándome con el café a medio camino. Luego los dos miramos hacia afuera, cada cual a una ventana distinta del edificio del frente. Vi un hombre que caminaba mientras hablaba por teléfono, más abajo había una mujer que no hacía nada más que mirar por la ventana, tal vez nos miraba a nosotros tomar café y mirarla. Me recordó a Perla, o al menos me hizo imaginarla también acodada en la ventana, buscándome entre la gente de la calle, esperándome impaciente, sin más opciones que llamar por enésima vez a Flávia y a la Mudita, o rezar, que es una opción desesperada.

A Flávia la situación ya le iba pareciendo sospechosa y a la Mudita se le iba notando una mímica de intranquilidad.

—*Nós temos que esperar* —le dijo Flávia a Perla, y la Mudita apretó los labios.

Perla llegó al apartamento de ellas y, como no le habían dado llave, timbró desde abajo y por el citófono gritó ¡yo! Trataba de tragarse la rabia, y cuando subió Flávia y la Mudita la vieron entrar sin saludar y encerrarse en su cuarto. Yo no pude acompañarla porque milord me necesitaba y la mandé sola en un taxi. Le dije que después hablábamos, y ella, luchando por disimular su molestia, me dijo tranquilo, andá a ver qué le pasa a ese señor. Se subió al carro y dijo milord es más importante que yo, andá a ver qué le pasa. En el cuarto no tenía que disimularle a nadie y se quitó el vestido a los jalonazos, pateó los zapatos y se tiró en la cama en brasier y calzones. Resopló dos o tres veces y luego se levantó, fue al clóset, sacó una botella de aguardiente, se acostó otra vez a beber a pico de botella y en voz muy baja, casi inaudible, dijo viejo hijueputa.

Yo estaba peor que ella. Se me metió en la cabeza que milord no había ido al restaurante porque se había echado para atrás, que tal vez el sobrino cojo lo habría intimidado. El mismo milord me contó muchas veces de otros cojos mezquinos de su linaje. Con orgullo me contaba de Juana la Coja, esposa de Felipe de Valois y hermana de Margarita de Borgoña. O del primer suegro de Carlos de Valois, Carlos de Nápoles, el Cojo, y decía que lo del guepardo con Clémenti no era otra cosa que un ajuste de cuentas del destino porque desde hacía varias generaciones no había cojos en la familia. Que la Providencia se ensañó con Clémenti para recuperar una tradición en los Cressay. Siempre que milord me hablaba de sus ancestros, Suzanne me guiñaba el ojo y me hacía un gesto para que le siguiera la corriente, y una vez, pasada de copas y molesta con él, me confesó: Adolphe es un conde de chequera. Me dio a entender que su título, como tantos otros en Europa, había sido comprado. Y otro día, ya no molesta sino con rabia, me lo confirmó: Adolphe no tiene ni una gota de sangre azul en las venas. Sin embargo, cuando a milord le daba por hacer gala de su estirpe, ella y yo lo oíamos hablar con una propiedad que nos hacía creer en lo azulado de su sangre.

Pero no fue el cojo el que lo hizo faltar a nuestra cita. Fue un capricho que, junto a los caprichos de Perla, detonaría luego la crisis entre ella y milord. Él no fue al almuerzo, simplemente, porque no encontró una corbata que quería ponerse y se ofuscó porque yo no estaba para ayudarlo a vestir. Me reclamó: no me pones suficiente atención, que era la misma queja de Perla, que, semidesnuda y chispeada, echada en la cama, abrazada a una botella de aguardiente, protestaba: a mí no me parás bolas, Vidal, me sacaste a los empujones del restaurante, ni siquiera me dejaste pedir postre, ni otro whisky, y todo el afán era por salir corriendo para donde ese viejo, que apuesto que nos quedó mal porque no le dio la gana de ir. Le dije tenés razón, Perla, perdoname. Cuando te casés te prometo que sólo voy a tener ojos para ustedes dos. Ella me dijo todavía no entiendo para qué necesita ese viejo tus ojos. Le dije para eso me contrató, soy su ayudante, su asistente. Ella dijo pues sí, debe ser muy agradable para él tener un ayudante tan hermoso. Le dije yo también fui el asistente de Suzanne antes de que muriera. Perla dijo ah, entonces los degenerados eran los dos.

No quiso hablar más y colgó. Yo tenía que reconciliarme con ambos, no era complicado pero tenía que pensar en algo. Tal vez a Perla le haría una *pirouette* de primer bailarín y luego le daría un beso. Y a milord también le haría una *pirouette* y… Así se arreglan los problemas cuando uno es bello, porque si uno es feo le toca recurrir a la súplica.

Hace mucho que no te dejás tocar la mano, ni dar un beso, y mucho menos me has dejado actuar como hombre, le dijo

Osvaldo a Perla en una de sus visitas a Medellín. Ni me dejás acariciar a Vidal, ni sacarlo de paseo, ni siquiera me dejás cargarlo. Ella le dijo no te preocupés por Vidal que a él le sobra cariño en esta casa, más bien preocupate por la gasolinera que ya ves lo mal que va. Él le dijo hago lo que puedo, y ella le dijo es muy raro, cada vez hay más carros y a la gasolinera le va peor; ¿en qué andás, Osvaldo?, ¿dónde tenés la cabeza? Él la miró cadavérico y le dijo: en vos. A ella se le ablandó la dureza y se atragantó. Antes de que el silencio se volviera incómodo, ella dijo mirá, Osvaldo, vamos a ver si mi mamá se mejora y de pronto nos vamos a pasar Navidad a Yarumal, así ves al niño todos los días. Osvaldo le preguntó ¿por qué no le botan el botiquín a tu mamá?, es la única manera de que se alivie. Perla le dijo se lo hemos vaciado varias veces pero el problema de mamá ya es de adicción, se va de casa en casa preguntando si tienen drogas que sobren, dice que las necesita para un ancianato, y esconde muy bien lo que le dan y después se lo toma. Osvaldo le preguntó ¿y en qué anda ahora? Perla le dijo en antihistamínicos. Se la pasa dormida.

Así se arreglan los problemas cuando no tienen solución: durmiendo, muriéndonos por horas, ayudados por sedantes, por tranquilizantes o porque el sueño se compadece y a veces llega. Perla dormía ayudada por el alcohol. A Anabel la dormía el aburrimiento. Perla se despierta sacudida por la realidad, corre descalza a la cocina y le pregunta a Anabel:

—¿Sonó el teléfono?

—No —le dice Anabel, que se había dormido sentada.

—Entonces estaba soñando —dice Perla.

Le cuenta, con decepción, que soñó que habló conmigo por teléfono y que le dije que estuviera pendiente de un sobre que le iba a mandar. Anabel palidece, se lleva una mano a la boca y otra a la frente.

—¿Qué te pasa? —le pregunta Perla.

Anabel se levanta y sale a las carreras, toma un sobre que puso en la mesa del pasillo y cuando regresa se lo entrega a Perla.

—¿Qué es eso? —pregunta Perla, tanteando una silla.

—Lo echaron por debajo de la puerta.

Perla lo recibe temblorosa y, con sigilo, le dice a Anabel:

—¿Sí ves lo que te digo?

Anabel tambalea y se le van los ojos al sobre que Perla abre con torpeza. Rompe el sobre con la mano insegura y con la misma mano helada trata de desdoblar una hoja. Luego lanza un quejido.

—¿Qué es? —pregunta Anabel.

Perla no puede hablar y le extiende el papel. Anabel le repite angustiada:

—¿Qué es? ¿Qué dice?

Como Anabel no sabe leer, Perla mira de nuevo la hoja y lee:

—Bruja. Dice "bruja".

(—Dame una pista —le pido.

—No —me dice ella—, más bien te la repito: habla y no tiene boca, camina y no tiene pies, adivínemelo pues.

—¿Una carta? —pregunto.

—Adivinaste —me dice—: la carta).

15

Al frente y más abajo vi a una mujer que escupía en la olla en que cocinaba. Más a la derecha, en otra ventana, había un hombre bailando solo. En el octavo piso una mujer le secaba el pelo a otra, y en el tercero sólo pude ver las manos ligeras de alguien que escribía en un teclado.

Al principio me apoyaba en el borde de la ventana pero al rato me podía el cansancio. Entonces arrimé la poltrona y me senté, cómodamente, a ver la vida de los otros. De la mía no quería saber nada, pero si quería salirme de mí tenía que dormir o volverme loco. La locura me iba a llegar tarde o temprano, o al menos el delirio cuando ya no aguantara el dolor y me atiborraran de morfina o de algo parecido. Decidí empezar por el sueño y le pedí a Ilinka que me consiguiera algo fuerte para dormir, lo más fuerte que hubiera. Ella me dijo creo que no me entendiste, no soy médica ni enfermera, sólo trabajo en el aseo. Le dije pero puedes pedirle a algún médico que te haga una fórmula. Ella dijo ¿sin ver al paciente? Le dije puedes entrar a cualquier lado, tú debes saber dónde guardan las drogas. Ella se cruzó de brazos y me preguntó ¿sabes qué pasa si me agarran robando? Le dije necesito dormir, y ella siguió preguntándome ¿sabes lo que puede pasar si agarran a una serbia y a un colombiano robando drogas? Somos el coctel ideal para la policía, sólo nos falta ser negros. Le advertí que estaba desesperado, le dije no se trata solamente de dormir, Ilinka, es que no resisto estar despierto.

Ella no se daba cuenta. En las noches trabajaba en un bar, Les Trois Doigts, y llegaba tarde, tan cansada y tan sonámbula que ni se acordaba de que cada noche yo, desde el sofá, la saludaba al llegar. A veces, como si hablara dormida, me preguntaba ¿sigues llorando?, y sin esperar respuesta se iba a dormir. Dormía apenas unas cinco horas y luego se levantaba de prisa para ir al hospital. Al final de la tarde tenía justo el tiempo para comer algo rápido, para sentarse un momento y descansar antes de salir para Los Tres Dedos, donde le tocaba seguir de pie. Me decía sólo me siento para orinar. Por eso, cuando llegaba al apartamento no podía hablar, como yo hubiera querido, y contarle lo que había visto en el edificio del frente. Yo esperaba hasta su día de descanso, que lo dormía hasta tarde, y le contaba: hay una mujer llena de odio. Yo, que creía haber visto todo el odio, creo que esta mujer es la que más odio siente en el mundo. Ilinka se levantaba a mediodía, desayunaba tarde lo que yo le había preparado, mientras le decía: esta mujer escupe en la comida que cocina, y se traga sus propios escupitajos con tal que la otra persona se los trague. Ilinka me dijo no me hables de esas porquerías. Le dije esa es capaz de envenenarse con tal que el otro se muera. Ilinka me preguntó ¿has visto al otro? Le dije no, sólo la veo cocinar y servir dos platos, supongo que después va a la mesa a comer con la persona que odia. Ilinka dijo: o con la que ama. Como me vio extrañado, añadió: hay gente a la que el amor le da por esas cosas.

Uno confunde el amor con cualquier cosa. Perla creía que el amor fue lo que pasó aquella noche. Osvaldo creía que el amor era el desprecio. Fanny creía que el amor estaba en muchos hombres. El conde y la condesa sintieron que el amor era yo. Libia sentía que el amor era la culpa. Para Clémenti sería el pedazo de cara que le hacía falta. Anabel había oído del amor pero no lo conocía, no estaba segura de haberlo vivido, como no fuera aquello que sentía últimamente por Tiburón. La Mudita creía que encontraría el verdadero amor cuando encontrara la voz para decirme lo mucho que me quería. Y yo también me confundí y creí que el amor era yo mismo. Perla le dice a Anabel:

—Si Vidal supiera lo que lo quiero, no me haría pasar por éstas.

Lo decía mientras cambiaba una veladora que se había consumido por una nueva. Incluso cuando lo dijo no miró a Anabel sino que me miró en el retrato. Luego dice:

—Seis meses y veintiocho días son toda una tragedia.

El altar ya casi le da la vuelta a la sala. Han hecho su ingreso san Luis Beltrán, el que cuida de todo mal; la cruz de san Benito, que aleja a los enemigos; san Expedito, el abogado de los negocios difíciles, y también, como presintiendo la verdad, Perla ha incluido la estampa de san Camilo, el patrono de los enfermos y los hospitales. Ella gasta un dineral en flores y velas. Anabel le muestra que el humo ha tiznado el techo y Perla le dice ¿y qué estás esperando para ponerte a limpiar? Anabel arriesga otra vez su pellejo y le dice:

—Esto parece más el altar de un muerto que el de un vivo.

Perla le responde:

—Para que sepás, la de san Expedito me la mandó el propio Vidal. Él sabe que este Modot nos está resultando medio güevón.

El abogado ya le había dado su respuesta a la propuesta que ella le hizo. Le dijo que no, que con los honorarios era suficiente, y Perla pensó que la excusa era pura incompetencia. Le dijo prefiere, entonces, dejarle ese veinticinco por ciento a ese lisiado. Modot dijo es el porcentaje que él alega que le corresponde. Ella dijo le corresponde una mierda. Si eso es lo que usted cree, Modot, ¿para qué sigue con el caso? Él le dijo porque usted sabe, madame, que el caso se puede complicar.

¿Complicar?, preguntó Perla, ¿más para dónde, abogado? Él le explicó: no estaríamos hablando de un veinticinco por ciento para él sino de mucho más, sin contar que monsieur Clémenti también se ha opuesto a que a usted le otorguen la nacionalidad. Perla se ofuscó y le dijo yo tengo el derecho a la nacionalidad, estuve casada un año con Adolphe, y eso es lo que se necesitaba, ¿o no, abogado? Él le respondió: precisamente, madame, es el tiempo lo que no ha calado bien. No le entiendo, dijo ella, y él le aclaró: que usted tenía que estar casada un año con el conde para obtener la nacionalidad. Ella lo interrumpió ¡eso es lo que acabo de decir, Modot! Él siguió: y lo que no ha calado bien es que el conde murió un año… y una semana después. Perla no aguantó la ofuscación y le colgó. Las últimas palabras de Modot le sonaron a chantaje. Se fue a la cocina y le dijo a Anabel:

—Esto es lo único que me faltaba, a mi edad.

—¿Cuál es tu edad? —preguntó Anabel.

—Lo único que me faltaba, animal —le dijo Perla—, es tener que acostarme con alguien por obligación.

—¿Cuál obligación? —preguntó Anabel.

—No tuve que acostarme con el conde ese —siguió diciendo—, y ahora, a mi edad, me va a tocar echarme un polvo con Modot.

Pudo ser de ella de quien heredé el sexo por compromiso. Ella al menos tuvo una noche en la que se entregó muerta de ganas. Yo nunca tuve ese placer, no quise tenerlo porque preferí hacer de mi sexo una deuda para los otros. Aunque al menos tuve una ventaja sobre ella y es que nunca hice nada que me disgustara, no había placer pero tampoco sentí fastidio. Ella, en cambio, sintió fastidio las pocas veces que le tocó acostarse con Osvaldo, o eso le hacía creer a Fanny. Anoche me tocó hacerlo, le contaba con cara de asco y Fanny le creía todo menos el asco. Fanny, que veía en el sexo la única fuente de placer, le preguntaba ¿te tocó?, y Perla hacía un gesto de resignación.

Perla llamó a Fanny en aquella primera y única Navidad que pasé en Yarumal. Le dijo: anoche tuve que hacerlo. Fanny le contestó ¿para qué me contás esas cosas? ¿Para qué me llamás desde tan lejos a contarme eso? Perla le dijo ¿y entonces a quién le cuento mis problemas? Fanny le dijo ¿cuáles problemas?, lo que vos tenés son culpas. ¿Culpas?, preguntó Perla. Sí, culpas, dijo Fanny, o remordimientos, yo qué sé. Perla se quedó callada y Fanny le dijo: Perla, no hagás de tu sexo con Osvaldo una obligación, que las dos sabemos que no es así. Perla, indignada, preguntó ¿ah, no?, y ¿por qué creés que lo hago entonces? Fanny le dijo: eso sólo lo sabés vos, pero a lo mejor es porque te gusta. Perla pegó un alarido y dijo ¡juá, juá, juá!, dejando en cada juá toda la rabia que sentía. Antes de terminar, Fanny le dijo no te ofusqués, Perla, que es normal que a veces el sexo sea rico.

Perla volvió a quedar embarazada y cuando lo supo casi le da un infarto. Con la mano en el pecho sintió correr la sangre helada, negó con la cabeza y dijo: un hijo de Osvaldo. Luego se preguntó ¿qué va a decir Vidal?, pero no se refería a mí sino al otro, al que ella esperaba ver algún día. Yo era un niño y nunca me enteré de su embarazo, no sé qué habré pensado al verla engordar ni al ver el ajuar que le preparaban al bebé que venía en camino. Lo que menos sé es por qué Perla no quiso contarme nada. Una vez se lo pregunté y ella me dijo:

—Claro que te conté, lo que pasa es que estabas muy chiquito y no te acordás.

Me acuerdo de que una mañana ella salió de la casa, me dio un beso en la frente y me dijo: ahora vuelvo, precioso. Pero llevaba una maleta y yo armé un berrinche. Me acuerdo de que a las pocas horas Nancy pasó a recogerme y me dijo que íbamos para la clínica. Tu mamá está en la clínica, Vidal, me dijo y me puse a llorar de nuevo. Pero sobre todo, me acuerdo de que de la nada, como sacada de un sombrero de mago, me apareció una hermana. Llegué a la clínica y vi a Perla acostada, con cara de enferma, y con entusiasmo fingido me dijo vení, Vidal, vení y conocé a tu hermanita. Me mostró algo que se removía entre sus brazos, que más que persona me pareció un animalito. Yo estaba desconcertado con la noticia y con la cría, y lo único que se me ocurrió preguntar fue ¿dónde lo compraste? Perla me contestó me la trajo la cigüeña. Desde entonces, uno de los recuerdos más fuertes que tengo de Sandra es el de un pájaro desplumado, la hija abandonada de una cigüeña a la que Perla acogió como su propia hija.

Siempre relaciono el recuerdo emplumado de Sandra con el mal humor que me producen las palomas, que no habían vuelto a mortificarme porque en el barrio de Ilinka no había palomas ni turistas. Ella me dijo si viniera algún turista no saldría entero. Le dije me gusta tu barrio. Ella me dijo no sé cómo puede gustarte si no has salido, si no te has movido de la ventana. Le dije sí he salido, o ¿es que ya no te acuerdas de la última vez que mercaste? Ilinka puso cara de asombro, se puso roja, saltó a la cocineta, abrió la nevera y las alacenas, me dijo no me había dado cuenta. Le pregunté ¿pensaste que la nevera se llenaba sola? Le dije que también había comprado trago, y le conté que me la pasaba tomando hasta el punto de quedarme dormido en cualquier momento. Dormir es lo único que me sirve, le dije y le pedí que me ayudara a conseguir pastillas. No tienes que robarlas del hospital, estoy seguro de que se pueden conseguir por aquí, en cualquier esquina, le dije. Ella insistió: lo mejor es que vayas al hospital, no sólo te pueden dar pastillas para dormir sino para que te sientas mejor. Todavía me siento bien, le dije, cuando me duela algo voy a tu hospital. Ella dijo cuando te duela va a ser muy tarde. Le dije ya es muy tarde, entonces miró su reloj, se levantó apurada y antes de irme me dijo *svojeglav!*

Sólo teníamos cinco minutos para hablar cada mañana, mientras ella se tomaba un café antes de salir corriendo para el Hôpital Broussais. Después, yo desayunaba un jugo de naranja con vodka y me iba a arreglarle la cama a Ilinka.

Si estaba de ánimo limpiaba el baño y el polvo acumulado en la sala. No me tomaba mucho tiempo arreglar el apartamento. El problema era el ánimo. El vodka a veces me ayudaba, aunque a veces también hacía el efecto contrario; entonces no limpiaba sino que tomaba mucho más vodka. Me metía en la cama desordenada de Ilinka hasta que el alcohol me sosegaba, aprovechando el calor que ella había dejado, el aroma adormecido y el ambiente aperezado.

Suena el timbre de la puerta y a Perla le parece raro que alguien llame tan temprano. Suena un par de veces más y como Anabel no abre, Perla va a ver quién es.

—Ah, es usted —dice Perla.

—Buenos días —dice Dayessi, con un chorrito de voz. Queda paralizada por el halo venenoso de Perla y busca con los ojos, lo único que puede mover, a Anabel, que no aparece. Perla le pregunta de nuevo ¿qué necesita?, ¿qué quiere?, ¡hable! Dayessi sigue apabullada y no responde. Perla grita ¡Anabel, vení a ver qué es lo que quiere ésta!, y a Dayessi le ordena: espere ahí. Cierra la puerta y va al cuarto de Anabel, la encuentra recién bañada, peinándose el pelo largo y canoso que siempre recoge en una moña mal hecha. Perla le pregunta ¿para dónde vas a estas horas? Anabel le responde me cogió la noche, son las diez de la mañana. Perla vuelve a preguntarle ¿entonces para dónde vas tan afanada a las diez de la mañana? Anabel arma la rosca con el pelo emparamado y la va ajustando con tres ganchos que tiene en la boca, dice, con la voz enredada en los ganchos: voy a bajar adonde Dayessi y ahora vuelvo. Perla dice la india ya está arriba. Anabel pregunta ¿aquí? Afuera, dice Perla y añade: fuera de todo te estás quedando sorda: timbró como cinco veces. Anabel sale apurada y Perla le dice no me has contestado, ¿para dónde vas? Anabel le responde sin mirarla: vamos a bañar a Tiburón. Se detiene, voltea a mirar a Perla y le dice: tranquila, que vamos a bañarlo en la casa de Dayessi. Perla la sigue hasta la puerta, Anabel sale y cierra, y como Perla las siente conversar afuera, abre y, mirando a Dayessi, dice quisiera ver la cara de tus patrones cuando les cuente que bañaste un perro en su bañera. Anabel toma a Dayessi por el brazo y van hasta las escaleras. Antes de cerrar, Perla oye cuando Anabel dice no le parés bolas que está loca.

—Creo que hay un francés enamorado de mí —le cuenta Dayessi a Anabel, mientras bajan.

—¿De verdad? —pregunta Anabel.

—No deja de mirarme mientras registra. Es un cajero del Monoprix.

—¿Y es francés?

—Es rubio, rubio, rubio.

—Puede ser de otro lado —dice Anabel.

—Puede —dice Dayessi—. A mí lo único que me importa es que tenga papeles.

—Y a mí —dice Anabel— que le gusten los perros.

Perla se pregunta si de verdad se estará volviendo loca. La ausencia de alguien enloquece a cualquiera, le dice a una de mis fotos que tiene pegadas en el espejo. La ausencia de alguien que uno adora, me dice. La miro a través de las gafas de esquí, con una montaña blanca de fondo, concentrado en quedar bien en la foto y en hacer creer que dominaba el despeñadero. Quisiera que ella tuviera de mí una foto mejor, de esas que uno dice que está que habla, para que entendiera que sé lo que significa un día largo cuando las horas se estiran, que sé lo que es no saber de alguien porque he pasado noches sin saber de vos y que también sé lo que es tener a la muerte pisándote los talones. No es justo lo que te estoy haciendo y no entiendo muy bien por qué lo hago, como si fueras la culpable de todo esto, como si me estuviera muriendo por tu culpa. Me pasa lo mismo que a vos: hay cosas que sé y otras que no entiendo.

Ahora entra a mi cuarto, ve la cama desarreglada y no entiende el desorden. Pone la mano sobre el tendido y lo siente frío, le parece imposible que Anabel se hubiera acostado en mi cama. También supone que pudo haber sido ella misma, que borracha se equivocó de cuarto o que, decaída, quiso tener algo de mí durmiendo entre mis sábanas, pero no se acuerda de la noche anterior. Como Anabel no está para preguntarle, llama a Flávia y le dice ¿anoche estuve con vos, Flávia? La otra le responde: *la noche me fui con José Roberto num restaurantito ruso en la rua Laborde*. Perla le dice preguntale a la Mudita que si anoche estuve con ella, y sólo oye que Flávia grita ¡Florencia!, por encima del ruido de los secadores. Flávia dice *no, a Florencia dice que quedose en su casa e te pregunta si puede visitarte*. Perla le dice ay, Flávia, vos hablás cada vez más enredado, otro día hablamos.

Entonces piensa en la última opción: pudo haber sido Vidal. ¿Será que este berraco está viniendo de noche?, se pregunta. De sólo pensarlo se le hielan las manos y siente una necesidad enorme de tomarse un trago. En dos extremos de París cada uno bebía por su lado. Podríamos haber compartido la experiencia del trago mañanero sino fuera porque a mí se me borraron inesperadamente las ganas de verla, como cuando uno va para algún lado y decide devolverse. También, a veces, uno se despierta aborreciendo a la persona que se acostó adorando. O como cuando se larga un aguacero en pleno día soleado o como cuando, de un momento a otro, se le descubre el gusto rebelde a la aceituna. Como aquella vez en Medellín, en la iglesia de Santa Gema, donde a las tres de la tarde yo todavía era niño pero a las tres y media salí convertido en hombre. La transformación fue amasada por las manos blandengues de tío Amorcito.

De todas maneras, nada cambiaba con mi regreso. Le cambiaría a Perla un dolor por otro, y aunque ella sostenga que es peor un desaparecido que un muerto, con mi muerte no le quedará la esperanza que mantiene, imaginando el día en que yo vuelva. Le cambiarán las razones para seguir bebiendo, cambiará la razón de su llanto y de su rezo, no quitará el altar, el número de velas y de santos seguirá aumentando, se la pasará vigilándome desde la puerta entreabierta, me preguntará cada media hora cómo me siento, me ofrecerá agua, frutas, caldos, me traerá revistas para matar la aburrición y el desasosiego, me contará historias de ella y las mías que no recuerdo. Creerá que hablándome me hará olvidar de lo que pienso hasta dormido. Tal vez yo regrese cuando sienta la necesidad de hablar, pero mientras tanto lo que más necesito es el silencio.

Dicen que cuando cumplí catorce meses ya decía mis primeras palabritas, y que una vez dije papá apenas vi a Osvaldo, y que cuando Perla me oyó puso el grito en el cielo. Preguntó, en voz alta para que todas en la casa la oyeran, ¡quién le está enseñando esas güevonadas al niño! Nadie contestó, pero alguien tuvo que habérmelo enseñado. La siguiente vez que Perla me oyó diciendo papá, me pegó en la boca y me dijo: papá, no, nunca; ese señor se llama Osvaldo. Me lo señalaba de lejos y decía Os-val-do. La orden cayó, indirectamente, sobre ella porque me daba miedo decirle mamá, ni siquiera lo intenté imaginando otro golpe. Por eso desde siempre la llamé Perla, como si no tuviéramos parentesco, y a ella no le importó. Prefirió que fuera así a correr el riesgo de que algún día yo los llamara como cualquier hijo.

—Pues entonces —dijo Libia— que a mí tampoco me diga abuela.

Después Perla me contó: nunca te gustó Osvaldo, le tenías como miedo, cuando te cargaba te ponías a llorar y me buscabas, y tampoco te gustaba Libia, desde que gateabas salías volado cuando la veías y te metías debajo de las camas.

No es que no me gustara Osvaldo, él siempre aparecía con algún regalo y trataba de ser tierno, pero era de esas personas torpes con el cariño. Y Libia es un alacrán enrazado con tarántula. Es imposible quererla. En la casa no había vínculos de sangre ni carne, ni vínculos intermedios: era amor o era odio, o indiferencia total hacia quien no nos importaba. Al único que llamé como pariente fue a tío Amorcito, y eso que no era tío ni era nada, sólo un vecino del que todos pensaban que era un hombre bueno. También creí lo mismo hasta que cumplí catorce años.

La que sí dijo papá y mamá fue Sandra. A ella no le prohibieron la confianza, aunque no iba a aprender muchas palabras. Lo curioso es que todas en la casa parecían la mamá de Sandra, excepto Perla, que la descuidaba, no dormía con ella y ni siquiera quiso alimentarla. A veces se le acercaba, le hacía cualquier ruidito con la lengua, le jugueteaba con un dedo y se la encargaba a Marta o a Mireya. Incluso Anabel tuvo mucho que ver en su crianza. Mi recuerdo de Sandra es muy disparatado. A veces, en mi memoria, la confundo con un gato amarillento y apestado que caminaba por los techos de la casa, o con las gallinas despescuezadas que bajaba Osvaldo de Yarumal. A veces, lo único que recuerdo de Sandra es un grito de Perla, una mano que brota del agua, y después la recuerdo como un fantasma que me mortificó durante toda mi infancia.

El amor que a Osvaldo no le permitieron darme se lo dio todo a Sandrita. A ella sí pudo cargarla y mimarla como quiso. Y para que yo no me antojara, siempre que Perla veía a Osvaldo derrochándole mimos a Sandra, ella también exageraba conmigo en arrumacos y regalos. Sandra y yo nos convertimos en trofeos de guerra: quién quiere más a quién, quién cuidará mejor a su preferido, o quién es en verdad hijo de quién.

Yo, con el tiempo, descarté mi lazo con Osvaldo y, poco a poco, el mío con Perla. Desde muy temprano nos fuimos convirtiendo en una pareja cómplice que trama algo en silencio y con astucia. Sin hablarlo, sabíamos que tramaríamos un plan para llegar muy lejos. Y más tarde nos confundirían con dos criminales que se entienden con solo mirarse, y hasta hubo quien nos confundiera con dos amantes irresueltos.

—¿Dónde está mi hermoso ausente? —pregunta Perla, achispada, antes de mediodía.

—¿Dónde está mi hermano? —preguntó Clémenti.

—¿Dónde está la sibutramina? —preguntó Libia.

Perla llamó a Flávia al tercer día. Llevaba tres días sin comer y sin dormir, llevaba días llamando cada hora a Flávia y a la Mudita, y ya dudaba de si no habían pasado cuatro días, y no tres, desde que desaparecí.

—¿Desde cuándo no aparece? —le preguntó Perla.

—Hace cinco días —le contestó Flávia, y le contó que José Roberto ya había ido a la policía, había reportado la situación y había llevado una foto mía para que comenzaran la búsqueda.

—¿Y de dónde sacaste una foto de Vidal? —preguntó Perla.

—Yo no —dijo Flávia—. La foto es de Florencia.

—¿Y por qué no me la pediste a mí? —le reclamó Perla—. Quién sabe qué foto escogió la otra.

—Una foto de Vidal —repitió Flávia.

—Sí, ya sé, pero ¿cuál? ¿La viste? ¿Salía buenmozo? Donde Vidal se vea feo en una foto y en una estación de policía, viene y nos mata a todos.

—Con tal que regrese —dijo Flávia.

Esa misma noche Perla llamó a Libia, a Medellín, y le contó lo que pasaba.

—Mamá —le dijo—, secuestraron a Vidal.

—¿En París? —preguntó Libia.

—En pleno París, hace cinco días.

Libia no le creyó. Le dijo debe llevar cinco días borracho. Perla le contestó no creo, pero si así fuera, habría sacado un minuto para llamarme. Libia dijo si salió parecido a la mamá debe de estar tan borracho que no se acuerda ni del número. Y antes de que Perla le reclamara, Libia le dijo estoy muy enferma, Perla, no me llamés a contarme las cagadas de Vidal; si no aparece en un mes, llamame. Y antes de colgar, le preguntó ¿estás borracha, Perla?

En cambio, yo no conté los días. Mis días no se podían contar a medida que pasaban sino adivinando los que habrían de llegar. Vivía de mi pasado y de mi presente, y me resultaba muy extraño aprender a vivir en el futuro, un tiempo que no existe ni en el que uno todavía es. Pero ahí se vive, en la cresta de cada segundo que viene y con la incertidumbre de si ese segundo llegará.

Perla también empezaba a vivir en unos intervalos de tiempo desconocidos para ella. Anabel la encuentra sentada frente al reloj de la cocina, casi en la penumbra, sosteniendo un vaso vacío, tan fuera de lugar que Anabel se sobresalta cuando la ve.

—¿Todo un día bañando un perro? —dice Perla, pasmosa y sin dejar de mirar el reloj.

—Después nos fuimos para cine, daban una película española que Dayessi quería ver —dice Anabel—. Te llamé pero no contestaste.

—Cómo le rinde el tiempo a esa muchacha cuando los patrones no están —comenta Perla, y pregunta—: ¿me llamaste?

Anabel asiente con la cabeza aunque Perla continúa sin mirarla. Sigue con los ojos clavados en el reloj. Dice:

—Entonces pudo haber sido en un minuto que se saltó.

—¿Quién se saltó? —pregunta Anabel.

—El minuto —dice Perla—. Mientras no estabas descubrí que no todos los minutos se marcan en el reloj. Además, no todos los minutos y los segundos duran lo mismo.

Anabel mira el vaso vacío que sostiene Perla. Le pregunta:

—¿Puedo prender la luz?

—Prendela para que veás lo que estoy diciendo.

Ve que Perla está descalza, con las piernas cruzadas, el pelo mal recogido y que el vaso sólo está lleno de marcas de dedos. Perla no espabila y tiene los ojos rojos. Perla le dice vení, acercate. Anabel se acerca con precaución.

—Mirá bien el reloj —le dice Perla—. Mirá el segundero con mucho cuidado, no dejés de mirarlo que yo te aviso.

Sostienen las miradas fijas, sólo se oye un insignificante tictac y la respiración difícil de Anabel. Miran el reloj con la atención inmóvil de un cazador.

—Yo no veo... —trata de decir Anabel.

—¡Shhh! —la calla Perla.

Pasan los minutos y Anabel no sabe qué es lo que espera Perla. La mira de reojo a cada instante y la ve levantar una mano como diciendo esperá, esperá. A Anabel le duelen los ojos y le parece que se han multiplicado las manecillas del reloj. También siente que va a irse de para atrás y sabe que no habrá nada ni nadie que la ataje. Sólo un grito la devolverá a la rigidez:

—¡Ahí! —exclama Perla, señalando el reloj. Por primera vez se voltea para mirar a Anabel y le pregunta—: ¿viste? ¿Sí lo viste?

Anabel parpadea para descansar los ojos. Perla la mira desorbitada. Anabel le pregunta:

—¿Qué es lo que había que ver?

—Un segundo que se atrancó —dice Perla—. Hubo un segundo que duró como dos o tres segundos.

—¿Será que se dañó el reloj?

—No —dice Perla—, también pasa con los minutos, hay unos más largos que otros, y otros tan corticos que ni se marcan en el reloj.

—Puede ser la pila —dice Anabel.

Perla se levanta y mira con ira a Anabel. Se lleva el vaso a la boca pero parece que acaba de darse cuenta de que está vacío, lo alza con ganas de estrellarlo pero frena y dice:

—Todo lo que tiene que ver con vos es tiempo perdido —dice, mientras en cada palabra la voz se le va haciendo trizas—. Te traje para que me ayudaras y no has hecho otra cosa que estorbar.

—¿En qué más querés que te ayude? —pregunta Anabel—. Te cocino, te limpio todo, te lavo la ropa...

—Necesito que me ayudés a entender pero no entendés nada.

—¿Y qué es lo que hay que entender, pues?

Perla vuelve a caer sobre el butaco y deja la mirada en un rincón. No queda nada de la que fue hace un segundo, casi no le quedan fuerzas para exhalar las palabras con las que cuenta que se pasó toda la tarde buscándole nuevas explicaciones a mi ausencia y que después de mucho pensar cree haber encontrado otra posibilidad:

—Si hay segundos que no llegan y minutos que no pasan, uno los suma y se da cuenta de que hay horas que no existen, y si uno sigue sumando se va a encontrar con que hay días que desaparecen, y meses, y hasta años.

Todo lo dice con el aliento que le queda, con el poco que le alcanza para levantar la mirada y buscar la de Anabel, que está con la cabeza ladeada, con la boca abierta y con los ojos rogando una explicación.

—Lo que no has entendido —le dice Perla—, ni vas a poder entender, es lo que yo descubrí hoy, Anabel. Ni tenés las agallas que tengo yo para aceptar que el tiempo, el maldito tiempo se tragó a Vidal.

16

Dicen que si no fuera por mí, tío Amorcito tendría otro nombre. Sin embargo, desde antes de que yo supiera cómo se llamaba y descubriera su tenebrosa entraña, lo recuerdo como tío Amorcito, el visitante amable y gordo al que le tomé cariño desde que fui bebé, porque veía en él, en su figura y en su docilidad, a un bebé muy grande.

Llegaba a la casa como alborotando un gallinero. Hablaba duro, echaba cuentos, traía chismes, repartía regalos, era el único hombre que no era de la familia al que Libia le tenía autorizada la entrada. A ella, sobre todo, era a la que más regalos le daba. Supo engatusarla con escapularios, con camándulas, con folletines de iglesia, con los mismos chécheres que utilizan los curas para sus brujerías. La primera vez que lo vimos fue cuando Perla y yo nos lo cruzamos en la calle; yo no había cumplido los dos años. Perla me llevaba cargado y no notó que él se quedó mirándonos, ni siquiera lo miró cuando nos tocó bajarnos al pavimento porque él ocupaba casi toda la acera. Ella refunfuñó sin mirarlo y él después nos llamó desde la esquina: ¡señora!, ¡niño! Perla creyó que la había confundido pero él dijo sí, ustedes, mientras se acercaba en un trotecito alegre.

Perla siempre ha sido desconfiada y me abrazó fuerte cuando tuvo a tío Amorcito al lado. Más fuerte cuando él dijo este niño me llega como caído del cielo. Y quedó más confundida cuando él le dijo estoy buscando al Niño Jesús. Por la cara que ella puso, él tuvo que explicarle: vamos a hacer un pesebre y este niño, dijo mirándome, es la encarnación del mismo Niño Dios. Perla se relajó cuando vio que yo miraba al desconocido con carita de contento. Me vio estirándole los brazos como para lanzármele pero ella cambió de pose para que yo me distrajera en otra cosa. Le dijo ¿y será que éste no está muy grande para hacer de recién nacido? Tío Amorcito preguntó ¿cuántos años tiene esta belleza? Perla dijo veinte meses, y el otro dijo yo creo que aguanta; además, a ningún recién nacido lo prestan para un pesebre, con lo delicados que son; en cambio, esta belleza parece sembrado en boñiga. Perla celebró el elogio dándome un beso, y tío Amorcito se atrevió a pellizcarme un cachete; yo quedé pasmado y a punto de hacer pucheros. Él le dijo si quiere la acompaño y le voy contando. Perla le dijo es aquí no más, en la puerta verde. Él dijo ah, pues no vivimos tan lejos, yo vivo más arribita, llegando al parque Boston. Perla se quedó mirándolo y luego le dijo hay algo que no entiendo. Sentí que volvió a apretarme. Ella preguntó ¿por qué van a montar un pesebre en pleno marzo?

A tío Amorcito lo salvó la puerta que se abrió sin que nadie hubiera timbrado, y lo salvó la angustia de Mireya, que apenas vio a Perla, le dijo ay, siquiera apareciste: mamá está como desmayada. Perla entró a la carrera y detrás entró tío Amorcito, fingiéndose preocupado. La casa estaba revuelta, Perla preguntó ¿dónde está?, y Mireya dijo en el baño. Perla me entregó a la primera que se cruzó y me quedé sin ver a Libia tendida sobre la baldosa, con la mitad del cuerpo en el baño y la otra mitad afuera. Anabel le sostenía la cabeza y le daba aire con la mano. Perla entró y preguntó ¿está respirando?, Anabel asintió y dijo a veces trata de decir algo. Tío Amorcito dijo hay que llevarla ya a una clínica, y Anabel preguntó ¿y éste quién es? Como Perla no respondió, reinó un silencio que se rompió con un ay de Libia y con el ofrecimiento del sospechoso: yo tengo el carro parqueado a media cuadra y puedo llevarla, dijo tío Amorcito. Perla dijo el problema no es llevarla a la clínica sino de aquí al carro. Tío Amorcito dijo pues voy por el carro y lo pongo frente a la puerta.

Tío Amorcito parqueó y luego entró para ayudar a sacar a Libia. La agarró por los hombros y otras dos la cogieron por los pies, Mireya la agarró por la cintura y así la sacaron a la calle.

—¿Qué le habrá pasado? —preguntó tío Amorcito.

—Debe ser la presión —contestó Mireya.

—¿La tiene alta o baja? —preguntó, otra vez, tío Amorcito.

—Depende de lo que se tome —dijo Perla.

Antes de que la metieran al carro, Libia murmuró algo y luego medio abrió los ojos. Habrá visto la cabeza invertida de tío Amorcito, o el resplandor del cielo, o quién sabe en qué trance la tendría su sobredosis porque preguntó sonriente: ¿san Gabriel?, y luego añadió con palabras serenas:

—Gracias por acogerme, ángel mío.

Por desgracia, esa vez también se salvó. Tío Amorcito fue el más favorecido por el delirio de Libia: se ganó su afecto, más que por el favor, por haberla hecho creer que había dado una vuelta por el cielo. Y él encontró una excusa para volver a verme cuando regresó a preguntar por la enferma, ya recuperada de la mezcla desmedida de lomotil y diazepam.

A mí me consiguieron sólo dos cajas de ansiolíticos, que a Ilinka le parecieron suficientes, me dijo: con eso tienes para dos meses, no voy a perder mi trabajo por tu culpa. Le dije podrías quedarte aquí, no tendrías que trabajar, aunque la verdad es que prefiero que sigas en el hospital. Ella dijo para que robe. Le dije pero podrías dejar el trabajo en el bar. Ella estaba apurada porque ya tenía que irse, sin embargo se sentó y me dijo: así como ya te dio el arrebato de no volver, un día te puede dar el de regresar, y entonces a mí me toca salir a buscar otra vez trabajo. La interrumpí: por nada del mundo voy a volver. Ella dijo eso dices ahora que te sientes bien, pero cuando reviente la enfermedad o cuando te quedes ciego y no puedas mirar lo que pasa en el edificio del frente, vas a querer volver para que te cuiden, vas a querer... Ilinka dejó de hablar y de mirarme, miró hacia la ventana y luego abrió su bolso y sacó un kleenex, me dijo toma, estás llorando otra vez. Volvió a mirar hacia afuera. Mientras me limpiaba, le dije no voy a irme. Ella miró el reloj pero se quedó sentada, me preguntó ¿aquella qué hace? ¿Cuál?, pregunté y ella dijo como en el sexto o séptimo, a la derecha. Le pregunté ¿la de las piernas? Ilinka asintió. Los dos miramos una ventana donde se veían sólo un par de piernas hacia arriba, con la punta de los pies apuntando el techo. Le dije se queda así como media hora, me parece que es yoga. Ilinka me miró y me dijo puedes quedarte todo el tiempo que quieras. Se levantó, me dio dos besos y me dijo no te tomes todas las pastillas. Antes de salir dijo y no las mezcles con trago: un muerto puede meterme en problemas.

(—¿Qué pensarías si algún día me voy y no vuelvo?

—¿Y para dónde vas a irte? —me pregunta.

—No voy a irme. Sólo lo estoy suponiendo.

—Pues pensaría que sos un ingrato.

—¿Sólo eso?

—¿Te parece poco?

—Me parece que no es nada raro —le digo—. Es normal que los hijos seamos ingratos.

Me mira feo. Le digo:

—No me mirés así, que también fuiste hija y fuiste ingrata.

Sigue mirándome feo. Me dice:

—¿Para dónde vas a irte, maldita sea?).

Perla llamó a Flávia pero no la encontró y pidió que le pasaran a la Mudita. Mientras espera oye todos los ruidos del salón de belleza, y al momento, entre todos los ruidos oye un graznido: la Mudita ya está al teléfono.

—¿Florencia? —pregunta Perla y la Mudita vuelve a graznar. Perla le dice—: mirá, Florencia, cuando vayás a responder "sí" le das un golpecito al teléfono, y dos para "no", ¿entendiste?

La Mudita da un golpecito en la bocina con la punta de un cepillo para pelo.

—Bueno, Florencia, te pregunto: ¿creés que Vidal está muerto?

Dos golpecitos.

—¿Y creés que le pasó algo?

Un golpe.

—Yo también, Florencia, pero te voy a contar algo que descubrí hace poco, algo muy serio. Mirá, Florencia… ¿no te podés hacer más lejos de los secadores?

Dos golpes.

—Está bien. Te habría dicho que vinieras pero es que no puedo esperar, todavía estoy desconcertada. Para que me entendás te voy a poner un ejemplo. ¿Sabés leer?

Un golpe.

—¿Y no te ha ocurrido que a veces cuando estás leyendo vas a pasar la página y no te das cuenta y pasás dos páginas al tiempo?

Perla no alcanza a oír cuántas veces golpeó la Mudita, y se ofusca:

—Por Dios, niña, decí que apaguen esos secadores un minuto.

Dos golpes.

—Qué paciencia la que hay que tenerte. Bueno, te decía lo de las páginas: a veces se saltan dos o tres y uno no se da cuenta, y claro, si uno sigue leyendo no entiende nada, no entiende qué pasó con la historia.

Dos golpes.

—No, ¿qué? —pregunta Perla.

Dos golpes.

—¿No entendés?

Un golpe.

—Definitivamente con vos no me funciona el morse —dice Perla—. Mejor dicho, te suelto el cuento para que lo pensés y después hablamos. Yo creo, Florencia, que Vidal está atrapado en esas páginas que uno se salta, ¿sí me entendés?

Dos golpes.

—Estás igual a Anabel, que tampoco entiende nada. Y yo, en cambio, lo veo así de fácil: Vidal no está muerto, Vidal no está en ninguna clínica, ni en la cárcel, no está secuestrado porque nadie ha llamado a pedirme rescate, no está en ninguna parte del mundo. ¿Dónde está, entonces? —hace una pausa, esperando un golpecito en el teléfono pero entiende que la pregunta no da para golpe. Dice—: ¿no te han dicho siempre que la vida de uno es como un libro? ¿Y que cada día pasamos una página? Pues en el libro de Vidal se pasaron varias páginas seguidas, y en ese salto, Florencia, fue donde lo perdimos.

Los secadores se apagan al tiempo y Perla sólo oye murmullos. La Mudita no grazna ni da golpes. Perla le dice:

—Sé que es complicado, pero es la única posibilidad que queda.

Dos golpes.

—¿No?

Dos golpes.

—Entonces, ¿sabés dónde está?

Dos golpes.

—¿Me estás tomando el pelo? Mirá, Florencia, que lo digo muy en serio.

Dos golpes, dos golpes, dos golpes, la secuencia de golpes se convierte en un repiqueteo enfurecido, los secadores vuelven a ensordecer a Perla, que entre el golpeteo y las turbinas le grita, desesperada, a la Mudita:

—Tenemos que encontrarlo, niña, tenemos que buscarlo en ese tiempo que nos saltamos. Ahí debe estar esperándonos, el pobre.

En parte era cierto. El tiempo es relativo aunque quieran hacérnoslo parecer invariable. Yo lograba estirarlo gracias al vodka y al alprazolam, pero cuando pensaba en el tiempo que quedaba por delante, se encogía, y al igual que le sucedía a Perla, veía desaparecer los segundos antes de que llegaran. Con todo y eso perdía el tiempo mirando el techo o lo que hacían los otros detrás de las ventanas, aunque entendí el tiempo alargado que estaría viviendo Perla, esperando a que yo llegara. Habían pasado varias semanas, ella ya había llamado a Libia y le había dicho se lo tragó la tierra, mamá. Libia le había contestado quién sabe en qué lío se metió y lo mataron, en cualquier momento aparece el cadáver. Perla dijo eso es solamente lo que querés que pase, pero Vidal no te va a dar ese gusto, a lo mejor te morís primero que él. Libia dijo soy yo la que no le voy a dar ese gusto, ni a vos ni a él. Vos estás más vieja, dijo Perla. Sí, dijo Libia, pero él es más degenerado, y preguntó ¿para qué me llamaste? Perla le dijo decile a Mireya o a Marta que vengan a acompañarme, que yo les pago el pasaje. Libia soltó una carcajada al otro lado de la línea. ¿En qué estás pensando, Perla? ¿Que voy a dejar que mis otras hijas vivan con vos?, ¿para que se vuelvan igual a vos? Estás meando fuera del tiesto, Perla. Perla no pudo mantener la soberbia y estalló en un ataque de histeria, como si otra vez fuera la niña que varias veces le reclamó a su mamá por la desprotección y la soledad. Dijo estoy muy sola, estoy desesperada, no sé qué hacer ni qué pensar, necesito que alguien me acompañe a esperarlo. Libia dijo ¿y si no vuelve, si no aparece? Claro que va a aparecer, dijo Perla, lo importante es esperarlo; si el primer Vidal no llegó, el segundo no va a decepcionarme. Libia preguntó ¿cuál primero y cuál segundo?, ahora sí me di cuenta de que te chiflaste. Perla suplicó mandame a una de mis hermanas, mamá, ya están viejas, son unas solteronas, no les va a pasar nada. Libia dijo no. Perla le insistió: entonces mandame, aunque sea, a Anabel. Y Libia soltó, otra vez, una carcajada, esta vez más larga y verdadera. Cuando paró de reírse, dijo mirá cómo es la vida: me llamaste a pedirme un favor y terminaste haciéndome el favor más grande. Mandá por ella cuando querás.

No era mucho pero era mejor que nada. Nunca supe muy bien qué papel desempeñaba Anabel en la familia. De niño la vi igual a todas, precisamente en una familia donde los parentescos no se mencionaban. Cuando le pregunté a Perla quién era Anabel, ella me dijo es una recogida. Yo estaba muy niño y me impresioné con la respuesta, le pregunté ¿de la calle? Perla se estaba pintando las uñas y ni me miraba cuando respondía. Dijo tal vez y yo volví a preguntar ¿de una caneca?, y ella, concentrada en una uña, dijo ajá. Otro día le pregunté a Libia ¿quién es Anabel?, y ella me contestó ¿y a vos qué te importa?, y mientras se iba, siguió diciendo qué tal este culicagado, ya nos quiere averiguar la vida a todas. Le pregunté lo mismo a Marta y me dijo Anabel es una pariente de papá. Y Mireya me dijo creo que era una vecina de Yarumal. Y Nancy me dijo creo que era una monja que se salió. Cuando se lo pregunté a ella misma, ¿vos quién sos, Anabel?, ella dijo ay, niño, ojalá supiera quién soy. Luego abrió un cajón de la mesita de noche y sacó una hoja doblada y carcomida: un recorte de una revista muy vieja en el que había un hombre buenmozo anunciando una loción. Anabel me dijo creo que él era mi papá. Le pregunté ¿cómo se llama?, y ella levantó los hombros. Le pregunté ¿está muerto?, y ella los volvió a levantar. Fui creciendo y entendí que Anabel era distinta. Luego de muchas conjeturas la ubiqué en un punto intermedio entre las tías y las sirvientas. Aprendí que Anabel sólo existía en el instante en que uno la veía, en ella no existía el tiempo, Anabel no tenía pasado ni presente ni futuro, era un último recurso, una talega de boxeo en la que dejábamos las rabietas, una pelota para amasar el estrés. Anabel era algo que rondaba aunque también fue los brazos que cargaron a Sandrita cuando Osvaldo no estaba. Llevátela que está muy llorona, le decía Perla y Anabel se llevaba a la niña para su cambuche a darle un poquito de lo que la mamá no le daba. En París, Anabel seguía siendo el mismo trapo sucio en el que nos limpiamos todos.

—Te estás robando la ropa de Vidal —le dice Perla.

—¿Como para qué iba a querer yo la ropa de Vidal? —pregunta Anabel.

—Falta ropa suya —dice Perla—: faltan camisas, pantalones, de todo.

—Se la habrá llevado él —dice Anabel.

—Él no se ha llevado nada. Él desapareció con lo que tenía puesto.

—Yo te he visto vestida con ropa de él.

—Sí —dice Perla—, pero la guardo después.

—Te ponés hasta sus calzoncillos —comenta Anabel.

—¡Y qué! —protesta Perla—. Si no me los pusiera ya se los habrían llevado también.

—Entonces no me reclamés por esa ropa, que sos vos la que te mantenés metiendo las manos en ese clóset.

En París, era Perla la que me arreglaba la ropa, de muy buena marca y que era como mi uniforme de trabajo. Sólo tenía dos formas de estar: o muy bien vestido o desnudo. Lo uno me llevaba a lo otro, y con lo otro era como conseguía lo uno. Perla seguía las instrucciones de las prendas para lavarlas, las planchaba con plancha tibia y luego las organizaba por colores en el clóset. También, como si fuera un torero, me ayudaba a vestir para salir al ruedo. O nos ayudábamos los dos cuando salíamos juntos.

—¿Será que ese señor me deja otra vez plantada?

Milord se había decidido a conocer a Perla y hasta me dijo que programara la fecha del matrimonio.

—¿Estoy bien así? —me preguntó Perla, como posando para una foto. No era como yo habría querido pero más no se podía hacer. Sin que se me notara en la cara, pensé: todavía no se ve decente.

—Estás hermosa —le dije.

Esta vez no habría restaurante sino una cena privada en el apartamento de milord. Me tocó encargarme de todo el trajín: primero tenía que disponer de lo que íbamos a comer, después me tenía que vestir y luego vestir a milord. Luego correr para donde Perla y arreglarla. Después me tocaba regresar fresco, más bello que siempre, como si fuera yo el que se iba a casar, que viéndolo bien, así fue.

Perla comenzó a inquietarse desde que nos subimos al taxi. Me dijo no sé, Vidal, a ratos pienso que yo no encajo aquí. Le dije no te preocupés, Perla, que esto es como un juego, imaginá que vamos a jugar con milord al papá y a la mamá. Perla, ofuscada, me dijo yo sé, el problema es que no tengo claro quién es el papá, ni quién la mamá, ni quién el niño, a veces siento que yo fuera la adoptada y ustedes la pareja. Quise interrumpirla pero ella siguió: sí, Vidal, yo aquí no entiendo nada de nada, mejor dicho, sé que estamos jugando pero a ratos siento que estamos jugando con candela. Le dije calmate, Perla, que ya llegamos. Estaba exaltada, sudaba debajo de la nariz; le pasé un kleenex y le dije limpiate que estás brillantocita. Pagué el taxi y en pleno Courcelles, frente al edificio, le dije no sé de qué te quejás, yo tampoco he tenido muy claro en mi vida quién es la mamá, quién el papá ni cómo es una familia, así que vamos a jugar con las reglas que te inventaste. Se detuvo y me miró como a un atracador. Le dije sí, señora, vamos a jugar como siempre hemos jugado: a ganar. Si jugás bien, todos salimos ganando. En el ascensor, mirando los números de los pisos, me dijo nunca me habías hablado así, Vidal.

Con Perla en su sitio, la tomé de gancho y entré al estudio. Ella no entendió cuando le hablé al espaldar de una poltrona de cuero. Dije *milord, ma mére est ici*. De la poltrona asomó una calva y después, lentamente, la figura larga del conde Adolphe de Cressay. Tardó en darse vuelta y Perla y yo nos acercamos hasta tenerlo de frente, elegante y rígido, vestido con corbata, como si de verdad esperara a una novia. Medía casi el doble de ella. La miró sonriente, luego me miró y ya con los ojos brillantes miró otra vez a Perla para hacerle creer que ese brillo se lo daba ella cuando lo cierto es que lo encendió en mí. Para seguir con lo acordado, juntó los pies, inclinó la cabeza, estiró la mano para tomar, con delicadeza, la mano de ella, la subió a la boca, la rozó con los labios y le dijo *enchanté, madame*. Ella improvisó una venia flexionando, ligeramente, un pie y echando el otro un poco hacia atrás, y mientras me preguntaba de dónde habría sacado Perla la reverencia, ella dijo, en su aporreado francés, *enchantée, milord*. Luego sonreímos los tres.

Esa venia me la enseñaste vos, me dijo después y, extrañado, le pregunté ¿yo? Sí, vos, dijo ella y no tuvo que repetírmelo porque al instante me acordé de mis venias de niño luego de una *pirouette*, de un *grand jeté* o de un *fouetté* entorpecido. Saltaba, giraba, bailaba en un pie y terminaba postrado ante un gran público imaginario, o a veces frente a mi público real: las tías que se miraban perplejas entre sí; Libia que decía qué tal el mariquita; Osvaldo que me miraba con cierta tristeza; Anabel que aplaudía por aplaudir; o Perla y tío Amorcito, que eran los únicos que celebraban y entendían mi emoción. Yo no tenía hora ni lugar para el show, igual bailaba en la ducha que en la cocina. El verdadero escenario lo llevaba en la cabeza, al igual que las luces, la orquesta, la ovación, todo dentro de mí, como el mundo parisino que comencé a soñar desde el día en que vi la foto de la torre Eiffel, y que ahora, con milord y Perla sentados junto a mí en la misma mesa, se convertía en un mundo de verdad. No era mi estilo, pero les tomé la mano y dije, primero en francés, *grace à vous je suis un homme heureux*. Luego lo repetí en español: gracias a ustedes soy un hombre feliz. Levanté la copa llena de Borgoña 1988 con el que milord se había lucido esa noche, pero me quedé sin palabras para ofrecer el brindis, no por la emoción del momento sino por la que me dio al pensar: y eso que todavía no he recibido toda la herencia.

—Bueno —le dije a Perla, de regreso en el taxi—, ¿qué te pareció?

—No sé —dijo, soltándose el botón de la falda—. Todo muy fino pero muy estirado —me miró y me preguntó—: ¿vamos a vivir siempre así?

—¿Qué querés decir con "así"?

—No sé —dijo, mirando hacia afuera—, como si nos hubiéramos tragado una varilla de hierro.

—Pues dejá a milord con su varilla y vos viví como siempre has sido.

—Y vos —me preguntó—, ¿cómo vas a vivir vos?

—Como siempre —le dije—. A veces me trago la varilla y a veces me la saco. Todo depende.

Perla suspiró y me pareció sentir un reproche en ese suspiro. Repitió bajito: todo depende. Entonces le pregunté:

—Y milord, ¿cómo te pareció?

Perla recostó la cabeza y cerró los ojos. Creí que no le iba a dar la gana de responderme. Sólo al rato dijo: no sé. Y, sin pensarlo mucho, agregó:

—Tiene cara de médico.

Y no habló más por esa noche.

17

Una vez me desperté llorando y me tocó esperar un rato a que alguien se apiadara de mí porque todos estaban distraídos; eran como las ocho y cuarenta y cinco de la noche. Andaban apretujados frente al televisor y como yo no paraba, alguien siempre decía el niño está llorando. Callen al niño. Es tu hijo, Perla, andá a darle vuelta. Pero Perla no pudo pararse porque había estado tomando desde por la tarde, aprovechando que Libia se había encerrado temprano, cuando dijo lo que van a ver hoy es el pecado más grande. Nadie le paró bolas y Perla, para contradecirla, dijo lo que vamos a ver es lo más grande que ha hecho el hombre, y sacó trago para celebrar. Como a las nueve, tío Amorcito llegó a mi cama, me cargó en sus brazos y yo dejé de llorar. Me llevó con él a la sala y me sentó en sus piernas de gigante para que también viera la televisión. Vi a Perla y le estiré los brazos, pero ella apenas pudo levantar la mano y mover los dedos. A las nueve y cincuenta y seis, hora colombiana, en medio de aplausos en la casa, el hombre, así lo decían como si lo hubiéramos logrado todos juntos, el hombre llegó a la luna. En el momento en que alunizó el módulo con los astronautas, tío Amorcito se levantó de un salto conmigo en sus brazos y, dando brinquitos emocionados, dijo: y esta bellecita también va a conquistar muchas estrellas, cuando sea grande. Anabel salió en carrera para el patio a buscar la luna, a ver si se veía algo. Perla dijo fijate adónde llegaron éstos y yo ni siquiera he montado en avión. Como a la media hora salió Libia de su cuarto y nos gritó ¡si creen que van a encontrar a Dios allá arriba están muy equivocados. ¡Dios está mucho más lejos!

(Leo en voz alta: "La luna en París tiene otro encanto o es París la que alumbra a la luna". Le pregunto:

—¿En qué año fue lo de la luna?

—No habías nacido —me dice.

—¿Y entonces por qué me acuerdo?

—Te imaginaste que lo habías visto, y después te acordaste de que lo habías imaginado —me explica).

Yo seguía mezclando pastillas con vodka, cuidándome de que Ilinka no se diera cuenta. Ella nunca estaba en los momentos de mayor confusión, y por las mañanas, cuando hablábamos, yo estaba más lúcido. O tal vez no era la mezcla la que me confundía sino los macrófagos que comenzaban a infectarme el cerebro y a dañar para siempre mis neuronas. Ilinka me había dicho deberías hacerte un conteo de linfocitos. Me quedé mirándola y ella dijo no me mires así, lo leí en una cartilla. Se cruzó de brazos y dijo: al menos podrías leer la cartilla, el enfermo eres tú.

A veces, cuando yo estaba bajo algún efecto, me ponía insolente y le decía qué es lo que te preocupa, ¿si ya comencé a enloquecerme, si puedo volverme peligroso? Ella me contestó algo en serbio, pero me habría dado igual si lo hubiera dicho en francés o en español. Seguí: o quieres preguntar lo que todo el mundo quiere saber pero nadie se atreve: ¿cómo se contagió el enfermo? ¡No más!, dijo Ilinka, cada cual se muere como quiere. Solté una carcajada. ¿Sabes lo que decíamos en el colegio?, le pregunté. Ella ni me miró pero yo seguí: cada cual hace de su culo un candelabro. Me reí más y me pregunté ¿o era candelero? La busqué, quería tenerla cerca para decirle yo hice de mi culo la muerte. Se quedó mirándome un momento y me dijo ¿no te has dado cuenta de que un ojo te llora más que el otro? Le pregunté ¿cuál?, ella dijo el derecho, y, sin pensarlo, con la mano me limpié el izquierdo.

Una vez también le dije: nunca he creído mucho en los espejos, el hecho de verte al revés engaña; prefiero las fotos. Y le pregunté ¿cómo me ves? Ella dijo igual. Le pregunté ¿igual a cuándo? Ella dijo igual a desde que te conozco. Le dije estoy más flaco, y le pedí que en su día de descanso me tomara una foto. Me preguntó ¿sabes por qué estás aquí? Le dije porque tú me trajiste. Volvió a preguntar ¿y sabes por qué te traje? No le respondí y ella dijo por bello. Seguí callado y ella dijo este barrio es feo porque la pobreza es fea, este apartamento también es feo, el trabajo que hago me parece horrible, y la gente que se sube al metro, y los que van al bar, mi ropa es fea y hasta yo soy fea. Se puso un dedo en la boca para que yo no dijera algo por cortesía. Siguió diciendo: por primera vez en la vida puedo tener algo bello, algo que sea un placer mirar, poder despertarme y ver algo hermoso, lo mismo antes de dormirme, y cuando no te veo, saber que en mi casa me espera la belleza. Lo dijo con emoción, con los ojos tan vidriosos como los míos. Dijo: por eso me vine a París, porque me decían que era la ciudad más hermosa, pero esta ciudad es tan cruel que con su crueldad borra toda belleza; además, fíjate a qué barrio vine a parar. Todo es feo, no sé cómo disfrutas mirar por la ventana. Le dije: a muchos nos gusta asomarnos. Ella miró hacia afuera y dijo: las moscas buscando la mierda. Le dije es una buena idea la de las fotos. Vas a tomarme una cada semana y así voy a saber cuándo tengo que irme.

Meses más tarde Perla hojea una revista, cualquiera, y como presiente que le quedan pocas páginas para terminarla, le entra un desaliento. Ya no las compra por el tema sino por el tamaño, mientras más gruesas más le gustan. Anabel la mira y le nota cierto desespero. Le pregunta:

—¿Y ahora qué te pasa?

—Es que ya no sé qué más hacer, ya me cansé de ver televisión, de oír radio, de verte a vos —entorna los ojos y repite—: ya no sé qué hacer.

—¿Por qué no jugamos parqués? —le propone Anabel.

—¿Con vos?

—Podemos invitar a Dayessi —dice Anabel.

Perla cierra la revista de un golpe y hace una mueca de fastidio. Dice:

—Cómo será de tramposa esa india.

—Pues ella tiene parqués y dominó.

—Ni loca voy a matar el aburrimiento con ustedes, con sólo verlas ya me aburro.

Anabel se queda mirándola un rato, viendo cómo Perla mira la revista sólo por mirar. Luego le dice:

—Perla, ¿por qué no me mandás para Medellín?

—Porque no —dice Perla, sin mirarla.

—Ya me quiero ir.

—Pues mamá no te quiere recibir —dice Perla, fingiendo que lee.

—¿Quién te dijo eso?

—Ella misma.

Anabel clava la mirada y Perla la mira de reojo, pasa las páginas sin darse cuenta, y de reojo también ve que deslizan un sobre por debajo de la puerta. Le grita a Anabel ¡corré, fijate quién echó eso! Anabel no entiende y Perla trata de llegar rápido, la otra corre detrás de ella. Perla abre la puerta pero no ve a nadie, sólo oye unos pasos que se alejan. Chilla hacia afuera: *qui êtes vous?*, pero sólo oye el portón que se cierra. Recoge el sobre y le pregunta a Anabel ¿no te pareció como que arrastraba una pierna? Anabel preguntó ¿cómo habrá entrado?, y Perla dice yo no sé, pero esto está más inseguro que Medellín. Anabel aprovecha y dice nos deberíamos conseguir un perro; pero ya Perla está metida en la carta. ¿Qué dice?, pregunta Anabel. Nada, responde Perla, el mismo que me dijo bruja la vez pasada, ahora quiere que me vaya de París. Anabel dice: lo que te digo, si tuviéramos un perro lo habría agarrado de una pierna. Perla se ventila con la carta, y con media sonrisa, pregunta cuál pierna, ¿la buena o la mala?

Aun sin que la conocieran, Perla ya tenía varios enemigos desde antes de llegar, cuando se filtró el deseo de milord de casarse con una colombiana desconocida. Además, Suzanne llevaba poco tiempo de muerta y a los familiares y amigos no les gustó para nada que se hablara de una nueva boda. Nadie entendía la razón y menos que el lugar, que con tanta altura había ocupado Suzanne, fuera concedido a una suramericana que ni siquiera hablaba bien francés. Entonces todos pusieron los ojos sobre mí: *l'aide personnel*, el asistente personal del conde Adolphe. El título no me lo inventé, así me presentaban milord y Suzanne. Y si el título despertaba comentarios y risas furtivas era sólo por mi físico, como si los bellos no tuviéramos otro mérito que la hermosura, o como si la belleza me hiciera intelectualmente inferior. Además, ¿hasta dónde llegan las funciones de un asistente personal? Eso es algo que deciden el asistente y el patrón. Pero mi encanto sólo funcionó hasta que los conocidos de milord supieron de su matrimonio con Perla, y nadie creyó una sola sílaba cuando el conde dijo: me he enamorado, como un adolescente, de la madre de Vidal. La frase era cierta, sólo que le sobraban palabras.

Perla me preguntó:

—¿Vamos a hacer fiesta?

—No —le dije—. Será una ceremonia muy íntima. Un par de amigos y nadie más.

—Flávia y la Mudita —dijo Perla.

—Y José Roberto —agregué.

A Perla no le importó. Dijo:

—Mucho mejor. A mí no terminan de gustarme los franceses.

—¿Cuál es el problema con ellos?

—No sé —dijo. Pensó un momento y añadió—: no sé, pero me parece que se creen muy franceses.

Habíamos salido esa tarde a buscar el vestido con el que Perla se iba a casar, que no sería un vestido de novia sino algo elegante y sobrio que disimulara la plebeyez. De todo lo que vimos escogí un vestido tipo Chanel, que a Perla no le gustó mucho; parezco más una invitada que una novia, dijo. Le dije Perla, no estás como para tul ni organdí. Me dijo yo sé, güevón, pero es que mi otro matrimonio fue como de mentiras, y ya que me voy a casar otra vez, me gustaría casarme como de verdad. Le dije ésta va a ser una boda de verdad, y ella dijo no sé, pero con ese vestido me siento como la mamá del novio. Después me preguntó ¿cómo van a saber cuál es la novia cuando vean las fotos? Le dije vas a llevar un arreglo de flores, además eso se nota en la cara. Ella dijo cara la que va a poner mamá cuando sepa que me voy a volver a casar. Le dije cuando sepa que vas a tener dos maridos al tiempo. Perla soltó una carcajada y añadió: y cuando sepa que me caso por lo civil. Siguió riéndose y dijo la voy a matar con la noticia. Le dije ¿qué estamos esperando? ¡Llamémosla! Perla se obligó a dejar de reírse, y me dijo vos sos la cagada, Vidal.

Libia fue breve pero contundente, le dijo bígama, pecadora, tramposa, puta, ya no sos mi hija, no me volvás a llamar en la vida. Y antes de colgar, remató: ni vos ni el maricón de tu hijo. Perla quedó pálida con el teléfono en la mano. Le dije llamá otra vez a ver si se murió. Perla me dijo no, Vidal, no charlés más con eso. Me pidió un trago y después de que se bogó medio vaso, me dijo: de todas maneras, hace mucho dejé de ser su hija.

Esa casa, más que de familia parecía un inquilinato y poco le faltó a Libia para cobrarnos la vivienda a los que vivíamos ahí. Casi nunca nos reuníamos todos a comer, cada cual comía cuando le daba hambre. Nadie se saludaba en las mañanas, excepto Perla y yo, que hasta cuando dormíamos juntos nos saludábamos al despertar. Libia comentaba: como si no hubiera suficientes camas. Le reclamaba a Perla: por qué no dormís con tu verdadero esposo en vez de estar retozando con éste. "Éste" era yo, que como casi todos los hombres de Medellín pierden su nombre cuando se casan y se convierten en "éste". Con lo que también quiso decir Libia que Perla y yo parecíamos casados. Decía: no sé a dónde irán a parar este par de libidinosos que duermen juntos y medio en pelota. Perla se defendía: todavía es un niño, mamá, todavía no tiene malos pensamientos. Libia dijo claro que los tiene, desde que nació, no era sino verlo pegado a tu teta para saber que estaba gozando como un hombre grande. Libia tenía toda la razón: los niños tienen malos pensamientos, a toda hora, no hay un pecado que no cometan constantemente: gula, envidia, intento de asesinato, codicia, manipulación, robo, burla... ¡El niño se está tocando!, gritaba Libia y me pegaba un escobazo en la manito pecadora. Yo lloraba hasta que aparecía Perla a rescatarme, y ella no sólo me acariciaba la mano adolorida sino también el pequeño tentáculo que por esa época ya se paraba. Tío Amorcito decía, con la boca echa agua: este niño va a ser tremendo. Muy seguramente hacía cálculos en su mente podrida: ¿cuánto más me tocará esperar?, ¿cuándo estará listo esta belleza?, ¿a qué edad se puede uno comer a un niño? Mientras tanto se contentaba con cargarme y besarme con aparente ingenuidad. Mi infancia era una excusa para excederse en caricias, iba casi a diario a la casa, nos sacaba a pasear, a Perla y mí, en su camioneta Renault 12, que mantenía llena hasta el techo de toallas de color verde pálido. Él decía que tenía una lavandería y que por eso el carro estaba siempre lleno de toallas sucias y limpias. Así y todo nos abría espacio, me sentaba sobre sus piernas y me dejaba jugar con el timón. A esa edad yo no tenía por qué saber qué era esa cosa dura que sentía abajo cuando me sentaba sobre tío Amorcito. Me encantaba salir a pasear en su carro, me encantaban la patica de conejo que colgaba del espejo retrovisor, la fragancia a baño público y el pez que tenía pegado en la puerta del baúl, trazado meramente con dos líneas plateadas y entre las líneas la palabra "Jesús".

—¿Te conté que cuando Vidal era un bebé hacía de Niño Jesús en los diciembres? —le pregunta Perla a su amiga Luz Helena García, mientras Perla le sirve de la botella. Luz Helena simplemente pregunta:

—¿Verdad?

Perla continúa:

—Pero de ese papel no le quedó ni el recuerdo. Es más, ni siquiera sabe lo que es tener fe. Si la tuviera a lo mejor ya habría vuelto.

Luz Helena levanta otra vez el vaso, esta vez para sugerir un brindis. Perla también lo levanta, pero ninguna de las dos propone un motivo para brindar.

—Pero, ¿sabés qué lo va a regresar? —dice Perla, y sin esperar respuesta, dice—: el amor. Puede que el pobre no tenga fe, eso no es culpa de él sino de los hermanos cristianos que lo educaron, pero lo que sí le sobra es amor, amor por mí —se queda un instante mirando el vaso, y dice—: ¿sabés que últimamente he aprendido a encontrarle el gusto al whisky?

Luz Helena se arriesga y dice:

—Pues querida, yo vengo, precisamente, con dos propuestas.

—¿Para qué? —pregunta Perla.

—Bueno —dice Luz Helena, y recuerda la última vez que Perla la echó de la casa—, tal vez pueda ayudarte a encontrar a Vidal, y tal vez pueda hacerte ganar unos pesitos.

—No te entiendo un culo, Luz Helena.

La otra abre su cartera y saca una tarjetica. Se la extiende a Perla y dice:

—No hay otra como ella para ayudar a encontrar a la gente perdida.

—Madame Taylor —lee Perla.

—Acaba de llegar de Nueva York y va a estar aquí un par de semanas. Toca pedir cita porque o si no, no te atiende.

—Una bruja —comenta Perla, mirando la tarjeta.

—Nada se pierde. Yo también pienso ir.

—¿Y a vos qué se te perdió?

—La suerte —dice Luz Helena—. Desde que me divorcié de Jairo, ningún hombre me ha vuelto a mirar. El imbécil me dejó bañada en sal.

Perla se levanta con la botella para servirle un poco más de trago, pero Luz Helena la detiene con la mano. Perla le pregunta:

—¿Y lo otro?

—¿Qué otro?

—La otra propuesta.

Luz Helena se incorpora, carraspea, se ilumina y dice:

—Te tengo un cliente para tu casa de Normandía.

—¿Y quién te dijo que la estoy vendiendo? —pregunta Perla.

—Como no has vuelto por allá... Mirá, Perla, esa villa se te va a caer, y es mejor venderla ahora antes de que se deteriore más.

Perla la interrumpe:

—Estoy segura de que lo primero que va a querer Vidal, cuando regrese, es ir a Deauville. Es a donde más le gusta ir.

—Podemos venderla por muy buena plata.

—¿No me oíste? —pregunta Perla.

—Mirá, ya han pasado más de seis meses...

—Aquí no se va a tocar nada —la interrumpe otra vez—. No se va a mover ni un cenicero hasta que él aparezca, él no se va a dar cuenta de que aquí ha pasado el tiempo. ¿Me entendiste?

Luz Helena la mira achantada, bebe y luego fuerza un gesto amable. Perla comenta:

—Cómo le da trabajo a la gente entender las cosas.

Lo dice mirándome en una foto en la que estoy junto a Sylvester Stallone. Él me pasa su brazote por encima de mis hombros y yo trato de lucir natural, que no se me note la cara de pendejo que uno pone cuando ve a un famoso, que la foto diga este par se conocen desde hace tiempo. Sin embargo, habría preferido que ella le hubiera hablado a otra foto. Entre tantas puede haber una en la que yo haga un gesto de a vos también te da trabajo entender, Perla. Un gesto serio y honesto que le diga no has podido entender por qué no he regresado. Que le diga vos también, Perla, estás entre la gente que no entiende las cosas, como yo.

Por ejemplo, yo trataba de armar el rompecabezas de las ventanas. Hay un hombre que se la pasa bailando solo, hoy se quitó la camisa para bailar más fresco o para exhibirse. La que escupe hoy no escupió, tal vez se reconcilió con su víctima o le entró el remordimiento. Casi al frente, una mujer se reía sola, podía ser una loca o estar oyendo un programa de radio que la hacía reír; me dio envidia. Como en el quinto una pareja discutía, se gritaban aunque yo no los oía, podría ser una pareja que no sabe cómo quererse, dos hermanos que se odian, dos actores que ensayan, una madre y un hijo que no se entienden, un padre y una hija reclamando algún incesto. Más abajo está el que escribe. Podría ser un escritor, un comisionista de bolsa, un cibernauta, un adicto al sexo en Internet, un chantajista, un *hacker*, un periodista o alguien que se siente solo. Era más difícil adivinar quién era porque sólo se le veían las manos bailando impetuosas sobre las letras.

Si no me hubiera tomado el triazolam con vodka lo vería todo más claro, o si tuviera un par de binóculos. Si Libia no se hubiera tomado ocho cápsulas de gestulin no habría vomitado toda la noche. Si Perla no se hubiera pasado de tragos no habría roto, en las narices de Luz Helena, la tarjeta con los datos de madame Taylor y no la habría echado, por segunda vez, a las patadas de su casa. Si Anabel hubiera aparecido en ese instante también se habría ganado un insulto, pero se había quedado en su cuarto, pegada al radiecito, oyendo que hablaban de Colombia, de una masacre en un pueblo alejado. Hablaban de quince hombres baleados por la espalda, con las manos amarradas con alambre; de ocho mujeres ejecutadas de frente, dos de ellas desnudas y con restos de semen en sus anos y vaginas, de tres niños y tres balas incrustadas en sus pechos que le hicieron pensar a Anabel que tal vez le habría dolido menos el escándalo en la sala y los agravios de Perla borracha, que las noticias infames de su tierra.

Yo vi las imágenes desde la cama de Ilinka, las pasaron en todos los noticieros, las vi sin volumen porque también me había dado por ver la televisión así, tal vez me había acostumbrado a las imágenes mudas que veía en las ventanas, y en la televisión seguía jugando a descifrar el mundo sin palabras. Apenas vi los muertos adiviné que eran colombianos, apenas vi a los asesinos adiviné que seguían disfrazándose de subversivos, y cuando vi que hablaba un policía supuse que seguían justificando su incompetencia. Cuando vi el cuerpo de uno de los niños muertos, recordé el cuerpo muerto de Sandrita, que únicamente reconocí por su tamaño.

Sandrita se murió cuando iba a cumplir dos años. Se murió en Semana Santa y por eso Libia dijo que su muerte había sido un castigo por armar paseos en una época en que tendríamos que estar rezando. El paseo lo armaron Perla y Fanny, y lograron entusiasmar a Nancy, que fue con su novio, y a Marta y a Mireya. Les tocó invitar a Osvaldo para que pusiera el carro. Tío Amorcito no fue para no echarse a Libia de enemiga, y Fanny tuvo que dejar su tigre porque no había más espacio. Nos fuimos para La Pintada, a unos baños que se formaban en una de las vueltas del río Cauca. Íbamos contentos, cantando, llevábamos pelota, fiambre, grabadora para oír música; habíamos salido a la madrugada para aprovechar todo el día. Creo que era la primera vez que paseábamos todos juntos y habíamos dejado los odios en la casa, Libia se quedó cuidándolos, Anabel se quedó cuidando a Libia y todo indica que Dios se quedó cuidando a Anabel en lugar de haberse ido con nosotros, que lo necesitábamos más porque ninguno sabía nadar.

Cuando pasamos por Caldas, Perla ya iba medio borracha, y cuando llegamos a Santa Bárbara, tocó parar para que vomitara. Llegamos a La Pintada después de un viaje eterno, y ella se quedó en el carro durmiendo la primera borrachera del día. Se despertó como a la hora y encontró el paseo en pleno auge: las muchachas jugaban cartas, Fanny se asoleaba en bikini, Osvaldo correteaba con Sandra y conmigo, y a pesar de que Perla nos vio tranquilos y contentos, dijo qué paseo tan jarto. Le subió volumen a la música y se sirvió otro trago. Para el almuerzo sacamos el fiambre y comimos tamales, papa cocida, aguacate, dulce de guayaba. El baño en el río nos había abierto el apetito y como el sol estaba muy fuerte, muchos buscaron una sombra para echarse una siesta. Entre ellos Perla, que había almorzado poco y bebido mucho, y por eso se fue a dormir la segunda rasca del día. Pero durmió poco, se levantó acalorada y dijo me voy a dar un baño. De paso se encontró a Mireya, que nos cuidaba a Sandrita y a mí, y le dijo dame a la niña que me voy a bañar con ella. Mireya le dijo: Perla, ¿no estás como muy…? Perla la interrumpió y le preguntó grosera ¿como muy qué?, y cargó a la niña y se metió con ella al río. Mireya me tomó de la mano y se fue a despertar a Osvaldo, le jaló un pie y le dijo mirá, Osvaldo, mirá que Perla está con la niña. Cuando Osvaldo logró salir de la modorra, ya Perla estaba en el agua, más adentro de lo que era prudente.

Nadie se puso de acuerdo sobre lo que vimos. Coincidimos en ver dos cabezas en medio del agua, en que el río parecía tranquilo y en que Perla y Sandra a veces se hundían. Unos dicen que Perla se estaba riendo pero otros alegan que ya estaba gritando, unos dicen que jugaba y otros que se estaba ahogando. Que era una chanza pesada de Perla, que alcanzaron a oír el llanto de la niña, que mientras corrieron hacia el río para sacarlas vieron que Sandrita se alejaba de Perla, y que las vieron cada vez más separadas. Que Perla se sumergía y chapuceaba mientras la niña se perdió en la oscuridad del agua, se la llevó la corriente, se la tragó el río, se la chupó el fondo y la devolvió a la nada.

Osvaldo estuvo metido en el río hasta que anocheció. Puteaba y lloraba mientras escarbaba a ciegas entre el agua, con ganas también de ahogarse a ver si muerto podía encontrarla. La buscaron más abajo con la esperanza de encontrarla atascada en algún lado. Llegó una lancha de refuerzo, llegaron la policía y los bomberos, llegaron algunos curiosos que poco ayudaron y otros que no hicieron sino estorbar. Mientras tanto nosotros llorábamos, y Perla tiritaba sentada en la orilla, envuelta en una toalla, con la mirada perdida, no en el río, ni en la tarde ni en la noche, sino perdida en algún lugar de su desvarío, o donde la vida y la muerte se juntan, o donde la culpa enceguece. Tendría la mirada puesta en ese segundo en que Sandrita se le resbaló de su brazo, y en el agua que abrazó cuando quiso recuperarla, y en lo que sintió cuando vio asomarse la cabecita a una distancia inalcanzable.

Apenas Osvaldo salió del río se abalanzó sobre Perla para matarla. El güevón que todos creían se convirtió en una fiera indomable, nadie entendía lo que vociferaba, ensopado y encalambrado, con las manos arrugadas de tanto estar en el agua. Perla gritaba más que él y se protegía echa un nudo, y algunos trataron de separarlos con más gritos y manotazos. Yo lloraba porque me parecía que uno a uno todos nos íbamos a morir en ese instante. Que Osvaldo mataría a Perla, que la policía mataría a Osvaldo, y que por atacar y defender cada uno moriría. A esa edad yo tenía una idea extraña de la muerte, tan extraña como la que tengo ahora, pero de niño sólo la entendía como una desaparición forzosa. Desde ese momento ya no vería más a Sandrita, y pensé en los ángeles y en el cielo, y en todo ese sartal de mentiras que no logré descubrir ni siquiera al día siguiente cuando nos avisaron que la niña había aparecido a una hora en lancha, que unas raíces se habían apiadado de ella para que no siguiera flotando río abajo. Me imaginé que nos iban a devolver a Sandra viva, eso creí cuando dijeron que la habían encontrado, pero se me vinieron abajo ángeles y cielo cuando vi que la devolvieron redonda como un balón, mordida por todo el cuerpo, manchada y golpeada, tan distinta que por un segundo guardamos la esperanza de que no era ella la que todavía expulsaba agua por los oídos y por la boca.

A unos nos dio por llorar y a otros por enmudecer. Perla y Osvaldo enmudecieron entre ellos y para siempre. El trago que Perla no se tomó en ese paseo se lo tomó Osvaldo, y desde ese día no paró de beber hasta renunciar a sí mismo y al mundo. Volvimos a la casa y Libia nos recibió con un yo lo sabía que repitió hasta que se encerró esa noche en su cuarto a rezar y a empastillarse. Anabel se encerró a dolerse en su cambuche y Perla logró hablar a la medianoche, cuando Fanny le suplicó que hablara.

—Tenés que decir algo —le dijo.

Perla rompió su mudez, preguntándole:

—¿Qué querés que te diga?

—Cualquier cosa —le dijo Fanny—. El silencio es muy grave.

Perla se quedó callada mirando a Fanny con los ojos llorosos. Fanny le preguntó:

—¿Qué fue lo que pasó, Perla?

A Perla le temblaba la mandíbula. Preguntó:

—¿La maté?

—No —le dijo Fanny.

—Entonces —dijo Perla—, contame qué fue lo que pasó.

—No sé —dijo Fanny.

Perla lloró ahogada, sin hacer ruido, como si otra vez estuviera tragando agua.

—La maté —dijo.

Fanny negó llorando. Se abrazó a Perla, que le dijo al oído:

—No me acuerdo de nada.

Entonces Fanny le dijo, en secreto:

—Mucho mejor. Mejor que no te acordés de nada.

Perla asintió como si estuviera recibiendo una orden. Se limpió las lágrimas, sorbió mocos, se pasó una mano por el pelo, se puso de pie y dijo:

—Está bien. Entonces voy a ver si los niños ya están dormidos.

18

Me hice adolescente a pesar de mí y de todo. No quería dejar de ser niño porque creía que iba a perder la protección que me daba Perla. Además, me dolía crecer, me dolía en el cuerpo, en el estado de ánimo, en la piel y me dolía en los sueños. Un sueño en un niño es un juego que va desapareciendo con la misma niñez, pero mi sueño perduraba, crecía conmigo, y cuando me cayó de sopetón la pubertad, mi sueño ya era toda una obsesión: París, París y sólo París.

Yo seguía durmiendo con Perla en la misma cama. Después de lo de Sandrita, ella se pegó a mí como una costra, se le notaba el desasosiego cada mañana cuando me dejaba en el bus para ir al colegio. Cada tarde me recibía como si hubiera dejado de verme por años, y desde que yo llegaba hasta que me iba a la mañana siguiente no nos separábamos. Hacía las tareas junto a ella en la máquina de coser. A Perla le había tocado ayudarse con la costura. Libia le había dicho no te voy a quitar la comida porque eso no se le niega a nadie, pero fuera de eso, ni un peso más, mi plata no te la vas a gastar en trago, qué tal que terminés matándonos a todos en una de tus borracheras. Entonces, si quería comprarse ropa o maquillaje, si quería comprarme algo, tenía que ganárselo ella misma. Compró por club una máquina de coser y ahí se sentaba todo el día, a quitar, a poner, a arreglar. Yo, a veces, me medía la ropa que ella iba a entregar, no importaba si era un vestido de señor o una falda plisada, igual me subía al butaco para que ella revisara su propio trabajo. Libia pasaba, nos veía y comentaba: entre los dos no pegan ni un botón. Pero lo de Perla dio para ella y hasta para mí, que aprendí a ganarme lo mío con las revistas que ella compraba para actualizarse. Al menos pude ayudarme mientras llegaba tío Amorcito con la propuesta libidinosa que me permitió ganarme los pesos que me trajeron a París.

Le dije a Perla ¿me dejás maquillarte? Me miró sorprendida pero se dejó, creyó que yo seguía con mis juegos de niño, no tenía por qué pensar que yo a los doce años tuviera alguna habilidad y menos para maquillar. Se tendió, risueña, en el sofá; mientras yo iba empolvándola despacio, le iba contando de lo que le ponía; ella me preguntó ¿quién te enseñó esto, Vidal? Nadie, le dije, y ella exclamó incrédula ¡eh! Le dije lo vi en tus revistas. Era verdad: mientras ella miraba modelos yo analizaba y trataba de desentrañar cómo las habían maquillado, los tonos, los colores... Observando, de la misma manera como aprendí a bailar, nadie me enseñó a hacer *jetés, tours, cambré*, nadie, todo lo aprendí viendo *Bailando con Dorian* en televisión. Le pasé un espejo y mientras se miraba sin poderlo creer, le dije tengo que practicar más. Tenía que perfeccionar el don que la vida me había dado, aunque no era ese el pincel con el que me iba a ganar la vida

También practiqué en mí, puse mi cara para aprender, no sólo a maquillar sino también a seducir. Y a joder, porque con la cara pintada pasaba por donde estuviera Libia, desfilaba frente a ella hasta que se abotagara de la rabia. No me importaba lo que dijera, lo que importaba era mortificarla y que entendiera que, si yo a los doce hacía lo que hacía, cuando fuera hombre no iba a conocer límites. Pasaba frente a ella y le decía: cuando sea hombre voy a ser reina. Me despedía con una *pirouette*, y ella me despedía con cacorro, mariconcita, no volvás a aparecerte por aquí.

Su odio se afianzó a mis cuatro años cuando salí con un tambor de lata, redoblando y marchando por toda la casa y cantando a todo pulmón ¡se murió, se murió, se murió! Yo ni sabía quién se había muerto, fue Perla la que me propuso el chiste, la que se orinó de la risa cuando me vio pregonando con bombos la muerte de monseñor Builes. Pasé cantando por el cuarto de Libia y le interrumpí los lamentos que no había parado de soltar desde que le dieron la noticia. Salió en su papel de doliente y me gritó qué lástima que el ahogado no hubieras sido vos, culicagado de mierda. Yo no entendí su rabieta y seguí anunciando ¡se murió, se murió!, como si fuera un soldadito que proclamara una guerra ganada.

Ahora monseñor me espera en el infierno que él mismo se inventó. Con tantas ínfulas que se dio en la vida y los dos vamos a terminar siendo lo mismo: caca de gusano. Lo mismo, no, me dijo Ilinka, tú vas a ser caca de gusano francés. En eso también le iba yo ganando a monseñor, aunque él me ganaba en el funeral. Lo enterraron como a un rey y a mí, probablemente, no me acompañarán más de tres. Ni siquiera uno de los que me llamaban rey en los baños turcos.

En sus días de descanso, Ilinka se sentaba junto a mí en la poltrona y yo le explicaba lo que había pasado, en toda la semana, en el edificio del frente. Aquélla sólo se viste de negro. La de allá sale de noche y vuelve de día. En ese, donde titila la luz, vive uno que no hace nada, como yo. La que escupe había dejado de escupir pero ya lo está haciendo otra vez. Aquel antes bailaba solo pero desde hace tres días baila con otro. Le señalé la ventana para que los viera y me dijo: qué raro. Se quedó viéndolos y agregó: se ven tan hombres dos hombres bailando juntos.

Ilinka me dijo: a pesar de todo, creo que estás viviendo mejor que yo. Me explicó: todos los días veo lo mismo, sangre, mierda, orines, sólo oigo quejas y lamentos, en cambio tú aquí... Aquí pienso en lo mismo que tú ves allá, le dije, en mi sangre, en mi mierda, en lo que voy a ir derramando sin que pueda controlarlo. Ella me dijo ¿para qué te adelantas? Le respondí para prevenir la emboscada. Ilinka insistió: con todo y eso, tu vida es menos aburrida que la mía. Le pregunté ¿también te aburres en el bar? Sí, me dijo, incluso más que en el hospital. ¿Por qué?, le pregunté. Porque los hombres son más insensibles que los enfermos, me dijo. ¿Sólo van hombres? Ella me contestó no, pero... Se quedó en silencio, mirando hacia afuera, y me preguntó ¿qué es lo que se mueve allá?

¡Quién está ahí!, pregunta Perla, metida en la oscuridad, asomada en la puerta, buscando a alguien en el resplandor de mi altar. Pregunta ¿sos vos, Anabel?, pero en el silencio sólo oye un pabilo que se extingue entre la esperma de una vela. Perla finge valor con su voz y pregunta de nuevo ¿quién anda por ahí? No se atreve a moverse, suda frío, mira hacia mi cuarto y es entonces cuando le parece oír unos pasos que cojean. Perla pregunta ¿Vidal? Sigue oyendo los pasos sobre la madera y se dice, extrañada: pero si aquí no hay piso de madera... Mira al suelo y ve el tapete que, de pared a pared, también se mete en mi cuarto. Perla se ahoga, oye los pasos más cerca y pregunta ¿Clémenti? De nuevo baja la mirada y ve las piernas de una mujer emergiendo de la sombra. Perla trata de gritar pero, como en los sueños, sólo le sale un grito afónico. Sigue intentándolo hasta que decide que la única manera de terminar con su angustia será despertándose. Abre los ojos y a su lado ve a Anabel, que le está preguntando:

—¿Qué querés? ¿Para qué me llamaste?

Perla respira agitada, mira para todos los lados, todavía perdida en algún recoveco de la pesadilla.

—Estabas gritando —dice Anabel.

—¿Esas piernas eran tuyas? —le pregunta Perla.

Anabel se las mira y dice:

—¿Mis piernas? Claro que son mías.

Perla se incorpora y pregunta:

—¿Qué hora es?

—Las ocho pasadas.

—¿De la noche? —pregunta Perla.

Anabel le señala, con la boca, la ventana: está de día.

—¿Qué estás haciendo aquí, Anabel?

—Me llamaste a los gritos.

—¿Viste a alguien salir de aquí? —pregunta Perla, mientras toma agua.

—¿Alguien?

Perla se ofusca y dice:

—¡Sí, alguien, carajo! ¿No sabés lo que puede ser "alguien"? ¡Un hombre!, ¡una mujer!, ¡un niño!, ¡cualquier cosa!

—¿Un niño? —pregunta Anabel. Luego dice—: mejor hablamos después de que desayunés.

Sale y alcanza a oír que Perla le grita.

—Me dañaste el sueño, malparida.

Perla asegura que estaba a punto de saber quién me tenía, pero que cuando iba a revelarse la figura, apareció Anabel y metió las piernas en el sueño.

—Si me llamás y no voy te ponés furiosa —dice Anabel—. Y ahora resulta que también te ofuscás porque voy cuando me llamás. ¿Al fin qué, Perla?

—Estoy segura de que era el cojo —dice Perla, más para sí misma—. Oí que cojeaba y además le olí esa laca asquerosa que se echa en el pelo.

—¿Querés más café? —pregunta Anabel.

—No —dice Perla—. Servime un trago —y añade como un detective a punto de encontrar la pista—: tiene que ser él. Es el más interesado en perjudicar a Vidal. Ese cojo es el que lo tiene, ¡cómo no se me había ocurrido!

—¿Pero no dizque era una mujer la del sueño? —pregunta Anabel.

—Estoy segura de que era un hombre hasta que apareciste vos de metida y te cagaste en todo —le dice Perla, mirándole las piernas arqueadas, y le pregunta—: ¿tenés zapatos altos, Anabel?

¿Como los zapatos tuyos que yo me ponía cuando no estabas, o con los que zapateaba frente a Libia para fastidiarla? Es posible que las piernas que Perla ve en sus sueños sean las mías, tal vez algún día me vio metido en sus zapatos y en una falda de alguna de sus clientas. Me metía en los uniformes de colegio que le llevaban para que les soltara el dobladillo a las faldas que las niñas se empeñaban en subir, y vestido de colegiala y de tacones bailaba frente a Libia con la esperanza de que le diera un infarto. Así me encontró Osvaldo un día en que apareció por sorpresa, y yo, por estar taconeando, no lo sentí llegar. Hacía tiempo que no iba por la casa, desde esa vez que le entregó a Libia las llaves de la gasolinera y le dijo disponga usted de su negocio, doña Libia, búsquese a alguien que se lo maneje. Aunque estaba tragueado hablaba con lucidez, era sincero. Libia tomó las llaves y le preguntó ¿y usted de qué va a vivir, Osvaldo? Él le dijo ya no estoy viviendo, doña Libia. Andaba bebiendo desde la muerte de Sandra, matándose gota a gota hasta que Perla lo matara antes de tiempo. La visita fue corta y antes de despedirse, Libia le dijo Perla debe de estar por ahí. Él le dijo Perla debería estar en una cárcel. Y se fue y no regresó hasta esa tarde, años después, cuando me encontró como a una estudiante del Sagrado Corazón, tan concentrado en mi zapateo que no oí bien cuando, de lejos, él me vio y preguntó, con el corazón en la boca: ¿Sandrita? Yo lo miré y le pregunté ¿qué?, y Libia respondió por él, me dijo: Sandrita, le hiciste creer que eras Sandrita. Libia se puso de pie, a pesar de mis tacones seguía siendo inmensa, se me acercó y dijo por entre los dientes: eso es lo que querés ahora, putico, matar a tu papá. Entonces salí en carrera a cambiarme de ropa, espantado por la confusión y por la posibilidad de que en esa falda estuviera enredado el espíritu de Sandra.

(—¿Por qué no quisiste tener más hijos? —le pregunto.

—Uno solo ya es mucha carga —me dice. Luego pregunta—: ¿te habría gustado tener un hermano?

—Una hermana.

—¿Hermana? —dice—. ¿Y para qué?

—Para ahogarla —le digo).

El día de la boda, Perla armó una pataleta como cualquier novia frenética que pierde el control por la presión, por la tristeza, por la misma emoción o por la incertidumbre de una vida nueva. A mí ese señor no me ha propuesto matrimonio, nos dijo a todos. Le dije pero si te lo mandó a decir conmigo. Ella dijo sí, pero es que yo no me voy a casar con vos. Flávia preguntó ¿y no te lo propuso en la cena? Perla dijo no, ni siquiera puso el tema, es más, ni siquiera me habló. Le dije claro que te habló, Perla, lo que pasa es que no entendiste. Ella dijo pues entre lo poco que dijo nunca mencionó *mariage*, o algo por el estilo. Me planté y le dije mirá Perla, ustedes no son Romeo y Julieta, y aquí todos sabemos que no se van a casar precisamente por amor. Estamos a media hora de la ceremonia, así que terminate de arreglar. La Mudita sonrió en silencio, Flávia y José Roberto se miraron y Perla se paró frente a mí y me dijo ¿y si no me caso?

Como toda novia, se tomó el derecho de llegar tarde a la boda. Estaba inaguantable, me dijo pues para que sepás, voy a llegar tarde. Se sentó a la mesa de la cocina, con una botella de aguardiente, decidida a beberse su rabia. A los veinte minutos se puso de pie y me dijo estoy lista.

Nos tomamos de la mano cuando entramos al juzgado y nuestros tres invitados venían detrás. Milord nos esperaba sentado y con él estaba Modot, abrazado a la carpeta con los papeles que nos volverían ricos. Milord se dio vuelta cuando nos sintió llegar. Perla me preguntó ¿no hay música? Le dije claro que sí, querida, la música de tu corazón. Ella, bajito, me dijo malparido, y yo le dije yo también te quiero mucho, Perla. El conde se paró, estiró su traje, y cuando tuvo a Perla al frente, le dijo *vous êtes très élégante, madame*. Luego me miró y dijo *toi aussi, Vidal*. Milord me había regalado un traje de Armani, completo, con camisa y corbata. Quedé tan elegante que cuando fui a recoger a Perla, la Mudita me abrió la puerta y tembló cuando me vio. Luego llegó José Roberto y no sólo tembló al verme sino que se puso colorado, como si hubiera recordado nuestra travesura. Le sonreí, para terminarlo de fulminar.

Perla se sentó junto al conde y yo junto a ella. Yo iba a hacer de traductor. Fui yo, entonces, él que dijo sí, acepto, mirando a milord y al oído de Perla. Lo aceptábamos como esposo para vivir con él en el estado sagrado del matrimonio, para amarlo, honrarlo, reconfortarlo durante la salud y durante la enfermedad que ya empezaba a condenarlo: la puta vejez, que como mi enfermedad, tampoco tenía cura. El juez me regresó a tierra con una seña y yo le hice otra a Perla para que dijera en francés *oui, j'accepte*. La mano conmovedora del conde presentó el anillo y yo le fui diciendo a ella, bajito para que lo repitiera tal cual: con este anillo me caso contigo y te prometo amor y fidelidad para siempre. Todo lo dije mirándolo a él, y él dijo lo mismo colocándole a ella el anillo pero mirándome siempre a mí. *Pour toujours*, dijo con el corazón evaporándosele por la boca.

Al mismo tiempo, pero en Medellín y de madrugada, Libia se revolcaba en la cama, poseída por calambres y convulsiones. Toda la casa se había levantado sin saber qué hacer a esas horas. Era como si Libia supiera que en el otro lado del mundo nosotros celebrábamos la falsedad con champaña, y en lugar de ser nosotros los sancionados, era ella la que recibía el castigo por haber iniciado esta cadena de pecadores. Una cadena, de sólo dos eslabones, que terminaba conmigo y que de buena gana la habría prolongado, por lo menos para no dejarle nada al gobierno francés. Si Libia vomitó fue por exceso de culpa y porque todo exceso termina en náusea. Y si Perla vomitó fue porque ella sola se tomó dos botellas de champaña.

Yo tuve que correr al baño a devolver una botella de vodka y cuatro pastillas de alprazolam. En la carrera no pensé que fuera el exceso sino que la enfermedad ya había explotado y me había cogido el estómago, me lo había triturado y me lo hacía vomitar. Ilinka se levantó dando tumbos, no por borracha sino por dormida, y me encontró enroscado sobre la baldosa. Me dijo voy a pedir una ambulancia. Yo rugí desde el suelo y le dije no es eso. Ella preguntó ¿no es qué? Le dije ya me está pasando. Todavía no es eso. Ella entró al baño y por el olor entendió lo que trataba de decirle. Olía a alcohol en medio de la inmundicia. Me alenté pensando, entre espasmos: todavía no es ella. Oí que Ilinka dijo voy a hacer café. Me dio vergüenza de que hasta en su casa le tocara lidiar con lo que tanto detestaba de su trabajo.

Me metí a la ducha con ropa porque estaba untado desde el pelo hasta los pies. El agua me fue devolviendo a mi lucidez incompleta, el nuevo espacio en el que decidí habitar desde que me dijeron que la peste vivía en mí. No me lo dijeron tal cual. Creo que no me dijeron nada sino que lo leí en sus miradas: tu estilo de vida ha decidido que... ¿Qué?, les pregunté. No entendía sus ojos o fueron los míos los que se emborronaron. Tu hermosura ha decidido que... ¡Qué!, les supliqué, necesitaba que me lo dijeran con palabras y no con miradas ambiguas. Tal vez nunca recuerde lo que me dijeron, no tiene importancia recordarlo si tuve claro lo que quisieron decir.

Ilinka apareció en el baño con el café. Se va a enfriar, me dijo, y cuando me vio con la ropa ensopada se apuró a descargar el pocillo. Me dijo quítate esa ropa ya. Le dije el agua está caliente. No hacía falta decirlo porque el baño estaba lleno de vapor. Ella palmeó y dijo no importa, dámela ya, salte ya. Me quité primero la camisa y noté que ella dio un paso atrás, tanto que tuve que estirar el brazo para que la tomara. Me quité los pantalones y sentí que ella quiso mirar hacia otro lado pero no pudo. Y de descarado, como si no escarmentara, me bajé los pantaloncillos en lento *striptease*, frente a ella, y le vi en la cara la expresión de todo el que me veía así, un gesto nuevo para los músculos de la cara, que le daba un aire nuevo a quien me veía desnudo. Una sensación que sólo puede explicarse con una pregunta: ¿qué cara pondrías si se te apareciera Dios? Ilinka se quedó mirándome con la cara que pondría si se le apareciera Dios enfermo. Ella misma corrió la cortina para no verme más. La imaginé saliendo con mi desnudez a cuestas y preguntándose qué iría a hacer con ese recuerdo por el resto de su vida, dónde lo guardaría, cómo iba a deshacerse de él para que no la mortificara en su soledad.

La belleza atormenta, me atormenta a mí y a quien me ve. Perla se atreve a decir si no fuera tan bello lo extrañaría menos. Porque lo bello obsesiona: desde un traje, una casa, un cuerpo, una cara... Yo mismo quisiera poseer la belleza para siempre pero no soy su dueño. A la hora de la verdad, los únicos dueños de mi hermosura son los ojos que me ven.

Perla le dice a Anabel: yo que vivía con el más bello terminé en otro extremo viviendo con vos. Anabel ni le entiende ni le importa, sigue de largo y la deja en el piso recortando fotos, tratando de sacarse de un retrato de niña, tan borroso que no le encuentra el borde a la figura para recortarla. Quiere pegarse junto a mí en otra foto donde también soy niño. Cuando se pegue, ya va a ser una foto con dos niños de la misma edad, Perla y yo, como si yo fuera su hermano, como si ella fuera Sandrita rescatada a tiempo del agua. Logra recortar la figurita y la pega hombro a hombro junto a mí, como dos siameses a los que únicamente separará una enfermedad mortal, dos gemelos que nacieron con veintitantos años de diferencia o una sola persona nacida en dos: primero nació la mitad en ella y después la otra mitad en mí. También puede ser la mujer que parió a su amante para no tener que esperarlo o buscarlo entre los demás, y ya que lo ha parido tiene que encontrar la manera de igualársele. Ahí queda la foto que da cuenta de que Perla y yo hemos sido pareja desde niños. Para confirmarlo queda la noche en que ella acudió como amante para auxiliarme.

A los doce o trece años yo ya jugaba con mis erecciones, encerrado en el baño. Una noche aproveché que Perla se había acostado tragueada y mientras roncaba desencajada, me encerré a tocarme, a sacudir, a agitar. De tanto sobarme comenzó a metérseme por los pies una corriente que parecía un ataque y que buscaba salida por mi verga lampiña. Pensé es un ataque, pero no sabía de qué, sólo entendí que si no me apuraba me iba a morir ahí en el baño y en pelota. Salí en carrera y sin vestirme, zarandeé a Perla y le dije me estoy muriendo. Ella rezongó qué te pasa. Le dije tengo un ataque. ¿Qué?, preguntó mientras prendía la luz. Le mostré y le dije me estoy muriendo por el pipí. Ella me abrazó, se rió bajito y me preguntó maliciosa ¿qué estabas haciendo? Me dio vergüenza responderle. Ella me dijo ay, mi niño malo. Me metió a la cama, me mareó con su tufo, dijo eso es normal. Le pregunté ¿qué cosa? Ella dijo estás creciendo, ya sos un hombrecito. Por encima de las cobijas comenzó a acariciarme la verga, que seguía tiesa. Ella dijo son cosas de hombres, y se rió con risa atascada, con risa de misa, con risa de no me puedo reír. Siguió sobando y me dijo ¿sí ves que no te estás muriendo? Me volví a llenar de corriente y ya no sentí miedo sino incomodidad. Sana que sana colita de rana, decía Perla. Yo quería que ella dejara de tocarme pero me frotaba más, como si quisiera sacar algo, hasta un punto en que sentí que, por entre las piernas, se me escapaba la vida en un chorro. Me hice a un lado, bruscamente, y ella me susurró: no estás muerto, ¿sí ves?, pero yo, acurrucado, pensé todo lo contrario, que a partir de ese momento, como nunca y más que nadie, yo merecía la muerte.

La vida se me va entre las piernas, se me escapa por el agujero que Dios nos da para cagar. Por ahí me entró, contra natura, la muerte con dolor y con placer, y no propiamente con el placer de cagar. De pronto estuve en el sanitario, desnudo, tomándome el café frío que Ilinka me había llevado al baño. Me ardía al tragar, pero al bebérmelo me daba tiempo para pensar si no había sido un disparate haberme desnudado frente a ella. Eso de desnudarse fija un vínculo diferente, al menos cuando yo me empeloto nada vuelve a ser igual. Todo cambió, por ejemplo, después de aquella noche en la que Perla quiso tranquilizarme con sobamientos. Aunque nada cambió para ella. Al otro día estaba como si nada pero yo no podía mirarla a los ojos, me daba miedo verme en ellos otra vez desnudo y con la verguita dura. Busqué engañarme y me dije que tal vez Perla no se acordaba de nada porque estaba borracha. Muchas veces la oí llamar a Fanny, después de una parranda, para decirle borré película, no me acuerdo de nada de lo de anoche. Se reía y le pedía a Fanny que le recordara los pormenores. Esa era mi esperanza, que Perla hubiera borrado lo que hizo conmigo y lo que yo me dejé hacer.

—Mirá lo que hice con Vidal —Perla le muestra a Anabel el *collage* que acaba de terminar.

—¿Quién es el otro niño? —pregunta Anabel.

—Soy yo, bruta.

—Te ves muy distinta.

—Claro —dice Perla—, si estoy de la edad de Vidal.

Anabel quiere comprobar con el dedo que la foto es un montaje, pero Perla le golpea la mano antes de que pellizque el papel.

—¿Qué vas a hacer con ese dedo puerco? —le pregunta.

—Vos nunca tuviste la edad de él —le refuta Anabel.

Perla aprieta la foto contra el pecho, como si se arrullara a ella misma cuando tuvo tres años, y al tiempo pudiera también arrullarme. Dice:

—Eso no importa. Cada cual acomoda su vida como le da la gana —vuelve a mirar la foto y dice—: cuando Vidal y yo ya no estemos en este mundo, en este retrato sólo va a haber dos niños de la misma edad: él y yo, y eso es lo que importa.

Por más que ella lo intentara, nunca podríamos ser una pareja convencional. Sin embargo, hay parejas que crecen a pesar de su disparidad y se mantienen. Hay dos hombres que bailan juntos sin que caiga un rayo y los parta. Hay un hombre y una mujer que discuten desde que llegan hasta que apagan la luz, y todavía duermen juntos. Una mujer escupe en uno de los dos platos que sirve y los domingos siempre sale temprano a la misma hora, yo creo que para misa. Perla le mostró a un adolescente cómo hacerse hombre; Dayessi se le insinúa a un cajero francés; tío Amorcito le enseñó a un muchacho cómo ser también mujer; un fanático mató a John Lennon para demostrarle cuánto lo amaba; Ilinka tenía razón: hay gente a la que el amor le da por hacer cosas raras. Yo amanecí abrazado a la almohada, me dormí tarde porque me la pasé ventaneando toda la noche. No me desperté a tiempo para prepararle el café a Ilinka, para suerte de ella, que seguramente no quería verme esa mañana. Salió rápido, sin hacer ruido, no quería despertar el recuerdo de mi cuerpo mojado, que seguía tan desabrigado como en la ducha, apenas medio cubierto por una manta y desgonzado en el sofá. Ella prefirió escaparse sin ver mi cuerpo imprudente poetizando el amanecer.

19

El ataúd de Sandrita parecía una caja de galletas: era blanco y dorado, y como lo envolvieron en cintas rosadas y azules se veía más apetecible que lúgubre. Yo me solté de la mano de alguien y eché carrera hacia la cajita para ver qué contenía. No oí los gritos que me llamaron sino que me empiné y vi que estaba vacía. Perla no fue a la misa ni al entierro, se quedó metida en las cobijas y en el oscuro, tapada hasta la coronilla, muda como la muerte que la rondaba, enterrándose ella misma antes de que lo hicieran con Sandra, pero enterrada viva, que es como quedan los sobrevivientes de una pena. El ataúd de Sandrita permaneció abierto y vacío durante toda la ceremonia. En primera fila estaba Osvaldo cargando el cuerpo de la niña, abrigado con una cobija lila como si apenas estuviera enferma, muy pálida eso sí, pero tan dormida como casi siempre estuvo, tan abstraída del manicomio que la rodeaba, ajena a la mirada de Osvaldo que nunca dejó de vigilarla, pendiente de un milagro que le abriera los ojitos y la pusiera a parpadear o a llorar como cualquier niño recién despierto. Pero el único sonido que salía de Sandrita era el del agua que todavía tenía adentro. Solamente la soltó a punto de meter la urna en el nicho, cuando tuvieron que arrebatársela para acostarla en su última cuna, sorda a los alaridos de Osvaldo que irrumpieron feroces en el silencio del cementerio.

Yo heredé las muñecas de Sandra y los juguetes que alcanzaron a regalarle. No eran juguetes para mi edad, pero por esos días yo eché reversa y estuve, durante algún tiempo, comportándome como si tuviera dos o tres años menos. Volví a orinarme y a cagarme en los pantalones, volví a las palabras elementales. Nadie le puso mucho cuidado al asunto porque todos andaban concentrados en el duelo, excepto tío Amorcito, que me miraba compungido, seguramente pensando se me devolvió este niño, qué vaina, otra vez parece un bebé, ahora me va a tocar esperar más a que crezca. Él se lo comentó a Perla, le dijo Vidal se está comportando muy raro, deberías llevarlo donde el médico. Perla le preguntó ¿y qué tiene?, yo lo veo bien. Él le dijo el niño está retrocediendo en su comportamiento, hasta le ha dado por gatear, a mí me parece que hasta se ha encogido de tamaño. Perla le dijo ¿y cuál es el afán que tenés de que crezca? Tío Amorcito se puso como un tomate, Perla dijo ojalá se quedara así, pensando como niño y viviendo como niño, sin conocer el mundo de los grandes, tan depravado y tan cruel. Tío Amorcito respiró más tranquilo, pero sin salir de la duda de si le estaban leyendo la mente. Por su lado, Libia le dijo a Perla: a mí lo que me parece raro de tu hijo es que no suelta esas muñecas. Perla le dijo no te preocupés que él las suelta cuando ya no las necesite. Libia preguntó ¿y si le quedan gustando? Perla dijo a todos les quedan gustando, lo que pasa es que después las cambian por unas de carne y hueso. Antes de irse, Libia dijo a mí me parece que éste pinta para que las cambie por muñecos. Eso pronosticó esa bruja, sin que yo supiera en esa época cuál era la diferencia entre lo uno y lo otro.

Un día hubo una refriega y Perla recogió todas las muñecas y las mandó para la parroquia. A mí me agarró de la oreja y me encerró en el cuarto, todo porque a ella le dio por preguntarme si las muñecas tenían nombre y le mostré mi favorita, la más grande, la más repolluda y la que tenía más pelo, y le dije esta se llama Sandra. Perla se quedó pasmada mirándome y luego reaccionó, agarró a mi Sandra de una pierna y la tiró lejos. La muñeca rebotó, sonriente, contra el muro. Luego vino lo de mi oreja y lo del encierro. Después de eso regresé a mi edad, y ya sin muñecas comencé a jugar conmigo mismo y a entender que para qué muñecos si yo era el muñeco más bello de todos.

Tuve que esperar hasta que fui grande para que me regalaran un oso de peluche, de un metro de altura. Me lo regalaron en París y durmió conmigo hasta la última noche que pasé en mi cuarto. Cuando Perla lo vio, me preguntó ¿y ese animal? Sospechaba que un oso así era, casi siempre, una manifestación muy grande de cariño, y sin siquiera considerar que yo lo pude haber comprado, me preguntó ¿quién te lo regaló?, y yo, para salirme rápido de la encerrona, le dije que la Mudita, pero no era cierto. Perla me miró descontenta y me dijo de todas maneras aquí hay que cambiar muchas cosas, se nota que desde hace rato no vive una mujer en este apartamento. Acabábamos de llegar de nuestro viaje de bodas. Milord, Perla y yo habíamos pasado una semana en Normandía, en la casa de Deauville, y después Perla hizo, por primera vez, su entrada oficial al apartamento de Courcelles, como esposa y como ama de casa. Sin duda sería más lo segundo que lo primero, porque cuando entró, dijo ¿dónde está mi cuarto? Luego se dio vuelta y, en tono cáustico, preguntó ¿o cómo es que se duerme en esta casa? Le dije pues cada uno en su cuarto. Le mostré el de ella, el de milord, le mostré el mío y ahí fue cuando vio el oso.

—¿Dónde está el animal? —le pregunta Perla, desde mi cuarto, a Anabel.

—Aquí estoy —contesta Anabel, dándose por aludida.

Perla llega hasta el comedor, donde Anabel está pasándole un trapo a la mesa, y le dice:

—Sí, bestia, pero yo me refiero al oso que estaba en el cuarto de Vidal.

—Ahí estaba —dice Anabel.

—Pues ya no está.

—Yo vi que una noche dormiste con él.

—Una no, varias —dice Perla—, pero como me daba piquiña en la nariz no volví a dormir con él, y lo dejé en su cuarto.

Anabel levanta los hombros y sigue pasando el trapo. Perla le dice:

—Mirá, Anabel, ese oso es casi de tu tamaño, no se puede haber perdido así como así, ¿qué lo hiciste?

—Pues así como así también se perdió el dueño del oso —dice Anabel— y yo tampoco tuve que ver con que se perdiera. No vine a esta ciudad a desaparecer cosas.

Perla da un taconazo contra el piso, resopla y dice:

—Y ahora qué le voy a decir a Vidal cuando vuelva y pregunte por su oso.

—Pues esperate —le dice Anabel—, que a lo mejor vuelven juntos.

Entonces le dio por inspeccionar cada rincón del apartamento, en su nuevo papel de señora. Hacía una mueca de cuando en cuando para reprobar algún objeto, pasaba el dedo sobre los muebles buscando polvo y abría cuanta puerta se encontraba. Pasó frente a mí y me dijo esto parece un museo. Seguí haciéndome el desentendido. Ella dijo aquí sobran la mitad de las cosas. Le dije aquí hay cosas que no tienen precio, y ella me preguntó ¿por baratas o por caras? Le dije la alfombra donde estás parada tiene más de doscientos años. Ella me dijo precisamente, aquí la mitad de las cosas ya están para botar. Le advertí Perla, no vas a tocar nada, y más me valió no haberlo dicho porque alzó la voz y me dijo eso se les dice a las sirvientas, Vidal, y si me trajeron aquí solamente para que les mantequeara, se equivocaron. Le hice señas para que bajara la voz, pero siguió: decime más bien si esta va a ser mi casa o no, porque si no, prefiero devolverme para donde la Muda y la otra, o para Medellín o para Puerto Berrío. Le dije claro que esta es tu casa, Perla, pero… Me interrumpió:

pues uno en su casa hace lo que le da la puta gana. Sentí que se abrió la puerta de la biblioteca, se asomó milord y me preguntó *tout va bien, Vidal?* Le dije que sí, *Perla est un peu fatiguée.* Antes de encerrarse otra vez me dijo que él también se iba a acostar temprano, que le llevara a su cuarto un vaso de leche para tomarse el losartan y el propanolol. Perla había clavado la mirada en el piso, no por humildad sino para no tener que mirarlo o para analizar con atención donde estaba parada. Le reproché ¿sí ves?, y ella, en cambio, me dijo este tapete está bueno para envolver a esa momia. Me miró, sacó pecho y me preguntó ¿me puedo ir a dormir ya?

Esta mañana se trepa a una silla, como en las buenas épocas del Gran Salón Versalles, cuando se subía a una mesa para que el ventilador le soplara entre las piernas, en la entrepierna y las nalgas. Anabel la encuentra casi colgando de mi retrato, es decir, de la entraña del altar, casi tan grande como la amplitud de sus brazos, casi tan alto como ella, tan majestuoso como los retratos de Mao Tse-Tung que alguna vez colgaron en todas las paredes de China, o como los cristos exhibicionistas de las iglesias católicas. Por la manera como Perla se agarra del marco, Anabel puede pensar que simplemente me abraza porque está en uno de sus peores momentos y, sobre todo, porque la ve tambalear. Perla la siente y le dice vení ayudame, vejestorio. Anabel le pregunta ¿qué vas a hacer? Perla dice lo voy a bajar, y trata de alzarme pero sigo engarzado en el clavo. Anabel dice ¿para qué?, yo lo limpié antier. Perla le dice ayudame a levantarlo, güevona, que está enredado en el clavo. Anabel se acerca con cautela para no quemarse con las velas, cuidando de que su falda no se prenda con un cirio, de no ir a tumbar algún santo y que por tumbarlo le caiga una desgracia. Le pregunta a Perla ¿lo vas a poner en otro lado? Logran zafarme y entre las dos me bajan muy despacio. Con cuidado, dice Perla y Anabel dice pesa más la foto que el mismo cuerpo. Perla le reclama ¿y acaso alguna vez lo has cargado? Me bajan al piso, Anabel apoya un brazo en la esquina del marco y dice pues sí, sí sé cuánto pesa Vidal. Perla dice pues lo habrás cargado cuando chiquito. Anabel niega con la cabeza y, con arrogancia, dice no, señora, ya muy grande. Perla le empuja el brazo fuera del marco y le dice ¿de qué me estás hablando, Anabel?, y Anabel le dice Vidal durmió una noche conmigo.

—¡Qué! —grita Perla, y desde el otro lado del marco trata de pegarle, pero Anabel se protege ocultándose detrás de mí.

Anabel sólo sabe la mitad de la historia, puede decir apenas que entre gallos y medianoche yo abrí la puerta de su cuarto y, en la oscuridad, ella oyó que yo la llamaba. Me preguntó ¿qué estás haciendo aquí, Vidal? Le dije no hay nadie en la casa. Ella dijo yo sé, ¿cuál es el problema? Le pregunté ¿dónde estás?, y por su voz me fui acercando a la cama. No se veía nada, ella me dijo todas se fueron para nosedonde. Le dije yo sé, ya las busqué. Ella me preguntó otra vez ¿qué te pasa, Vidal? Entonces le confesé tengo miedo, Anabel. Ella preguntó extrañada ¿vos? Sí, yo, a mis dieciséis años. Y esta es la parte de la historia que ella no sabe: esa noche yo había probado, por primera vez, la marihuana. Había empezado a fumarla en la esquina, con otros, y como yo les dije: a mí esto no me está haciendo nada, pues me armaron otro varillo, y luego me fui para la casa con dos más, listos para fumar. En el patio de atrás seguí chupando, aprovechando que no había nadie en la casa, pero cuando me fui a dormir empecé a oír ruidos y a ver sombras. Me pareció que me desdoblaba, que me perseguían, que alguien, escondido, me miraba. Salí a buscar a Perla y a las otras con la esperanza de que ya hubieran llegado. El cuarto de Libia estaba cerrado, ella sí estaba pero entrar ahí habría sido peor. Así que no me quedó otra opción que meterme al cuarto de Anabel.

—¿Qué es lo que estás diciendo, malparida? —pregunta Perla, amenazándola. Las dos le dan vueltas al retrato, sin soltarlo. Perla persigue a Anabel lanzándole manotazos y palabrotas. Anabel trata de explicarle:

—Me dijo que tenía miedo y se acostó a mi lado.

—¿Y vos qué le hiciste, depravada?

—Nada —dice Anabel—. Se acurrucó y se quedó dormido.

—¿Y por qué me dijiste que sabías cuánto pesaba?

Porque a mí me agarró una tembladera, una desazón en las piernas, un vuelo peligroso, un mareo, un estupor que me hizo dar un brinco y caer sobre ella.

—Él estaba dormido —dice Anabel— y de pronto dio un brinco y cayó sobre mí. Yo creo que el pobre tenía pesadillas.

—¡Qué le hiciste, carajo! —insiste Perla.

—Empujarlo, qué más iba a hacer, me estaba asfixiando. Vidal es muy grande, vos sabés.

Anabel es tan pequeña que no sentí que había caído sobre ella. Solamente sentí un cosquilleo en la espalda, como si un bicho me caminara, hasta que me pareció oír una voz que me llamaba desde el fondo de un pozo.

—Le grité que me estaba ahogando —dice Anabel—, pero él estaba tan dormido que no me oía.

Esa voz me confirmaba que alguien me estaba buscando, que no me estaba imaginando las voces que me llamaban, y ahí fue cuando, despavorido, busqué a Anabel en la cama para pegármele. No la encontré a los lados, y cuando fui a rascarme el hormigueo de la espalda la encontré aplastada, debajo de mí, tosiendo y exhalando su tufo a cigarrillo barato. Me agarré de su brazo. Necesitaba que alguien me acompañara a viajar por los abismos de mi traba.

—¡Qué asco! —dice Perla.

Anabel, por huirle a los puños, ha dejado sola a Perla con el retrato. Sólo se ve su cabeza que sobresale detrás del cuadro, sobre mi cabeza gigante. Perla repite, descompuesta:

—¡Qué asco, maldita sea! Pobre Vidal. Ni siquiera en las fotos volvás a tocarlo, ¿me oíste?

Anabel va llegando a la cocina pero se da vuelta y se pone en jarras. Le dice a Perla:

—A lo mejor yo soy la única mujer con la que él ha dormido.

Sigue su camino y desde adentro oye que Perla le grita:

—¡Puta puerca, vos fuiste la que lo traumatizaste, puta!

Perla brama detrás del retrato, como un toro inmovilizado al otro lado del burladero. Busca algo cerca para apoyarme y poder ir a estrangular a Anabel. Sabe que de todas maneras tendrá que alzarme si quiere que salgamos juntos. Mientras me acerca a la puerta, me dice: cada vez pesás más, querido.

No, querida, cada vez peso menos. No tengo cómo pesarme en el apartamento de Ilinka pero por la ropa sé que he enflaquecido. La misma Ilinka me dijo cualquiera adelgaza si no come. Yo me había recostado en la pared para que ella me tomara una foto de la cara y otra de cuerpo entero. Ilinka me dijo sonríe, pero me quedé serio. Esas fotos no iban a ser como las que tenía Perla colgadas en el apartamento. En las que me tomaba Ilinka ya se asomaba la calavera que iba ganando terreno. Ilinka me dijo, disparando la última foto, ¿por qué no dejas de decirle no a todo? Le dije hay cosas a las que les digo sí. Ella dijo al vodka y a los ansiolíticos, solamente. Me repitió la cantaleta: ¿vamos a comer?, no; ¿vamos al cine?, no; ¿vamos a dar un paseo?, no; ¿necesitas algo que no sea pastillas?, no. La interrumpí y le dije necesito ropa. Ella dijo pues vamos a comprarla. Le aclaré necesito mi ropa, la que tengo en el apartamento. Ilinka se sorprendió, con los ojos muy abiertos me preguntó ¿vas a ir por tu ropa?, ¿vas a volver a tu casa? Le dije no. Ella levantó los hombros en señal de pregunta. Le expliqué tú vas a ir. Ella dijo claro, voy, toco el timbre y digo buenos días, señora, Vidal me envía por su ropa. Es eso lo que tengo que hacer, ¿verdad? Le dije no. Ella repitió, ofuscada, no, no, no, no. Le dije vas a entrar con mi llave, sin que nadie te vea y de noche, cuando Perla esté dormida. Ilinka se desplomó sobre una silla. Muy bien, dijo frunciendo la boca, primero me obligas a robar drogas en el hospital y, ahora, a entrar a tu apartamento como una ladrona. Le dije yo no te obligo. Ella dijo ¿ah, no? Negué con la cabeza. Ella me preguntó o se preguntó a sí misma entonces, ¿por qué lo hago? Le dije tal vez porque sigo siendo hermoso. Ella se quedó pensando y dijo puede ser. Siguió pensando y luego me preguntó ¿y por qué no vas tú? Si nadie va a verme, tampoco van a verte a ti. Porque estoy enfermo. No encontré otra explicación que decirle. Ilinka se quedó callada, a veces me miraba pero casi todo el tiempo miró hacia afuera. Le pregunté ¿entonces? Ella me dijo pausadamente ¿sabes qué, Vidal? A veces creo que tu enfermedad es un invento, como todas las cosas que me cuentas. ¿Qué cosas?, le pregunté. Ella me dijo tu vida, tu historia y la de ella, muchas veces he pensado que tu historia es otra. Le dije ¿cuál es la diferencia?, la historia de uno es la que uno cuenta. Y agregué: si no me crees que estoy enfermo y que voy a morirme, sólo tienes que esperar un tiempo a que esto reviente. Después de mirarnos un rato, le dije yo no puedo ir allá, Ilinka, si voy no estoy seguro de tener el valor para volver aquí. Ella cambió su expresión rabiosa por una de miedo. Le dije no estoy seguro de poder salir si decido entrar. Ilinka sacudió la cabeza y dijo: todavía no, Vidal. Con otra voz me pidió sigue obligándome, Vidal.

(—Qué es peor —le pregunto—, ¿volver mentira una verdad o volver verdad una mentira?

—¿Cómo así? —me pregunta—. ¿Acaso no es lo mismo?

—Me parece que son las únicas maneras de construir una historia.

—¿Qué historia?

—Cualquiera —le digo—. La tuya, la mía, la del mundo.

—¿Mintiendo? —pregunta.

Yo asiento y le digo:

—Solamente con bañarte y peinarte ya estás tergiversando la realidad. Si me enjabono estoy aceptando que mi verdadero olor es otro, si te pones labial ya estás mintiendo.

—Pues sí, pero no —me dice.

—Pues sí, pero sí —le digo).

Fue la verdad que ellos creían tener la que llevó a dos asesinos potenciales a matar lo que creían mentira, mientras que sus víctimas pensaron que por poseer la verdad quisieron matarlos. Cada cual creía que estaba en lo cierto: el que le disparó a Ronald Reagan en el pulmón izquierdo y el que le metió tres tiros a Juan Pablo II. El caso es que los dos pistoleros fallaron, para bien o para mal, dependiendo del grado de verdad o mentira con el que miremos los hechos. ¿Mintió Carlos de Inglaterra cuando besó como esposo a Diana Spencer? ¿Le habrá creído el cuento ella, de diecinueve, a él, de treinta y dos? Los que sí nos lo tragamos fuimos los setecientos cincuenta millones de bobos que vimos el beso en televisión, y la maestra de escuela descrestada por la pompa. Era verdad que el reino necesitaba una reina pero era mentira que la futura reina iba a ser una reina amada. Fue cierto que ese año descubrieron un virus asesino que atacaba a los que hacían de su culo una fiesta, y también fue cierto que todos nos creímos inmunes al virus, engañados por la arrogancia de siempre de que el rayo le cae a quien está a nuestro lado.

—Te voy a mostrar una cosita —me dijo tío Amorcito.

Con esa excusa me sacó de la casa. Íbamos en su camioneta él y yo solos, él a sus cuarenta y nueve con su barriga y su fofera, y yo a mis catorce con mi belleza floreciendo.

—¿Qué querés ser cuando seás grande? —preguntó tío Amorcito.

—Ya soy grande —le dije.

—Entonces qué querés ser cuando seás *más* grande —dijo—, cuando salgás del colegio.

—Quiero ser francés —le dije—. Quiero irme para París.

—Ah, carajo —exclamó tío Amorcito—. ¿Y eso?

—Eso es lo único que quiero hacer.

—¿Y Perla qué opina?

—Ella me dice que con qué plata. Pero a mí no me importa —le dije—. Yo me voy como sea.

Vi que tío Amorcito se acomodó en el asiento, que carraspeó y se limpió con la mano un cúmulo de saliva blanca que tenía en una de las comisuras de la boca. Luego dijo:

—Estos muchachos de ahora. Qué cosa.

Me pareció que manejaba sin rumbo fijo, pero luego nos acercamos a la iglesia de Santa Gema. Tío Amorcito parqueó con una torpeza que no era normal en él. Me dijo:

—Ya llegamos.

—¿Qué vamos a hacer aquí? —le pregunté.

—Un milagro —me dijo—. Vamos a ver si Dios nos hace el milagro para que te podás ir para París.

Nos bajamos, y cuando íbamos llegando a la puerta tío Amorcito se encontró con un cura que salía, el cura de la iglesia. Se saludaron:

—¡Alfredo! —dijo el cura.

—Arturo —dijo tío Amorcito.

El cura le hablaba a tío Amorcito pero sin dejar de mirarme, y con los mismos ojos que siempre me miraba tío Amorcito.

—¿Y ese milagro vos por aquí? —preguntó el cura.

—Precisamente —dijo tío Amorcito—. A eso venimos, a ver si tu jefe nos hace uno.

—Claro que te lo va a hacer —dijo el cura, frotándose las manos—, porque también es jefe tuyo.

—¿Hay mucha gente adentro? —preguntó tío Amorcito.

El cura se mojó los labios con la lengua. Dijo:

—Qué va, está casi vacía —y sin quitarme los ojos de encima, preguntó—: y este muchacho tan garboso, ¿de dónde lo sacaste?

—Ah, lo conozco de toda una vida. Soy casi de su familia —dijo tío Amorcito.

—¿Y dónde estudiás? —me preguntó el cura—. ¿Con los jesuitas?

—No, padre —le dije—, con los hermanos cristianos.

El cura me regaló una sonrisa hampona mientras se acomodaba la camisa por dentro del pantalón. Le preguntó a tío Amorcito:

—¿Y qué tal este muchacho? ¿Obediente?

—Mucho —dijo tío Amorcito, pasándome un brazo por encima. El cura le puso la mano en el hombro a tío Amorcito, y le dijo:

—Acuérdate de mí cuando estés en tu reino.

—Me acordaré de vos cuando se me aparezca el ángel —le dijo tío Amorcito, correspondiéndole con su mano en el hombro del cura.

—Vayan, pues —dijo el padre, metiéndose las manos en los bolsillos del pantalón, y hurgando como si buscara algo en sus bolsillos hondos—. Sigan que están en la casa de Dios, que también es la casa de todos.

No me gustó para nada el cuento del ángel, no por lo que yo ni siquiera sospechaba sino por miedo a que se nos apareciera. Desde niño siempre hacía fuerza para que nunca se me fuera a aparecer la Virgen o una santa o el mismo Dios. Prefería quedarme sin milagro a que se me apareciera alguien del Otro Lado. Por eso entré asustado a la iglesia, sin sospechar que yo era ese ángel que invocaba tío Amorcito. Él me tomó del brazo y me susurró:

—Vení, vámonos para allí que está más tranquilo —y me llevó para el ala más oscura de la iglesia.

Perla se había quedado trabajando en la casa, me llamó un par de veces y como no le respondí salió del cuarto a buscarme. No sabía que yo había salido con tío Amorcito y ella me necesitaba para que me midiera un vestido de novia que estaba ajustando. Cuando se volvió a sentar, resignada, a la máquina de coser se largó un aguacero que lavó a Medellín. En París también truena y Perla teme que no alcance a llegar conmigo al salón de belleza, le dice al taxista que se apure antes de que llueva. Ya había tenido problemas con él cuando trató de meter el retrato en la parte de atrás del carro y le dañó la tapicería. Atrás íbamos Perla y yo, ella en persona y yo en foto, y vuelve a pasarle lo mismo de siempre: como no sabe el nombre de la calle donde queda el salón de belleza y tampoco sabe guiar al taxista, nos toca bajarnos en pleno boulevard de Sébastopol y caminar hasta La Reine des Ciseaux. Perla madrea, le dice al taxista al menos ayúdeme a bajarlo. Me dice en la foto esto me pasa por amarrada, voy a terminar igual a mamá. Lo dice por el canje que había hecho con la Mudita: si lleva el retrato a la peluquería la Mudita la peina y la tiñe gratis, pero el precio que paga Perla es quedarse en media vía cargando el retrato. Yo creo que esto lo hace la Mudita solamente para joderme, me dice. La gente no deja de mirarme a pesar de que Perla afea la escena con su torpeza cuando trata de avanzar conmigo a cuestas.

La Mudita ve aparecer mi cara de un metro por setenta y comienza a graznar y a agitarse como un pichón de urraca. Toda la peluquería tiene que ver con mi entrada y con el alboroto de Florencia. Perla me descarga sudorosa y alterada, le dice a la Mudita aquí lo tenés, malparida, pero me tenés que ayudar a regresarlo. La Mudita me abraza y Flávia aparece y pregunta *O que está acontecendo aqui?* La Mudita le hace señas para decirle que nada, que sólo voy a estar un momento ahí mientras ella peina a Perla. La confusión se disipa cuando sienten que afuera está cayendo agua como si llovieran piedras. Todos en la peluquería miran lelos por la vidriera como si fuera la primera vez que las nubes se desaguaran sobre París.

Los limpiaparabrisas hacían lo que podían en el vidrio engrasado del carro de tío Amorcito. El vidrio también se había empañado y él, con un trapo rojo, trataba inútilmente de limpiarlo. Inútilmente, digo, porque con su respiración sucia y la mía no había posibilidades de refrescar el aire turbio que se pegaba a los vidrios del carro. El encierro y el aguacero también habían alborotado la fragancia a flores artificiales, y la patica de conejo se sacudía, colgada del retrovisor, por los frenazos que pegaba tío Amorcito. La patica de conejo que exhibía con orgullo por la buena suerte que le traía.

—¡Qué diluvio! —dijo.

Yo seguía callado mirando hacia otra parte. También limpié, con la mano, mi ventanilla, más por hacer algo que por mirar hacia afuera, para distraerme y no pensar más en lo que había pasado en la iglesia. Con ganas de llorar y no acordarme de la mano regordeta de tío Amorcito y de sus promesas babosas: yo voy a hacer que tus sueños se vuelvan realidad, muchacho. De sus ojos nerviosos y de su mano fisgona, prometiéndome: yo te prometo que te vas para París cuando terminés el colegio. De mi inocencia casi intacta: todavía falta mucho, tío Amorcito, faltan como tres años. De su ironía: el tiempo pasa volando, muchacho, mientras tanto vamos recogiendo la plata para el viaje. De sus palabras que se licuaban con las oraciones de tres beatas que rezaban en voz alta. De sus condiciones: solamente tenés que ser muy bueno conmigo. Dejate querer, muchacho, y te arreglo el viaje a París. De su otra mano metiéndose al bolsillo y sacando un fajo de billetes: tené, muchacho, esto no es nada pero ahí vas ahorrando. Yo miraba hacia afuera para no acordarme de mi perplejidad cuando metió la mano entre mi pantalón y del marasmo cuando me acarició las partes y todo lo que alcanzó a sobar su mano afanada. ¿Qué estás haciendo, tío Amorcito? Él me dijo queriéndote, muchacho. Al fondo cruzaron dos viejas y no pasó nada, varios santos nos miraban y no pasó nada, y hasta Dios que estaba en su propia casa no hizo nada. Sos una belleza, susurró tío Amorcito. Con un brazo me apretaba contra él y con el otro manoseaba. Yo no quería acordarme de mi mano recibiendo los billetes, ni de mi respiración intermitente, ni de mi corazón asustado, con más miedo de que nos descubrieran que por lo que me dejaba hacer. Yo te abro una cuenta en un banco, muchacho, y vas ahorrando, y en menos de tres años vas a tener lo suficiente para irte a París. De nuevo metió la mano en su bolsillo y sacó otro fajo. Tené más, dijo y bajó la otra mano hasta su bragueta y, tembloroso, desabrochó el pantalón y bajó la cremallera. De sus dedos gordos brotó, como otro dedo, la verga dura y gruesa, la más grande que yo conocía hasta el momento pero pequeña comparada con las que vería después. No tan grande que no me cupiera en la boca. Agachate, muchacho, me dijo tío Amorcito, me puso la mano en la cabeza y me guió hasta abajo. Chupámela, me dijo. Cerré los ojos y chupé con fuerza. Oí que él dijo ay, Dios mío, como si en realidad rezara. Metió los dedos entre mi pelo, dijo sos una belleza, muchacho. Lo sentí zarandearse y un segundo después me inundó la boca con jugo tibio, y un segundo después le devolví con vómito lo que él me había dado.

—¿Por qué vas tan callado, muchacho? —me preguntó en el carro, tío Amorcito.

Yo no hablaba porque todavía tenía aquel sabor espeso y agrio en la lengua, porque me seguían temblando las piernas, porque mi respiración seguía agitada y porque mi mano todavía apretaba el fajo con la plata. Él insistió:

—Decime algo, Vidal, que ya me tenés preocupado.

Por puro reflejo me salió la voz para decirle:

—Yo no sabía que te llamabas Alfredo.

—Pues la verdad —dijo él—, es que a veces a mí también se me olvida.

—¿Y quién te puso "tío Amorcito"?

Soltó un par de risotadas y me dio dos palmadas en el muslo. Me dijo:

—¿Cómo así? ¿No te acordás?

Negué con la cabeza. Él se reía y yo tenía ganas de llorar. Me dijo:

—Pues vos mismo.

—¿Yo?

—Claro —me dijo—, vos cuando estabas chiquito. Y desde ese momento se me perdió el Alfredo y me quedé con ese amorcito que vos me regalaste.

Entonces fui yo el que desde niño preparó esta celada. No fue él sino yo el que esperó catorce años para decidir qué iba a hacer de mi vida y cómo iba a ganármela. Fui yo el que me aproveché de su dinero y de la mariconada de este Alfredo para realizar el sueño que me ha dominado desde que tengo memoria. Fui yo el que se paró desnudo frente a Perla, el que se metió a su cama, el depravado fui yo y en ese carro pretendía borrarlo todo con lágrimas.

—Dejame aquí —le dije.

—¿Qué? Pero si todavía no hemos llegado —dijo tío Amorcito.

—¡Dejame aquí! —le dije llorando.

Tío Amorcito frenó y me bajé en pleno aguacero, a mitad de camino, confundido en los altibajos de la adolescencia, invadido por la culpa y el desasosiego pero con la certeza de que al menos ya tenía un pie en París, así tuviera el otro empantanado hasta la rodilla.

20

El monstruo parecía dormido pero movió un dedo y arrugó la nariz: se estaba despertando. Un terremoto destruyó una ciudad entera, un río se llevó cinco pueblos, una montaña sepultó a quienes la habitaban. Pensamos que eran cosas de la naturaleza, cuando la verdad era que el engendro se movía en nuestras entrañas con ganas de ver la luz y de hacer daño.

—Abajo está el monstruo —dice Anabel.

—¿Cuál? —pregunta Perla.

Habrá sido una coincidencia más y Perla también estaría recordando el mismo que yo invoco y no el que Anabel señala abajo en la calle. Señala a Clémenti y no al monstruo que se comió a Colombia y se relamió hasta el último de nuestros huesos.

Perla lo reconoce al instante: Clémenti no se para derecho sino que se ve inclinado. Desde la acera saluda a Perla con la mano, le hace señas para que abra el portón de abajo. Perla le dice a Anabel:

—Rápido. Andá traeme el diccionario.

—¿Cuál es el diccionario? —pregunta Anabel.

—El libro gordo de tapas rojas —resopla Perla. Le hace señas a Clémenti para que espere. Le dice a Anabel—: corré, antes de que se me vaya éste.

Anabel regresa con dos libros rojos que encontró y Perla sólo toma el que le interesa. Anabel espera mientras Perla busca con el dedo:

—Pe, cu, erre, ese —masculla Perla. Luego dice—: aquí está.

Asoma medio cuerpo afuera, con el libro en las manos, lee de nuevo y le grita a Clémenti:

—*Kidnappeur!*

Clémenti saca un papel de la gabardina y se lo agita a Perla. Anabel le pregunta:

—¿Qué le dijiste?

—Lo que él es —dice Perla—. Secuestrador.

—¿A quién secuestró? —pregunta Anabel.

Perla se entra. Dice molesta:

—¿Cómo que a quién?

—¿Pero no dizque...? —trata de decir Anabel, pero Perla la interrumpe:

—Callate —asoma otra vez medio cuerpo y grita—: *kidnappeur!*

Clémenti sigue sacudiendo el papel y hace bocina con la otra mano. Le dice a Perla:

—*J'ai des nouvelles pour vous!*

Perla estira el brazo y lo insulta con los dedos. Se ríe, cierra la ventana y le dice a Anabel:

—Qué tal este imbécil, quiere que le abra.

—¿Y por qué no abre él? —dice Anabel—. Él tiene la llave de abajo.

—Él no tiene llave —enfatiza Perla.

—¿No? ¿Entonces quién echa las cartas por debajo de la puerta?

—¿Quién me amenaza con esas puercas notas? —se pregunta Perla—. ¿Quién desordena la cama de Vidal?, ¿quién se me mete en los sueños?, ¿quién se llevó el oso de peluche? —Perla se pone pálida. Le dice a Anabel—: aquí está pasando algo más.

Antes de que Anabel abra la boca, Perla la detiene con la mano.

—Ya sé que no entendés, Anabel —le dice—, pero dejame pensar en voz alta para ordenar las ideas.

Entonces dice: aquí hay algo más que un secuestro, una desaparición o lo que sea. Aquí lo que hay es una cadena de atrocidades, y no sé, pero me parece que la próxima víctima voy a ser yo. Anabel también palidece y, muda, sólo puede señalar a Perla con el dedo. Sí, yo, dice Perla, con el tono de alguien que finge aceptar su destino. Mira a Anabel, que está a punto del desfallecimiento, y le dice y después seguís vos, pero no porque quieran matarte, sino porque aquí sola, en París, no aguantás ni dos días. Anabel se sienta en el borde del sofá. Perla sigue: empezaron con Vidal, luego han seguido con sus cosas, luego seguirán conmigo y con lo que tengo, esto es una… ¿cómo es la palabra? Perla cierra los ojos buscando recordar, dice ¿cómo es la palabra, carajo?

—Más bien decime quién echa los sobres por debajo de la puerta —dice Anabel—. ¿Quién apaga las velas del altar?, ¿quién pega fotos de Vidal en la nevera?

¿Quién cambia mis cosas de lugar?, preguntó milord. Le dije: bueno, Perla quiere hacer algunos cambios, quiere sentirse la señora de la casa. Milord meneó la cabeza y me dijo no, no, te estoy hablando de mis cosas, está bien que cambie algunas cosas pero no las mías. Le dije se lo diré, milord. Ella había estado moviendo objetos, y por mover había cambiado de sitio la caja donde él guardaba los puros, movió su lámpara de lectura, alejó de la ventana la poltrona donde milord leía el periódico en las mañanas, metió el cepillo de dientes de milord en un frasco de vidrio vacío, junto al lavamanos. Todos los días ella movía algo, callada la boca y con aparente propiedad. Intenté postergar lo que ella realmente andaba buscando: mi reacción o la de milord. Él me dijo si se va a cambiar algo en el apartamento es mejor que lo cambies tú. Entonces le dije a Perla mirá, este apartamento lleva así casi cuarenta años, milord ya está muy viejo… Me pareció ver que Perla se enfurecía de la felicidad, eso era lo que ella buscaba cuando hacía los cambios, que yo la hiciera enfurecer con algún reclamo.

Le reclamé y ella se crispó como una gata. Le dije mirá, Perla, lo que no está bien es que toqués las cosas del conde; él ya está muy acostumbrado a encontrar todo en el mismo lugar y vos le has movido hasta el cepillo de dientes. Ella dijo está bien. Trataba de que no se le notara que hervía por dentro. Está bien, dijo, ahora voy y le vuelvo a dejar el cepillo en el piso. Le pregunté ¿en el piso? Sí, dijo ella, si lo que le gusta es dejar el cepillo de dientes en el suelo, pues ahí vuelvo y se lo pongo. Empezaba las frases en tono bajito y antes de que la frase terminara ya estaba casi gritando. Me dijo: la verdad es que no sé dónde guarda ese señor su cepillo, cuando lo vi ahí tirado pensé que se le había caído del culo. Le dije no vamos a empezar otra vez, Perla. Ella dijo ni a empezar ni a terminar, aquí no ha pasado nada, ni va a volver a pasar, porque esta boba que ves aquí mañana coge su maletica y se devuelve para Medellín. Ya empezaste, le dije. No, dijo, y agradecé que no he empezado porque si empiezo ya sabés lo que puede pasar. Hubo duelo de miradas hasta que una voz de viejo rompió el silencio. Milord me llamaba desde su cuarto con un canto ronco:

—Viiidaaal.

Perla me dijo te están llamando. Le dije sí, ya oí. Otra vez milord carraspeó mi nombre ¡Viiidaal! Perla me indicó con la cabeza que fuera y yo le dije por qué no vas a ver qué necesita, vos sos la esposa. Ella me dijo porque ya sé qué es lo que necesita, y yo no le sirvo. Le dije: muy bien, cada vez nos parecemos más al ideal que tenemos de una bonita familia. Ella me dijo yo no vine aquí a buscar familia nueva. Milord cambió el canturreo por una pregunta ¿Vidal? Perla me dijo andá, que ahora se muere porque no vas y me echan a mí la culpa.

De todas maneras nos iban a echar la culpa de la muerte de milord, a ella y a mí, no sólo porque estuvimos con él en sus últimos días, sino porque desde siempre fuimos sospechosos. Ella y yo éramos los únicos que nos beneficiábamos de su muerte, lo cual era cierto; sin embargo, milord ya estaba muy viejo y nosotros no teníamos afán, al menos yo, que podía esperar a que milord partiera en paz. Entonces yo dejaría de mimar viejos, al fin, que era lo que venía haciendo desde los catorce años.

La segunda vez con tío Amorcito fue más difícil que la primera. En la iglesia yo no sabía a lo que iba y todo era desconocido, mientras que para la segunda, en su oficina, ya sabía a lo que iba y lo peor, sabía con quién iba a hacerlo. La tercera vez fue más fácil, comencé a perderle el miedo a tío Amorcito y, sobre todo, a perderle el asco. En la cuarta cita, tío Amorcito me ofreció trabajar con él en mis ratos libres. Lo de su lavandería era una fachada, el verdadero negocio de tío Amorcito eran unos baños turcos que tenía en el centro, muy cerca del teatro Pablo Tobón Uribe, y que se llamaban Baños de Apolo, unos baños exclusivos para hombres. Mi trabajo consistía en visitar primero a tío Amorcito en su oficina, me quedaba con él hasta que me daba un rollito de billetes, y luego salía para los vestidores a trabajar. Yo le abría el locker al cliente, sacaba los ganchos de ropa y una a una iba recibiendo las prendas que el cliente me entregaba. Les colgaba sus sacos, las camisas, les doblaba con cuidado los pantalones, atento a que no se fuera a salir algo de los bolsillos. Les doblaba su ropa interior, les entregaba un par de toallas y les preguntaba la talla del pie para entregarles las chanclas de plástico, previamente desinfectadas con *spray*. Pero mi trabajo consistía, sobre todo al comienzo, en dejarme mirar mientras se empelotaban y en dejarlos fantasear conmigo. Y sonreír ante sus comentarios verdes, y dejarme acariciar el pelo y la espalda, y en mirar, para que se sintieran servidos, sus vergas llenándose despacio. Yo tenía claro que la propina iba a depender de la buena atención que les pudiera dar.

—Me voy a llevar a tu muchacho a trabajar conmigo —le dijo tío Amorcito a Perla.

—¿Y eso? ¿Y adónde? —preguntó ella.

—Pues a la lavandería —dijo él.

—¿Y el colegio?

—Solamente lo necesito los fines de semana y un rato en las tardes —dijo tío Amorcito—, más o menos entre las cinco y las ocho, que es cuando más clientes me caen.

—¿Y eso? —preguntó Perla—, ¿acaso la gente lava más por las tardes?

Tío Amorcito se puso colorado y después pálido. Se atragantó y dijo:

—No, pues sí —pasó saliva y añadió—: pues hay muchas señoras que les entregan la ropa a los maridos para que la dejen en la lavandería después del trabajo.

—Ah —dijo Perla—. ¿Y a Vidal qué le toca hacer?

—Pues recibir la ropa sucia —dijo tío Amorcito.

Perla me miró. A todas éstas, yo no había dicho nada, ni siquiera era capaz de mirarla a ella o a tío Amorcito. Me hacía el desentendido mientras él seguía con sus mentiras.

—¿Y le vas a pagar? —le preguntó Perla.

—Pero por supuesto —dijo él.

—¿Cuánto? —preguntó ella.

Tío Amorcito volvió a tartamudear.

—Pues todavía no sé —dijo—, pero seguramente le voy a dar sus buenas propinas.

—¿Propinas? —preguntó Perla. Yo también miré extrañado a tío Amorcito.

—Bueno —dijo él—, fíjate que Vidal es todavía muy muchacho, menor de edad, y yo no puedo hacerle un contrato —Perla y yo nos miramos. Tío Amorcito dijo—: no te preocupés, Perla, que yo le cuadro su buena entradita mensual para que abra una cuenta de ahorros y pueda irse para París.

—Ah —dijo Perla—, ya sé por dónde va la cosa. A vos también te llegó con ese cuento.

—¿Y por qué no? —dijo tío Amorcito—, si ahorra con juicio seguro que se puede ir.

—Y con lo del maquillaje —dije, saliendo de mi silencio.

Perla meneó la cabeza, y antes de irse, dijo:

—París... como si quedara a la vuelta de la esquina.

Cuando nos quedamos solos, tío Amorcito sacudió el dedo índice como diciendo por señas: casi la cago. Al fondo, Libia se quejaba de un dolor de estómago. Tío Amorcito me preguntó ¿qué se tomó? Yo me encogí de hombros, la escena era tan cotidiana que los quejidos de Libia ya no alteraban la rutina de la casa. Hasta le comenté a tío Amorcito: el día en que se muera nos vamos a enloquecer con el silencio. Tío Amorcito trató de soltar una risita cómplice pero no le salió. Después de otro berrido de Libia, él dijo mejor me quedo un rato por si hay que llevar a doña Libia a la clínica.

Otra que gritó fue una que tuve al frente. Vi su grito pero no lo oí porque la que gritó fue otra. El ruido vino de arriba pero la que hizo el gesto estaba frente a mí, en otra ventana y en otro edificio. Era como si proyectaran la película en el edificio del frente y dejaran los parlantes en el que yo vivía. A veces coincidían la acción y el sonido: cuando escupía la que escupe la comida a veces el escupitajo se sincronizaba con alguien que expectoraba afuera en el pasillo; el timbre de un teléfono podía coincidir con alguien que descolgaba al frente; un portazo con una puerta que alguien tiraba al otro lado de la calle; una risa en mi edificio con el gesto de una carcajada en el otro; un insulto a este lado con una reyerta en el lado opuesto; cuando bailaba el que bailaba con otro hombre siempre los acompañaba la música de alguno de mis vecinos, o toda la música junta de cada uno de los apartamentos, que mezclada dejaba de ser música y se convertía en ruido. El apartamento de Ilinka podía ser el más silencioso de todos y los que nos rodeaban los más estridentes de todo París. La bulla más que molestarme me resultaba necesaria para conectarme con la realidad de la que trataba de escaparme con vodka y paroxetina. Un silencio absoluto me habría mantenido en un umbral muy lejano a la vida. O tal vez la bulla extendida me conectaba con el recuerdo de esa casa llena de mujeres, en Medellín, donde los alaridos comenzaban antes de las siete de la mañana y ni en la noche desaparecían porque, fácilmente, alguna podía gritar dormida. Peleaban entre ellas, cada una en su sueño. Y cuando no eran las mujeres de mi casa, era Medellín la que me sacudía con algún chillido mortífero, que no era de muerte sino de vida: el monstruo vivía, se movía, respiraba, su desperezamiento le habrá costado la vida a alguno y todos creímos que era otra cosa y no el monstruo, que sólo con acomodarse se despachaba a varios.

Dije que al frente gritó una y que no fue su grito el que retumbó por el edificio sino el de otra. Y que ese grito me recordó los de Libia y los del monstruo, pero que sirvió, sobre todo, para que yo regresara de mi estado a la vida. En uno de esos regresos pude dibujarle a Ilinka un plano del apartamento de Courcelles para que fuera, a escondidas, por mi ropa. En verdad, no era una necesidad ni un capricho sino una excusa para saber si todo lo que ocurría en el apartamento era tal como yo lo imaginaba. ¿Por qué no iba yo mismo a verlo con mis ojos? Porque mis ojos ya estaban más muertos que vivos y comenzaban a mirar hacia lo desconocido.

(—¿Qué pasó con el tigre de Fanny? —le pregunto.

—Lo regaló al zoológico —me dice.

—¿Por bravo?

—No —me aclara—, por tragón. Estaba comiendo más que toda la familia entera.

—Pero en ese zoológico debe de aguantar hambre.

—Sí —me dice—, pero era él o Fanny).

… hacia lo desconocido, le dice Perla, a quien le habla por teléfono. Habla en voz muy baja pero, como siempre, Anabel se las arregla para escuchar. Perla dice: una vez me dijiste la palabra pero ahora no me acuerdo, es más, creo que apenas terminaste de decirla ya se me había olvidado, pero lo que me estabas tratando de explicar era algo parecido a lo que me está pasando ahora. Perla ayuda a encapsular las palabras con la mano para que no se salgan del corto trayecto de la boca a la bocina. Mueve los ojos de extremo a extremo, susurra: todos están contra nosotros, mejor dicho, contra mí porque vos me dejaste sola. Se le quiebra la voz, se le inundan los ojos, se pone roja, sorbe mocos, dice esperate un segundo. Tapa la bocina y espera a que Anabel pase frente a ella. Anabel se hace la que cumple con su deber y pasa, con ropa limpia, para el cuarto de Perla. Apenas desaparece, Perla dice, en secreto y a toda velocidad: Anabel también está muy rara conmigo. Estira el cuello y la busca, dice se burla de mí, me dice condesa, la condesa, que si va a desayunar la condesa, que si la condesa va a seguir durmiendo, en fin, después te cuento todo cuando volvás. Con un dedo se limpia un lagrimón. ¿Cuándo vas a volver?, dice, por Dios, qué ausencia más larga. Finge que llora, o tal vez sí llora, insulta bajito: malparido, malparido. Toma un chorro de aire y después lo bota, dice te voy a matar cuando volvás. Anabel pasa otra vez frente a ella, se miran de reojo, Perla tapa la bocina y espera a que la otra se vaya. Anabel camina más despacio que siempre. Perla dice que no te dé por aparecerte hoy por aquí, que estoy muerta de la ira y no respondo. La rabia la hace hablar más fuerte. Quedate por allá haciendo tus porquerías, hoy no vengás, ¿me oíste?, dice y cuelga de un golpe. Se queda mirándome en una foto en la que llevo un turbante que me hice con la toalla. No recuerdo si estoy disfrazado o si salí del baño así para que se me secara el pelo. Anabel pasa de nuevo frente a Perla y se decepciona porque ya ha colgado. Perla ni la mira pero le dice:

—Mirale el turbante, el torso desnudo, la toalla en la cintura… ¿no es cierto que se ve hermoso?

Anabel me busca entre las fotos pero no ubica a la que se refiere Perla.

—Tenía quince años y era sábado —dice Perla—, se había bañado muy bien porque le esperaba un día muy largo en la lavandería de tío Amorcito. Como que él le había pedido que se bañara muy bien porque tenían mucho trabajo, y Vidal se gastó media barra de jabón en la ducha. Cuando salió así a mí me pareció un príncipe árabe y le dije que se esperara, que le iba a tomar una foto.

Una toalla en la cintura se convirtió en mi uniforme de trabajo y el nudo que me la sujetaba era como la ranura de la alcancía. Y la media barra de jabón que me gastaba en cada ducha no era, propiamente, para ir a trabajar limpio sino para arrancarme la mancha del trabajo.

—No me gustaría que trabajaras hasta que terminaras el colegio —me dijo Perla.

—Si no ahorro desde ahora, no voy a poder irme —le dije.

—Si sacás malas calificaciones dejás el trabajo, ¿oíste? —me advirtió.

Al mes de estar trabajando con tío Amorcito, él me dijo bueno, hoy vamos a dejar de jugar y vamos a hacerle en serio. Pensé que desde ese día yo iba a comenzar a trabajar en serio en Baños de Apolo y a ganarme un sueldo, pero él se refería a nuestros juegos de manos y a lo que yo, hasta entonces, conocía como sexo. Quedé perplejo cuando tío Amorcito sacó un pote de vaselina y dijo esto es como marcar ganado, pero duele menos. Le pregunté ¿duele?, y él me dijo: un poquito. Se untó vaselina en el dedo y dijo pero con el tiempo a uno le va gustando. Le pregunté ¿y qué tiene que ver esto con marcar ganado? Él me dijo porque desde hoy vas a saber quién es tu dueño. Lo sentí tanteando por abajo con el dedo hasta que encontró lo que quería. Me dijo de a poquitos no duele. Lo vi embadurnando su verga con la vaselina, ordenándome que me pusiera en cuatro, y luego me susurró al oído tranquilo, muchacho, que esto es como cagar para adentro. Al igual que un ternero yo solté un berrido, él me dijo tranquilo, muchacho, no hagás ruido que me metés en problemas. Me lo advirtió y luego me tapó la boca con su mano libre.

De todo lo malo, lo más repugnante fue el olor a mierda. Ni siquiera el dolor ni el aturdimiento ni las babas de tío Amorcito en mi cuello, ni sus uñas en mis nalgas. Fue el olor a mierda. Me dijo te dije que para adentro y no para afuera. Me di vuelta y entendí la queja de tío Amorcito: tenía la verga embarrada. Me dijo me cagaste, muchacho. Yo sentí de todo y al tiempo, arcadas, ganas de llorar, rabia, mocos sobre el labio. Él me dijo con vos todo ha sido una porquería, el primer día me vomitaste y hoy me volviste mierda. Lo dijo sin rabia, como regañando a quien uno quiere. Me dijo tenemos que arreglarlo, en esto toca ser muy limpio. Sacó un rollo de papel higiénico, se enrolló una buena cantidad en la mano y me pasó el resto, me dijo limpiate y bañate y no llorés más. Yo seguía extendido en el suelo. Él me puso en la mano un manojo de billetes, eran billetes grandes, y me dijo cuidado te equivocás de mano cuando te limpiés. Porque yo en una tenía el papel higiénico y en la otra el que me pagaban, pero boca arriba y en pelota me habría dado lo mismo pasarme el billete que el papel. Después entendí dos cosas: que más que la desvirgada me dolió que tío Amorcito hubiera tenido el descaro de proclamarse mi dueño. Y también entendí que, así no me cagara, una verga recién sacada siempre iba a oler a mierda, porque aunque parezca un capullo, el culo no es propiamente una rosa.

21

Perla no se creyó el cuento de que yo ganara tanta plata como simple ayudante en una lavandería. Al año de haber empezado ya ganaba más plata que ella. Me dijo ni yo matándome con la costura gano lo que estás ganando vos; explicame eso, Vidal. Le inventé lo del maquillaje y le dije que pintando a sus amigas y a otras viejas me ajustaba. Con lo del maquillaje lavaba el dinero que me ganaba en la lavandería, así como la lavandería era una fachada de los baños turcos de tío Amorcito, así como los baños turcos tampoco eran un emporio de la salud sino un mariqueadero. Una máscara tapaba la otra, y otra máscara a la que había debajo, y así hasta el cansancio porque nunca aparecería la verdadera cara. Perla levantó las cejas, no me creía pero prefirió no averiguar más y, con el tiempo, hasta se volvió mi cómplice y me defendió cuando Libia le preguntó ¿de dónde está sacando Vidal la ropa que se pone? Perla le dijo pues de las tiendas. Libia le dijo pero de las más caras. Perla le dijo eso es problema de él. Libia le respondió mientras no esté robando es sólo problema de él. Perla le reclamó Vidal está trabajando en una lavandería, y Libia le dijo pues parece que les estuviera saqueando la ropa, ¿no has notado que es ropa muy fina? Perla dijo Vidal es de todo menos ladrón, y Libia le dijo tenés toda la razón: Vidal es de todo.

Cuando Perla me contó lo que Libia decía de mí, me fui a buscarla. La encontré encamada fingiendo que rezaba, y le dije hola, abuelita. Ella me dijo ¿qué estás haciendo aquí?, andate. Le dije, con dulzura, te voy a contar la verdad, abuelita. Ella me dijo no me digás abuelita, maricón. Le dije necesito contarte la verdad, necesito quedar en paz conmigo mismo. Me miró extrañada y me preguntó ¿cuál verdad?, vos no conocés esa palabra. Le dije te voy a contar cómo me estoy ganando la plata que tanto te atormenta. Me dijo largate, dejame sola que estoy rezando. No le hice caso y comencé a decirle: trabajo en un baño turco, abuelita, pero mi trabajo es muy grosero, trabajo casi en pelota, solamente con una toalla pequeñita amarrada a la cintura. Atiendo a los clientes y les recibo la ropa, se las guardo, ellos se empelotan delante de mí y me miran con ganas de comerme. Libia me interrumpió callate, callate, andate de aquí. Yo seguí: me pavoneo por los baños haciéndome el que trabajo pero la verdad es que estoy atento a ver quién cae. También pongo eucalipto en las parrillas, reparto bebidas, les llevo a los señores toallas secas, ¿te dije, abuelita, que allá sólo van hombres? Ella dijo callate, mariquita. Entorné los ojos y le dije ellos me tocan, me tocan por todas partes y yo me dejo porque me dan muy buenas propinas. ¡Que te largués!, dijo Libia. Me tocan por aquí abajo, le mostré tocándome, y a veces me encierro con alguno en los cuartos de masaje, y bueno, allá adentro las cosas son peores pero las propinas son mejores. Libia gritó Perla, ¡vení rápido! Le pregunté ¿querés que también te cuente qué hago en los cuartos de masaje, abuelita? Libia vociferó yo no soy tu abuela, malparido. ¡Perla! Entonces Perla apareció en la puerta, preguntó ¿qué está pasando? Libia le dijo, iracunda, decile a este degenerado que se vaya, que no moleste, que no me vuelva a hablar. Perla me preguntó ¿qué pasó? Yo le dije nada, solamente le estaba contando a la abuela lo duro que es mi trabajo. Libia dijo ¡mentiras!, vino a mortificarme con sus fantasías de maricón. Perla dijo bueno, ya, van a despertar a todo el barrio con este escándalo. Me dijo dejala tranquila, Vidal, vámonos a dormir. Yo miré a Libia con ternura y le dije buenas noches, abuelita, y ella me lanzó una pantufla.

Libia fue la única, por fuera de Baños de Apolo, que supo toda la verdad y no se la creyó. A mis dieciséis yo tampoco aceptaba mi historia como una verdad, pensaba que era sólo una verdad transitoria, o sea, una verdad parcial, una verdad a medias, o sea, una mentira que dejaría de serlo apenas consiguiera la plata para mi viaje.

—¿Cuál es la gracia de París? —preguntó Perla.

Milord la miró por encima del periódico y yo paré de hojear *L'Uomo Vogue*. Perla ventaneaba y había hecho la pregunta sin dejar de mirar hacia afuera. Milord no entendía mucho español pero, por el tono de Perla, entendió que había una queja. Yo no quería iniciar una discusión en ese momento y seguí hojeando la revista en silencio. Ella insistió:

—Estoy jarta.

Cerré la revista y me fui a la ventana. Me puse a mirar, con las manos en los bolsillos, aparentando naturalidad. Le dije a Perla:

—¿Querés dar una vuelta?

—¿Otra? —preguntó.

—¿Qué querés hacer, entonces?

—Quiero que apaguen esa música —dijo—, que me tiene a punto de vomitar.

—Es Bach —le dije—. Y no la vamos a apagar.

Milord volvió a mirarnos por encima del periódico y los lentes. Le sonreí.

—Entonces —me dijo Perla—, ¿para qué me preguntás qué quiero hacer?

—Te pregunté qué querías hacer vos, no nosotros.

—¿Ustedes?

—Nosotros —le dije— queremos oír música.

—¿Eso es música? —preguntó—. ¿Y cómo se baila?

—Suficiente —le dije—. Vámonos a dar una vuelta.

La tomé del brazo y la saqué del salón. Ella iba a decir algo pero yo la apreté. Le dije al conde:

—*Je reviendrai dans un moment, milord.*

—*Tu vas oú?*

—*Perla veut marcher un peu.*

Saqué a Perla del edificio como si estuviéramos escapando de un incendio. Así no hubiera llamas, los dos salimos ardiendo. Tomé a la izquierda sin saber adónde ir. Perla me seguía casi al trote. Me dijo:

—Si me vas a sacar a caminar cada vez que me aburra, nos vamos a recorrer a pie toda Francia.

—Si estás aburrida —le dije—, por qué no te aburrís sola, sin armar pataletas.

—¿Pataletas? —dijo—. Ay, querido, qué poco me conocés.

Llegamos a Place Goubaux y paré sin saber hacia dónde tomar. Entonces decidí seguir derecho por Batignolles. Le dije a Perla:

—Lo tenés todo, Perla, todo, estás viviendo como una reina y todavía te quejás.

—Pues las reinas también se aburren, querido, no es sino verlas para saber que están jartas —paró en seco y me dijo—: ¿podemos entrar aquí?

Estábamos frente a un café, un mesero limpiaba las mesas de la calle. Le pregunté a ella:

—¿Aquí?

—Sí. Necesito tomarme algo.

Era mejor sentarnos que seguir caminando, y tomarnos un trago fuerte, que fue lo que ella pidió. Nos sentamos en la barra y ella me dijo:

—Yo nunca he querido ser reina, Vidal. Con ser yo misma he tenido trabajo para rato. Desde siempre todos han querido que yo sea distinta, no sé por qué la gente se empeña en que uno se parezca a ellos. ¿Alguna vez te forcé para que te parecieras a mí?

Yo iba a decir "nunca" y a dar mi versión, pero ella se me adelantó:

—Nunca —dijo—. Y si en algo te parecés a mí no es culpa mía sino que te gustó parecerte a mí. Y si ahora te parecés al conde, es porque te gusta ser como él. Si alguien en esta vida ha querido ser como le da la gana, ese sos vos, Vidal.

—¿Que yo me parezco a milord?

—Ahora te parecés más a él que al Vidal que yo conocí.

—Sabés muy bien que estoy haciendo un papel —le dije—, y vos estuviste de acuerdo en hacer el tuyo, ¿o no?

Yo hago de hermoso en esta historia porque me dieron el mejor disfraz, Libia hace de santa y tío Amorcito de santurrón, Suzanne hizo de la madre que nunca pudo ser, milord hace de honorable, Anabel no sabe cuál es su papel, Clémenti hace de rufián para colmar su resentimiento, todos hacemos el papel de gente y no somos más que animales domesticados. Y Perla hace de mujer que no está de acuerdo con su papel.

—Ya estoy muy vieja para aprender a actuar —me dijo.

—¿Y entonces? —le pregunté—. ¿Vamos a echar a la basura todo lo que hemos conseguido?

Perla saborea el trago, bebe una vez, vuelve a beber y, temblorosa, devuelve la copa a la barra. Dice, como diciéndose a sí misma:

—A ratos pienso que me equivoqué y que nunca debí haberme venido de Puerto Berrío. Ahora me doy cuenta de que allá tenía todo: un negocio, respeto, me conocían, tenía un hombre que me quería…

—¿Fernando? —la interrumpí—. ¿Fernando te quería?

Perla se quedó pensando. Miró la copa y dijo:

—Ese sí que sabía hacer bien su papel, porque a una no le importa qué hay detrás del amor mientras nos hagan sentir que es amor de verdad.

Se quedó mirándome y me dijo:

—Para qué voy a hablar con vos de amor, Vidal.

Fue una sentencia que sonó a pregunta, y si fue así, ella sabía que no le iba a responder porque ella misma me enseñó que hay preguntas que no se responden, nada que tenga que ver con la intimidad. Aunque ella hablaba de amor, tal vez no se refería al íntimo amor sino al que uno necesita cuando hay que llorar y uno no tiene a quién llorarle, a quién mostrarle las flaquezas, la debilidad, a quién no fingirle y derrumbarse sin recato ahora que he aprendido que uno mismo no es la mejor esponja para sus propias lágrimas. De todas maneras, yo no iba a hablar de amor.

—Me prometiste que ese viejo se iba a morir —me dijo saltando, como una trapecista, del amor a la muerte.

—¿Milord?

—Sí, tu lord. Me hiciste venir de Puerto Berrío porque el señor se iba a morir y entonces íbamos a quedar vos y yo solos.

—Pues claro que se va a morir —le dije, pero me sentía un poco despistado con la conversación.

—¿Cuándo? —me preguntó.

—¿Cuándo? —me reí, seguía muy despistado. Le dije—: un día de éstos, el día menos pensado.

—Pero vos me lo prometiste.

—También te pedí paciencia.

Hizo mala cara y terminó lo que había en la copa. Le pregunté si quería otra y me dijo que no con la cabeza. Tragó lo que quedaba en la boca y dijo:

—Me parece que voy a seguir muy aburrida.

No tan aburrida como hoy. Como si cada día le ganara al anterior en aburrimiento. Podríamos juntarnos ya que los dos estamos hastiados, no sabemos qué hacer con el tiempo, ninguno de los dos se ha levantado, no estamos tan lejos el uno del otro, un taxi podría acercarnos en veinte minutos. Tal vez lo que nos separa es la espera, lo que ella espera y yo espero, que parece diferente pero ajustando la ecuación viene a ser lo mismo: Perla me espera, yo espero la muerte, *je suis la mort*, los dos la esperamos aunque Perla no se entere.

Ella le pregunta a Anabel ¿para dónde vas? La otra le responde voy a salir. ¿Otra vez?, pregunta Perla y Anabel dice esta semana no he salido. Perla le pregunta ¿vos viniste de trabajo o de paseo? Anabel le responde: la verdad es que no sé muy bien a qué vine, Libia me dijo andate para París que Perla te necesita, y eso fue todo. Perla le dice ¿y entonces?, ¿no entendiste? Anabel dice pues me vine para acá y aquí estoy. ¿Y lo otro?, pregunta Perla. ¿Qué otro?, pregunta Anabel. Perla le dice lo otro que te dijo mamá. Perla te necesita. Anabel sube los párpados, mueve la boca, piensa y sólo se le ocurre preguntar ¿me necesitás? Perla chasquea la lengua, como si no tuviera que responder semejante obviedad. Sin embargo, dice pues claro. Anabel le pregunta ¿y qué necesitás? Perla le dice pues de todo. Anabel piensa y dice si me dijeras exactamente lo que querés... Perla le dice no podés salir, Anabel, necesito que te quedés aquí. Anabel pregunta ¿para qué?, ya terminé todo, ya no tengo nada que hacer. Perla le dice tu trabajo también es quedarte aquí. Anabel pregunta entonces, ¿no puedo salir? Perla hace otra vez el ruido con la lengua y le dice claro que no, claro que no. Anabel pregunta ¿y qué me pongo a hacer? Perla toma una revista y hace como si la fuera a leer, sin mirar a Anabel le dice pues si no sabés qué hacer, entonces servime un trago. Abre la revista en cualquier página y dice podés servirte uno para vos, si querés. Pero antes de hacer cualquier cosa, Anabel tendrá que contestar el teléfono.

Sonarán tres teléfonos: el de Perla cuando marque Modot para leerle los pormenores de la necropsia del conde; el de Dayessi cuando Anabel la llame para anunciarle que no puede salir; y el de tío Amorcito cuando lo llame Mireya para pedirle que pase por Libia para llevarla al doctor, que tiene un pitido en el oído que la va a enloquecer. Yo estaba ahí cuando llamó Mireya, estaba doblando mi ropa y amarrándome la toallita a la cintura cuanto tío Amorcito me hizo una seña con el dedo para que no fuera a hablar. Ya mismo salgo para allá, Mireyita. Colgó y me dijo: doña Libia otra vez. Le pregunté ¿de vida o muerte? Él me dijo no sé, pero Mireya estaba muy preocupada. Le dije a tío Amorcito te hago lo que querás si no vas. Él se rió y dijo este muchacho, caramba. Me aflojé un poco el nudo de la toalla y la deslicé hasta que aparecieron los pelitos, le dije quedate aquí conmigo, tío Amorcito. Me dijo no seás necio, Vidal, además abajo hay mucha gente, más de uno debe de estar esperándote. Le torcí la boca, puse cara de enfado, me dejé la toalla bajita y le dije hoy no puedo trabajar hasta tarde, tengo clase de francés en la Alianza. Y cuando ya iba a salir, tío Amorcito me llamó: Vidal. Le pregunté ¿qué? Se consumió mirándome y dijo estás hecho todo un Tarzán.

Sin buscarlo, se fue asentando en mí un porte salvaje. En lugar de afeminarme, como supusieron muchos, me fui haciendo más animal, me creció el torso, se me alargaron las piernas, los músculos se definieron con generosidad y se me endurecieron las nalgas, para no hablar de lo demás. La toalla lucía cada vez más estrecha. Sentía que con la piel me pasaba igual, que el cuerpo, a pesar de que crecía, me resultaba pequeño para todo lo que quería hacer con él. Me miraba al espejo y me parecía que, además de la belleza, había algo a punto de estallar, adrenalina explosiva en la mirada, sangre borrascosa, dinamita en los pulmones, nitroglicerina en la piel. O era, simplemente, el ardor de la juventud que anunciaba su llegada con el arma erguida, el puñal grueso y loco que en lugar de abeja me convertía en todo un semental. Lo notó Perla un día que entró al cuarto, por accidente dice ella, y me vio sin ropa, se llevó las manos a la boca y por entre los dedos exclamó ¡Dios mío! Lo notó Nancy cuando, según ella, entró al baño creyendo que estaba vacío y me vio desnudo y gritó ¡Ay, Dios! Y una cocinera que gritó ¡Cristo bendito!, cuando se topetó conmigo en calzoncillos. Y hasta Libia, que una vez me vio tomando el sol en el patio, arrugó los ojos para enfocar y después salió en carrera, vociferando ¡se nos metió un hombre a la casa! ¡Corran! ¡Hay un hombre en pelota en el patio de atrás! Lo notó todo el que fue a Baños de Apolo y me vio aparecer entre el vapor con unas ramas de eucalipto, como un esclavo romano, dispuesto y obediente. O repartiendo toallas y bebidas, brillante, empapado, húmedo. Todos habrán visto la pólvora en mis ojos, el centelleo y la voluptuosidad, el más bello que habrán visto, tan bello, pero tanto, que me fui quedando sin otra opción que enamorarme de mí mismo.

La clientela de Baños de Apolo se duplicó de un momento a otro. Tío Amorcito no sabía si alegrarse o renegar. Sus ingresos se habían multiplicado pero yo pasaba menos tiempo con él. Para suerte mía, porque si los otros eran gente común y corriente, casi todos viejos, feos como casi todo el mundo, eran mucho más generosos que tío Amorcito, más complacientes. Al fin de cuentas casi todos eran ejecutivos, profesionales, hombres que dejaban de serlo por unas horas después de sus trabajos para entregarse a la bruma del baño turco, y a las miradas y la desnudez. Yo sabía que cuando les guardaba los trajes y las corbatas en los lockers lo que realmente quedaba en custodia era un disfraz.

Lo único que vi fue un disfraz de gladiador, dijo Ilinka. Le pregunté ¿nada más? Ella me dijo tal vez había más, pero me dio miedo prender la luz. Luego me preguntó ¿ese disfraz es tuyo? Le dije me gustaba disfrazarme. Ella me dijo brilló apenas abrí el clóset. Es de tela dorada, le dije. Ella comentó: entonces, no debería ser de gladiador. Ya estaba amaneciendo, ella acababa de llegar y quería acostarse, pero yo le dije cuéntame más, por favor.

—Estaba muy asustada desde que abrí el portón. Me había aprendido de memoria el código pero tuve que ver otra vez el papel. Entré, preferí subir por las escaleras para no hacer ruido con el ascensor. Sobre todo a esas horas.

—¿A qué horas entraste? —le pregunté.

—Tal vez las cuatro.

Iba deshaciendo la cama mientras me contaba, preparando todo para acostarse. Me dijo: me asustaba porque en cada piso el sensor encendía la luz cuando yo cruzaba. Además, también se me olvidó el número del apartamento y otra vez me tocó sacar el papel. Se metió en la cama y me dijo metí la llave y abrí, muy despacio, con miedo de que la puerta chirriara, pero no sonó; entré muy atenta a cualquier ruido y pensé que había gente en el salón. Vi luces y sombras que se movían, pero no se oía nada. Le pregunté ¿había alguien? Ilinka dijo había muchos santos. Y continuó: me acerqué poco a poco, muy lentamente, la luz cada vez alumbraba más, hasta llegué a pensar que se trataba de un incendio en el salón, porque también olía a humo. Le pregunté ¿humo? Sí, me dijo, el humo de las velas, hay muchas velas, y cirios, y santos, el salón está lleno de velas y santos, Vidal. Le dije: un altar. Ella dijo: un altar inmenso, ¿y adivina quién está empotrado en la mitad del altar? Le dije: yo. Me preguntó ¿cómo lo supiste? Le dije tengo el don de la clarividencia. Me preguntó ¿como Dios? Le dije: más o menos, mi zona de acción es más restringida.

Ilinka volvió a incorporarse y me dijo apenas abrí el clóset vi el disfraz y en ese instante oí un ruido afuera. ¿En la calle?, le pregunté. No, me dijo, dentro del apartamento. ¿Qué era? Ilinka me dijo no sé, pero salí a mirar y no vi nada, fui otra vez a la sala y no vi nada, me asomé a la cocina y entré, no había nadie y aproveché para tomarme un vaso de agua, tenía sed, estaba empapada en sudor. ¿Qué pasó después?, le pregunté. Ilinka volvió a cobijarse, me dijo creo que sí se despertó alguien, me pareció oír ruidos en un cuarto, entonces me paré frente a la puerta de salida por si aparecía alguien. ¿Ruidos?, le pregunté. Un ruido raro, dijo Ilinka, pero venía de otro cuarto, no del de ella. ¿Qué ruido?, ¿qué oíste? Ella pensó un momento y dijo parecía como si un pájaro se hubiera quedado encerrado. ¿Una paloma?, pregunté. Ilinka asintió, algo así, un ave, dijo. Nos quedamos pensativos, luego ella me dijo ese aleteo me asustó mucho. Abrí la puerta y me fui. ¿Y mi ropa?, le pregunté. Ella se cubrió casi toda con la cobija, me dijo fue muy difícil, Vidal. Le dije vas a tener que volver. Ella se quedó callada, se dio vuelta, ya se quería dormir. Pero antes me dijo hay un problema, Vidal. Le dije ¿un problema? Ella dijo me olvidé de tus medicinas. Dije ¿medicinas? Dijo sí, te había conseguido un poco de ritonavir y didadosina, creo que es bueno que empieces a tomarlas. ¿Eso qué es?, le pregunté. Me dijo las vas a necesitar. Le dije bueno, mañana las traes y hablamos de eso. Ella dijo ese es el problema. Se llevó la cobija hasta el cuello y dijo las olvidé en la cocina de tu apartamento.

Todavía faltaban por sonar dos teléfonos. Dayessi contesta al primer timbrazo porque está parada junto a la puerta, lista para salir, esperando a que baje Anabel, pero la misma Anabel es la que llama a decirle que no puede salir. Dayessi le reprocha:

—Pero si ya estoy arreglada.

—Yo también —dice Anabel, y habla fuerte para que Perla la oiga—. Ya iba a salir y Perla me rogó que me quedara. Está muy mal, la pobre, da lástima.

Perla, desde la sala, se da vuelta para comerse a Anabel con la mirada, pero la otra ni se inmuta. Sigue:

—Ya no es capaz ni de bañarse sola, me toca acompañarla a todo, incluso anoche me pidió que durmiera con ella.

Perla cierra la revista de un golpe, dice por entre los dientes ¡Anabel!, y con otro golpe deja caer la revista sobre las piernas.

—Al paso que va —le cuenta Anabel a Dayessi—, la pobre Perla va a terminar ensuciándose en los calzones.

Perla se pone de pie, iracunda, y le dice a Anabel ¡malparida! ¡Colgá ya ese teléfono, malparida!

—Voy a tener que colgar —le dice Anabel a Dayessi—, Perla tiene un ataque. Si querés, subís esta noche y jugamos parqués.

Anabel cuelga y Perla le dice: fuera de todo resultaste chismosa. Anabel sale para su cuarto, pero antes de dar otro paso el teléfono suena. Perla le dice dale, contestá, seguro a la chimpancé esa se le olvido decirte algo. Perla se sienta, toma la revista y otra vez la abre en cualquier página. Anabel tiene el teléfono y le dice:

—Es para usted, condesa.

Deja el teléfono sobre la mesita y se va. Al otro lado de la línea, Modot se abanica con la necropsia del conde de Cressay.

(Se asoma a la ventana y dice:

—Ya no está. Se fue justo ahora que te lo iba a mostrar.

—Entonces, no es que se asome tanto como decís —le digo.

—Te lo juro, se la pasa ventaneando todo el día. Hasta llegué a pensar que era un muñeco que habían puesto junto a la ventana, hasta que se movió.

—Puede ser un viejo que sientan ahí para que se distraiga.

—Puede ser muchas cosas —me dice—. Alguien que se quiere tirar, algún mirón, alguien que se la pasa pensando, alguien que espera, alguien triste…

—¿Por qué triste?

—No sé —dice—, pero siempre he creído que asomarse a cualquier ventana trae una pizca de ilusión).

22

Pasó el tiempo y esta vez pasó de todo. Me hice joven, me hice grande, mi belleza se hizo sólida, me hice rey de Baños de Apolo, me hice popular en Medellín justo por los días en que el monstruo se despertó del todo, se levantó de su siesta larga y decidió poner los pies, el culo, todo el peso de su monstruosidad sobre Medellín, sin importarle aplastar a cualquiera. Sólo con eructar taparía un pueblo con lodo, un pedo suyo pondría a arder el Palacio de Justicia, por un capricho suyo iba a pasar el cometa Halley junto a la Tierra, en un estornudo hizo llover dólares, coca y oro.

La bestia estaba despierta y exigía que la veneráramos. Yo lo hice con gusto y le eché vivas al monstruo, vivas por sus estornudos, por el cometa, vivas por el lujo y la juerga. ¡Colombia era rica! Yo quería bailar con el monstruo aunque en su baile me pisoteara, quería bailar para él y echarle más vivas al santo loco, al santo adinerado que cada vez que bailaba aplastaba a varios. Qué me iban a importar los muertos si yo seguía vivo y bello. Qué me iba a importar si nuestro monstruo había tenido que ver con que los sijs asesinaran a Indira Gandhi, o con la explosión del Challenger en pleno vuelo, en pleno cielo, o con el virus mortal que ya tenía nombre y unos años después bucearía en mi sangre. Por supuesto que era el mismo engendro el que hacía cagadas en cada punto donde apoyaba una de sus mil patas, pero qué me iba a importar si Colombia estaba emparrandada y el dinero pasaba abundante de mano en mano y bajo mis narices. Había tanto que yo me dije aquí con mi belleza yo hago mi agosto. Hasta Perla se puso a ahorrar para hacerse un *lifting* en la cara, tío Amorcito tuvo que comprar la casa vecina para ampliar los baños turcos, y Libia quiso darle un vuelco a su vida y pidió un perro. ¡Un perro! Todos estuvieron de acuerdo en que sería una buena terapia, una distracción para que dejara de envenenarse. Ella eligió un fastidioso french poodle, tan neurótico como su dueña, igual de blanco y de feo, tan latoso como Libia, que andaba echa un lío porque no sabía qué nombre ponerle. Que Toby, que Frisky. Entonces yo le dije:

—Póngalo Builes, abuelita, en honor de monseñor.

Ella me dijo:

—Te exijo respeto, Vidal.

Yo dije:

—Perdón, perro.

Finalmente lo puso Miky y lo consintió más que a cualquiera de sus hijas, lo protegió más que a cualquiera de nosotros. Nos dijo:

—El perrito es muy inteligente, sólo le falta hablar.

Yo le dije:

—No, abuelita, es a usted a la que le falta ladrar.

Desde que llegó a la casa, Miky me odió tanto como Libia, y yo odié a Miky como a todos los french poodle del planeta. Me propuse, ya que no lo había logrado con Libia, hacerle dar un infarto al perro asqueroso. Le tiraba fósforos prendidos, lo despertaba con el golpe de dos tapas de ollas, lo alzaba del pescuezo y lo dejaba caer desde lo alto, y en una de esas, cuando lo tenía levantado y listo para soltar, vi lo que nos separó a Miky y a mí, y a Libia de Miky. Con el perro en alto corrí adonde Libia y le dije: abuelita, Miky tiene tetas. Ella estaba a punto de decirme no me digás abuelita, pero no alcanzó a decirlo porque se le atravesó un grito incrédulo. Le mostré la pancita de Miky, le dije yo sí lo notaba muy mariquita. Ella me dijo callate, mostrame bien. Lo levanté más y ella se acercó con cara de asco, y con repugnancia dijo: una perra. Yo asentí triunfante, le pregunté ¿por qué será, abuelita, que a tu alrededor no hay más que perras? Me dijo callate, llevate esa cosa de aquí. Le pregunté ¿puedo ahogarla? Ella dijo hacé lo que querás, no quiero más hembras en esta casa. Se encerró en el baño, se tomó medio frasco de un broncodilatador y se metió a la cama. Yo saqué a Miky a la calle, zapateé y la perrita echó a correr entre las llantas de los carros, despistada y aturdida. Desde la mitad de la calle se volteó a mirarme y por hacerse la huérfana no vio la llanta enorme del camión que se llevó para siempre a Miky de esta vida y de mi vista.

Si alguien me hubiera preguntado por el perro que resultó perra, le habría dicho que lo había sacrificado para aplacar la ira del monstruo, pero nadie preguntó nada, ni siquiera un comentario, ninguno se acordó de que alguna vez, y por poco tiempo, hubo un perro o perra en la casa. Ni Libia volvió a mencionarlo. Alguien, si acaso, habrá visto la calle embadurnada con la sangre de Miky y habrá pensado aquí mataron a otro, no a otro animal sino a otro desgraciado de los que mataba el monstruo a diario. Una de dos: en Medellín se estaba de luto o de fiesta, y como a mí no me dolía ni una muela, me dije ya es hora de subir un escalón, de dar un paso adelante. En Baños de Apolo me iba bien pero había más plata por otros lados, entonces me vestí de fiesta y salí a buscar el bolsillo del monstruo. Me fui a las discotecas.

Yo también me le escapé al ogro, si no hubiera salido tal vez habría muerto. Yo también vi llover bombas, a quién se le ocurre bombardear un país para salvarlo. Mi país también ha heredado una guerra de otra y lo que nos ha llevado a matarnos no es otra cosa que fantasmas, fantasmas balcánicos, dijo Ilinka. Me había invitado a meterme en su cama para ver juntos la televisión, me vio llegar dando tumbos y sudando vodka. Estoy mareado, le dije arrastrando la lengua, ella me dijo estás borracho, y yo le dije no, esto no es borrachera, yo sé lo que es una borrachera y esto es otra cosa. Ella me dijo entonces es el bupropion. Luego dijo Pristina. Yo le confesé es bupropion, de la otra no he tomado. ¿Pristina?, dijo y se rió, esa se la quisieron tomar todos. Le pregunté ¿para qué sirve? Ella dijo es la capital de Kosovo. Dije ah. Ella dijo ah. Ella hablaba de reyes y yo los confundía con medicinas. Dijo Milutín, dijo Grachanitsa, me preguntó ¿ustedes por qué se matan? Le dije: solamente yo me estoy muriendo. Ella me dijo hay países que tienen vocación de tajada de torta. Me reí y le dije no te entiendo. Me reía como si Ilinka me hubiera contado el mejor chiste. Ella dijo hay países que se parten y se reparten, así como está tu cabeza ahora. Me reí más y tomé más vodka, le dije no te entiendo nada. Dijo ¿cómo vas a entender si tu cerebro está fragmentado? A las carcajadas le pregunté ¿balcanizado? Mi risa no la dejaba hablar, cuando pude le dije tomé milutín. Ella se rió y dijo si te burlas de nuestros fantasmas después no te dejan dormir. Le dije si tomo Pristina puedo dormir. Ilinka se puso seria y dijo qué poco quedó de Pristina. Se quedó callada, oyéndome reír, y de nuevo me preguntó ¿por qué se matan ustedes? Nos miramos, ella esperaba una respuesta y yo no la tenía. Al rato dije ¿por costumbre? Ella se quedó pensando y dijo nosotros también, por costumbre. Suspiró y dijo: y por Milosevic. ¿Eso también es para dormir?, le pregunté. No, es un veneno y sólo sirve para matar, dijo. Me reí un rato más y después me quedé dormido.

Me despertaron unas voces en el salón, la voz ruda de Perla que decía algo que yo no alcanzaba a entender y la de milord que sonaba como el zumbido de un moscardón. A medida que despertaba me daba cuenta de que ella hablaba en español y él, en francés. Me levanté a las carreras, presintiendo un lío. A milord lo encontré acorralado en la poltrona y a Perla apoyada en él, empujando una copa de aguardiente contra la boca del conde, diciéndole tómeselo, señor. Le insistía, partiendo las sílabas, tó-me-se-lo. Milord se negaba, sacudiendo la cabeza, con los labios apretados, decía *c'est fort*. Perla lo presionaba: no sea gallina, señor, tómeselo que con esto aprende a hablar español. Milord la miró sorprendido, preguntó *espagnol?* Y ella, señalando la copa con el dedo, dijo *oui*, aquí español. Entonces intercedí, ¿qué estás haciendo, Perla? Ella se despegó del conde, dijo: Vidal. Milord también dijo: Vidal, como si fueran dos niños a los que el papá descubre en algo prohibido. Sin embargo, vi que milord se relajó y Perla caminó hacia mí con la copa en la mano, zigzagueando por las copas que ya se había tomado. Le dije no lo puedo creer, Perla. Ella se paró frente a mí y, desafiante, dijo ¡qué! Milord dijo *ta mère*... Le pregunté *ça va bien, milord?* Él asintió, Perla me dijo le estoy dando clases de español a mi marido. Soltó una carcajada y se tomó la copa. Le dije le estás dando clases de beber. Milord dijo *dis à ta mère que mon coeur est très faible*. Se lo dije a Perla: el corazón de milord es muy débil, Perla, su salud... Ella me interrumpió ¿y qué tiene que ver el corazón en todo esto?, lo único que se necesita son güevas y él no las tiene, en esta casa la única que tiene güevas soy yo. Le dije te acabás de levantar y ya estás bebiendo, Perla. Ella dijo no, señor, estás muy equivocado, no me acabo de levantar: todavía no me he acostado. Le pregunté ¿desde qué horas estás bebiendo? Ella me dijo más bien preguntame desde qué día, o desde qué año, y yo te respondo de una vez: desde una mañana en que me levanté entendiendo, perfectamente, lo que es la vida. Le dije andate a dormir, Perla. Milord me dijo, desde su silla, *ne t'inquietes pas, Vidal, laisse-la s'amuser un peu*. Perla me preguntó ¿qué dijo? Yo le dije: nada importante. Perla se dio vuelta y le preguntó a milord *qu'avez-vous dit?* Milord se encogió de hombros y sonrió, le dijo a ella *je ne peux pas boire maintenant*. Perla se dio vuelta y me preguntó ¿qué dijo? Yo le dije: que a estas horas no va a beber con vos, que estas no son horas para emborracharse, y mucho menos para dar un espectáculo así, en piyama y eructando aguardiente, que si seguís así, milord nos va a mandar para la mierda a los dos. Perla miró de nuevo a milord, él le volvió a sonreír pero ya estaba más en su periódico que con nosotros. Perla me dijo ¡mentiroso! Me dio una palmada en el pecho, me dijo: yo a él no le estorbo como te estorbo a vos. Mientras se desahogaba conmigo la fui remolcando hasta su cuarto. Me dijo vos me cambiaste las reglas del juego, Vidal, me sacaste del negocio. Logré meterla a la cama y me dijo ustedes dos se quieren deshacer de mí para quedarse solos. Corrí las cortinas y apagué la luz, me dijo vos ya no me necesitás, te querés quedar vos solo con toda la plata de ese señor. Cerré la puerta y alcancé a oír cuando dijo vos me cambiaste por ese viejo, pero acordate de mí que ese viejo se muere primero que yo.

Ese papel que Modot saca, con misterio, de su maletín es el resultado de la necropsia que se le hizo al cadáver exhumado de milord. Así se lo dice el abogado a Perla. Aquí está lo que encontraron, dice él, y ella le pregunta ¿qué, además de gusanos? El abogado le dice: la verdad es que no encontraron nada, es decir, madame, nada que hubiera ocasionado un envenenamiento, ni una señal violenta de asfixia, no hubo golpes… Perla le arranca el papel de un manotazo, le dice cállese, Modot. Luego se le acerca, casi se le pega al cuerpo y le dice parece que usted estuviera acusándome, parece que usted dudara de mí, me trata como si yo fuera una bandida. Modot le dice los que dudan son ellos, madame. Ella, mostrándole el papel, le dice pues ahora no tienen de qué dudar. Perla tiene su cara a pocos centímetros de la de Modot. Él le dice: todo lo contrario, ahora dudan más que nunca. Perla lo empuja y él trastabilla dos pasos hacia atrás. Perla le extiende el informe y le dice ¿es que aquí nadie sabe leer? Léalo otra vez, Modot. Él le dice precisamente, madame, la sospecha es porque no encontraron nada. Perla resopla. Modot dice: según la necropsia, la cromatografía líquida de gases mostró que no había metabolitos de propanolol en… ¿De qué me está hablando, Modot?, pregunta ella, ¿qué idioma es ese? Él le dice de lo que tendrían que haber encontrado y no encontraron. Perla le dice pues va a tocar esperar a que vuelva Vidal para que me traduzca, porque a usted no le entiendo ni mierda. Modot baja la mirada y dice: madame. Ella dice: o aprenda usted español y me explica. ¿No quiere que le enseñe español, señor abogado? Él dice no hay que ir tan lejos, madame, es muy sencillo: el conde tomaba a diario una droga para la arritmia cardiaca, propanolol, y en la necropsia tendrían que haber encontrado en los tejidos rastros de esa droga… Perla lo interrumpe: tendrían que haberlo encontrado podrido, qué más se puede encontrar en un cadáver después de un año. Modot vuelve a mirar el papel, va a decir algo pero ella se le adelanta. Dígame una cosa, Modot, ¿usted es abogado o policía? Él dice: madame y ella sigue: porque si es policía le sobran los buenos modales, Modot, y a mí no me tiene que fingir porque en grosería le gano yo. Modot abre despacio el maletín y guarda de nuevo el papel, le dice a Perla usted sabe muy bien quién soy yo, o si tiene dudas, pregúnteselo a su hijo, cuando aparezca. Ella dice yo sé muy bien quién es usted, Modot, usted es un hombre y también sé qué es lo que buscan todos los hombres. Se le acerca de nuevo, se le pega al cuerpo, lo mira con intensidad, levanta el mentón y le dice si este es el precio que tengo que pagar… Modot la mira, observa sus arrugas, los poros abiertos, las manchas de la piel, las marcas de los años y el desgaste. Ve la avidez en los ojos de Perla, la vulgaridad en su mirada, la sed en la punta de la lengua, la libidinosidad en el jadeo de su respiración. Modot le dice no tiene que pagarme nada, madame, su hijo ya me pagó. Perla toma distancia, lo repasa y le dice ¡no me diga que usted también…! ¿Yo qué, madame?, pregunta Modot. Ella duda y luego dice Vidal tiene su forma de arreglar las cosas. Modot le responde no se ofenda, madame, pero Vidal sabe arreglar las cosas mejor que usted. Ella saca pecho y le dice no lo dudo, Vidal es joven y es muy hermoso, y la belleza ayuda, Modot. El abogado abraza el maletín, mira la puerta de salida y dice la van a citar, madame, le van a pedir algunas explicaciones. Perla dice que averigüen lo que quieran que para eso tengo un buen abogado, ¿o no, Modot? Él inclina la cabeza y dice el mejor de todos, madame.

—Servime un trago, Anabel —dijo Perla.

—Buscame la buscapina, Anabel —dijo Libia.

—¿Quién me ha llamado, Anabel? —preguntó Mireya.

—¿Quién dijo Anabel? —preguntó Anabel.

—¿Quién es Anabel? —preguntó Graciela.

¿Quién es Graciela? Te llamó una Graciela, esa nunca había llamado por aquí, me dijo Perla. Primero le respondo a Graciela, que es riquísima y por eso mismo le tengo que poner más atención.

—Anabel vive con nosotros —le dije a Graciela—, pero no es la muchacha del servicio ni tampoco una pariente, es... ¿cómo te dijera?

—Como el dedo chiquito del pie —dijo Graciela—, que no sirve para mucho pero ahí sigue pegado.

—De un pie sucio, valga la aclaración.

—Pues ella fue la que me contestó, bizcocho —me dijo Graciela—, ¿no te dio el mensaje? Yo le dije: decile a Vidal que lo llamó Graciela.

Y que Anabel le había preguntado ¿Graciela qué?, y que ella le había dicho: Graciela, la mamá de todos.

Me dijo:

—Para que vaya sabiendo que yo soy la mamá de Medellín.

En algún momento de la noche, en plena fiesta y extasiado, el monstruo dijo Graciela es la reina. Nos preguntamos ¿reina de qué? Pues de todo, el nuevo imperio necesitaba una reina y la más rica y la más brava iba a ser la elegida. En Colombia sólo había una más rica que Graciela: la esposa de El Que Sabemos, pero como esa resolvió apostarle a la humildad y al bajo perfil, pues la segunda sería la esposa del segundo mando, de Buriticá. Así, Graciela pasó a ser la Primera Dama de la Narcorrepública, la Madre de la Patria, Nuestra Excelentísima Señora, la Reina de la Coca, la Mamá de Medellín. El monstruo vio que Graciela era temeraria, resuelta y traqueta, la señaló y dijo: esa es. Si alguna protestó ya está muerta, o le falta el dedo chiquito del pie, porque la obsesión de Graciela era el dedo chiquito y se lo mandaba cortar a todas las que le chocaban. Si uno veía cojeando a alguna fue porque le cayó mal a Graciela. Quién sabe qué habrá dicho la otra, qué habrá hecho para que Graciela hubiera dado orden de desdedarla.

—Es para que vayan sabiendo, bizcocho, quién es Graciela de Buriticá.

¿Quién diablos es Graciela?, me preguntó Perla y yo le dije una clienta. Perla torció la boca y dijo ¿clienta?, ¿y de dónde salió? Si Perla me hubiera entendido le habría dicho pues del monstruo. De dónde más podría salir un espécimen como Graciela: de un escupitajo, de una espinilla que se estripó, de entre los dientes y con un palillo pudo haber sacado el monstruo a Graciela. Pero como Perla no iba a entender, simplemente le dije la conocí en una discoteca. Perla me dijo ah, es joven. Yo le dije no, no es joven, es como de tu edad. Perla me dijo malparido, y luego preguntó y si es *tan* vieja como vos decís, ¿qué estaba haciendo en una discoteca? Le dije porque es la dueña.

—Para que vayan sabiendo, papito, cómo es la cosa conmigo les voy cortando el dedito nomás.

Yo vi junto a la barra a una mujer madura, pero vestida como si fuera muy joven, con tetas descomunales y pelo rubio oxigenado, que se miraba en un espejito de polvera y se delineaba la boca con un lápiz negro. Me acerqué y le dije no, no, no. Yo ya sabía quién era ella, de lo contrario no me habría importado que estuviera rompiendo las reglas del glamur. Le dije el negro en la boca está *out*. Ella me miró con cara de quién es este pendejito. Le dije está bien usar un delineador pero hay que buscar un tono un poco más oscuro que los labios, sin que se note mucho. Ella se miró de nuevo en la polvera. Le dije perdoname que me meta pero soy *esthéticienne* y no soporto que una mujer como vos no se sepa maquillar. Ella me preguntó ¿y vos sabés quién soy yo? Le dije claro, vos sos la mamá de Medellín. Ella negó con la cabeza, chasqueó la lengua y me dijo se quedan corticos, bizcocho, puedo ser la mamá de Colombia si me da la gana, pero me conformo con mi terruño. Me guiñó un ojo y me preguntó ¿qué estás tomando, belleza?

Libia le puso la queja a Perla, le dijo a Vidal lo llama todos los días una puta. Perla le dijo no, esa es Graciela. Libia le preguntó ¿quién es Graciela? Perla dijo una clienta, y Libia dijo ah, entonces la puta es él. Pero se equivocaba todo el que pensara que entre Graciela y yo había algo más que complicidad, aunque cualquiera podía confundirse con la coquetería que nos regalábamos. Yo, por bello, parecía estar siempre a la venta, la belleza siempre está en vitrina y cuando se junta con la riqueza, que se tenga todo el mundo. Y si yo no era rico a Graciela le sobraba, a pesar de lo mucho que me decía:

—No creás que lo tengo todo en la vida, bizcocho.

—¿Qué te falta, Graciela?

Tenía a Rodolfo y a Chelita, él ya estaba estudiando en los Estados Unidos y la niña se iba a graduar de bachiller y luego se iba a estudiar a Suiza. Y tenía a Buriticá, que era rico y poderoso, el hombre de confianza de El Que Sabemos. Buriticá le alcahueteaba todos los caprichos a Graciela, las casas que quisiera, viajes a donde le diera la gana, las fincas que se le antojaran, las joyas que le gustaran, en fin.

—Pero no, papito, no lo tengo todo.

—Más no se puede, Graciela.

Graciela movía la cabeza en señal de no pero decía sí, sí, sí. Metía la uña larga y roja en la bolsa con el perico, luego la uña en cada fosa, aspiraba, después otra vez al perico y del perico a mis fosas. Me decía aspirá duro, bizcocho, que si me queda untada la uña, me mata Buriticá donde sepa que estoy en éstas. Se limpiaba las ñatas, se chupaba el dedo y me decía:

—Juventud.

—¿Qué, Graciela?

—Me falta juventud.

Y cada vez que lo decía miraba con ojos hambrientos a Osorio, uno de los matones de Buriticá, el más joven y el de mejor figura, y al ver cómo se miraban de lejos, entendí que lo que le hacía falta a Graciela no era juventud sino un cómplice que rompiera la distancia y las diferencias, y el respeto y el miedo que imponía Buriticá, para acercar a Graciela a lo que realmente le faltaba.

—¿Cuál es el problema, Graciela? —le dije—. ¿No dizque sos una dura?

—Porque soy la esposa de un duro —me dijo.

Se oía y decía por todo Medellín que si algún día agarraban o mataban a El Que Sabemos, algo casi imposible porque era el consentido del monstruo, Buriticá pasaría a ser el dueño de nuestros destinos. Y si sobre nosotros tenía el poder de quitar y poner, aparecer y desaparecer, cuánto dominio no tendría sobre Graciela, que frente a la ferocidad de Buriticá quedaba como una novicia, una simple coleccionista de dedos chiquitos que soñaba jugarse el corazón pero temblaba cuando aparecía Buriticá, igual a la primera vez que él fue a buscarla en Mercedes Benz al Pedregal, en una de las lomas menesterosas de Medellín.

—Buriticá me da todo lo que le pido a cambio de fidelidad —me dijo.

Desde esa noche en que fui imprudente y le prohibí a Graciela el delineador negro en los labios, no dejé de atender todos los llamados que me hizo para que la peinara, la maquillara, y para que yo no fuera a fallarle me puso un sueldo. Cada mes me entregaba un cheque con una cifra que sólo había visto en los libros de contabilidad de tío Amorcito, y eso que como gran total, nunca en un cheque sencillo como los que me escribía Graciela por inercia. Yo le daba un beso al cheque apenas lo recibía y con él me daba la bendición, le decía gracias, Graciela. De nada, querido, gracias a vos, me contestaba. ¿Y por qué los dos tan agradecidos? Pues porque ella me iba acercando a París y yo la iba acercando a Osorio.

(—¿Has vuelto a saber de ella? —me pregunta.
—¿De cuál de las dos? —le pregunto.
—Pues la mamá de la zorra.
—No le digás así.
—A quién —pregunta—, ¿a la mamá o a la zorra?
—No le digás zorra.
Nos quedamos callados. Luego viene mi turno:
—Sí.
—Sí, ¿qué?
—Sí he sabido de ella.
—¿De cuál?
—De la mía —le digo—. De Chelita).

Hoy hizo su ingreso la veladora del Ánima Sola, la que hace volver a una persona. Llegó de Medellín por correo, la envió Fanny con una nota: la tenés que poner en un plato blanco y al lado tenés que poner un vaso de agua. Esa agua no se debe beber, la tenés que prender con fósforos de madera y al momento de prenderla te tenés que concentrar en tu deseo; esta me hizo volver a Darío, que se fue detrás de una paciente que lo engatusó. Entonces Perla le dice a Anabel las mujeres somos horribles, somos como arañas tejiendo redes a ver quién cae, y siempre cae alguno. Le abre espacio a la veladora entre san Camilo y san Luis Beltrán. Luego dice no sé si debería ponerla entre estos dos, de pronto me los daña. Anabel le dice ¿no ves que está encadenada? Perla le abre espacio al vaso de agua y dice quién sabe qué hizo ésta para que la amarraran con cadenas en pleno purgatorio, y ni así se puede confiar uno de estas sinvergüenzas. Anabel se queda mirando la imagen de la mujer que arde en llamas con grilletes en las manos. Le dice a Perla con ésta no hay peligro, además la pusiste entre dos santos. Perla dice ¿santos? Da un paso atrás para mirar el decorado, dice que me perdonen, pero antes de ser santos fueron hombres y yo conozco lo único que tienen los hombres en la cabeza. ¡Cómo habrán tenido que reprimirse todos éstos para llegar a ser santos! Le pregunta a Anabel ¿hay fósforos de madera? La otra pregunta ¿de madera? Perla da otros dos pasos hacia atrás, contempla el altar de pared a pared, se toma las manos, se encuentra con la mirada dura del padre Marianito, que si no fuera porque tiene su nombre abajo uno podría creer que el letrero dice "Se busca, recompensa, vivo o muerto". Perla aguza la mirada, se acerca y mira otra estampa que hay debajo de Marianito Eusse. Pregunta ¿y éste? A éste no lo conocía, ¿lo pusiste vos? Anabel se acerca y mira la imagen del desconocido. Perla la toma, la voltea y pregunta ¿y esto qué es? Anabel dice ¿qué son esos dibujitos? Son letras, dice Perla, pero no sé en qué idioma. Anabel pregunta ¿no es francés? No, dice Perla y pregunta ¿estás segura de que no lo pusiste ahí? Anabel niega. Pero ¿quién es?, pregunta Perla. También tiene cara de santo, dice Anabel. Sí, pero, ¿santo de quién o de qué?, pregunta Perla. Acerca la estampa a las velas para ver mejor. Se ofusca: ¿quién lo trajo?, ¿qué está haciendo aquí, carajo? El padre Marianito sigue mirándola con ojos de psicópata, Anabel se agarra las manos y, temblando, pregunta ¿se nos apareció? Perla mira el revés de la estampa y dice ¿qué dirá aquí, maldita sea? Anabel pregunta ¿qué hacemos? Perla dice ¿y donde éste sea el que nos está haciendo la cagada? ¿Cuál cagada?, pregunta Anabel. Perla dice: a lo mejor éste es el que no deja que Vidal vuelva. ¿Un santo malo?, pregunta Anabel. Perla cierra los ojos con fuerza y brotan dos chorros negros de rímel. ¿Hay santos malos, Perla?, pregunta Anabel. La estampa se le suelta a Perla de la mano y cae sobre una veladora. La llama la perfora por el medio y desaparece la cara del santo. ¿Hay santos malos, Perla? Arde la aureola de santo. Perla se balancea. El santo se retuerce sobre la llama. Perla trata de balbucir algo. Dice no hay santos… El santo se consume… Ella dice no hay santos.

23

Encontré a milord y a Perla armando un rompecabezas. Cada uno buscaba en silencio, entre el revoltijo, una pieza que ayudara a completar la imagen del paisaje suizo. Fue como encontrar a un ángel compartiendo un juego secreto con un demonio, que sólo podría explicarse como una tregua antes de reanudar el combate. Ni siquiera había música, nada que afectara la concentración de Perla y milord, solamente su respiración pesada. No me oyeron llegar ni me vieron entrar, ni me sintieron pararme a su lado. Los saludé para anunciarme pero ni así pude sacar a milord de su forcejeo para encajar una pieza, ni a Perla de su ensimismamiento tratando de encontrarle el norte a la figurita que tenía en la mano. Sólo la obstinación de él la hizo reaccionar, ella dijo no, señor, esa no es. Milord preguntó ¿no? Ella negó con la cabeza, no, no es, no insista. *Alors?*, dijo milord. Ella le dijo busque más, señor, no sea perezoso. Luego ella encajó su pieza, pulcramente, y los dos sonrieron. Ella anotó una rayita en un papel que ya estaba lleno de rayitas. A mí no me daban las cuentas.

¿Qué le había hecho, qué le había dado, qué le había untado Perla a milord o milord a Perla para estar juntos y en armonía? Parte de la respuesta me la dio ella cuando me preguntó, sin dejar de buscar fichas en la pila, ¿no me vas a felicitar? Yo le dije no sé qué decir, Perla. Ella dijo pues que estoy haciendo muy bien la tarea, y le dio una palmadita a la mano de milord, que trataba de acoplar otra pieza que no era. Ella me dijo reíte lo terco que es este viejo, quiere acomodarlas todas, no se resigna a que yo le vaya ganando. Me señaló el rompecabezas con la boca y dijo mirá, sólo ha puesto cinco o seis y eso que son de los bordes. Le dije me asustás, Perla. Entonces por fin me miró y antes de que hablara, le dije lo que me vas a decir decímelo tranquila, sin gritar. Ella, midiendo el tono, me dijo me estás haciendo perder tiempo, Vidal. Milord dijo ¡ja!, había puesto bien una pieza, aplaudió y se apresuró a apuntar una rayita en su papel. Perla me reclamó ¿sí viste?, me vas a hacer perder, andate. Poco a poco las cuentas comenzaban a cuadrarme.

¿Qué están haciendo, Perla?, le pregunté. Ella dijo ¿no ves?, estamos jugando. Le pregunté ¿a qué?, y ella comenzó a ofuscarse, me dijo ¿se te pegó lo bruto de este señor?, ¿no ves que esto es un rompecabezas? Le dije sí, pero ¿a qué están jugando? Ella me dijo, mientras escarbaba entre las fichas, lo estamos armando. ¿Estás apostando?, le pregunté. Ella me dijo: él también, él fue el que me lo propuso. Trató de meter una figurita pero no le funcionó. ¿Qué estás apostando, Perla?, pregunté, y ella se dio vuelta y me dijo plata, querido, plata, ¿o es que este viejo tiene algo más para apostar? Le dije explicame. Ella me explicó: pues cada pieza que cada uno ponga vale cinco francos, al final las contamos y ajustamos cuentas. Intentó con otra piecita y tampoco le cuadró. Milord seguía en lo suyo. Perla me miró y me dijo no me mirés así, Vidal; además, el rompecabezas está chiquito, quinientas piezas nada más. Milord celebró otro acierto. Perla se irritó y me dijo: si te quedás ahí jodiéndome la vida, este señor me va a alcanzar; andate, Vidal, mirá que todavía voy ganando. Ella volvió al juego, siguió probando y antes de irme vi que Perla agarró, con disimulo, un puñado de fichas y las escondió entre las piernas.

Ahí se guardan los grandes secretos. ¿Quién no conserva un secreto entre las piernas? Hasta la casta Anabel guarda un antojo, Perla guarda allí mi verdadero origen, Libia guarda su culpa, tío Amorcito su farsa, Dayessi su visa, yo el dinero, la avidez, la codicia, el apetito, un sueño, París, la enfermedad y lo que vendrá. Graciela guarda un capricho que ella misma no tiene claro. No sabe si lo que quiere es al joven que le cuida la espalda a su marido, o sólo conjurar el poder de Buriticá y el miedo que le impone, medírsele de igual a igual rompiendo la única regla que ella no puede quebrantar: todo a cambio de fidelidad, nada a cambio de la traición; en cambio, la muerte segura de Osorio y de ella. Y no cualquier muerte porque en ese círculo, donde todo tiene un precio, la infidelidad exige marcar un precedente: enrollar a Graciela, desnuda, en alambre de púas y golpearla con una tabla hasta que no aguante más. O acostarla sobre una roca y dejarle caer otra roca más grande sobre la cabeza, hasta que, viva o muerta, su cabeza explote. O darle dos tazas de su propio caldo y cortarle el dedo chiquito del pie, y después el pie, después la pierna, las tetas, los brazos, hasta que no quede para cortarle sino la respiración. O rociarla con gasolina, y luego el mismo Buriticá podría lanzarle la cerilla para verla arder junto al guardaespaldas, hasta que Buriticá aguante el olor o hasta que la ofensa quede saldada, es decir, hasta que de Graciela y Osorio quede, únicamente, un chicharrón de lo que antes fueron dos cuerpos unidos por un desliz.

¿Graciela es Graciela de Buriticá?, me preguntó Perla con la respuesta en su propia lengua. Ella me conocía lo suficiente como para suponer que yo no me iba a relacionar con una Graciela que no fuera la más rica y poderosa de Colombia. Sin esperar a que yo le respondiera, se llevó la mano a la frente, cerró los ojos y me dijo tenés los días contados, Vidal. Luego los abrió, empuñó las manos y me increpó ¿qué estás haciendo, culicagado, con una vieja de esas, con una mafiosa que tiene coja a la mitad de las mujeres de Medellín? Le dije estás exagerando, Perla; además, yo no tengo nada con ella. Perla me dijo ¿y quién te dijo que tenías que tener algo con ella para que te mataran? Basta con que Buriticá sospeche, sueñe o se lo imagine para que haga una albóndiga con vos. Le dije no es para tanto, yo solamente la peino y la maquillo. Perla zangoloteó las manos y dijo vos sos hermoso, Vidal, y los hermosos siempre levantan sospechas. Todo el mundo es vulnerable a la belleza, Vidal, yo sé por qué te lo digo. Le pregunté ¿por qué me lo decís? Arrugó el ceño y se mordió la lengua, se quedó callada, sabía por qué me lo decía pero no me lo dijo. El secreto seguiría oculto entre sus piernas.

Pero la imaginación es chismosa y revela misterios, y mientras más entripados tenga uno más fácil le queda intuir los ajenos. O si no, ¿cómo hacen los guardianes de la moral para hablar con tanta propiedad de los pecados? Haciendo escuela, como me dijo el padre Arturo en los vestidores de Baños de Apolo. Yo exclamé cuando lo vi ¡padre Arturo!, ¿usted por aquí? Él me dijo: claro, mijo, haciendo escuela. Metió las manos en los bolsillos del pantalón para tocarse por dentro, se pasó la lengua por el labio de abajo y me dijo ¿me vas a guardar la ropita?, yo le dije lo que quiera, padre. Él me dijo te voy a pedir un favor: aquí no me digás padre. Se desabotonó la camisa sin quitarme los ojos de encima. A mí me costaba no mirarlo como a un sacerdote, no recordar el ala oscura de su iglesia donde tío Amorcito coronó su proyecto conmigo. Mientras se empelotaba y le recibía la ropa, me pregunté cuántos más no habrán recibido el mismo bautizo pedófilo en la penumbra del templo, en manos de tío Amorcito y de este cura que dejaba el clergyman y la sotana para venir a cacorrear en la neblina de unos baños turcos. ¿En qué estás pensando, mijo?, me preguntó el padre en calzoncillos amarillentos y desgastados. Ya estaba engarrotado. Le dije en nada, padre. Él me dijo acordate. Le dije en nada, Arturo. Era mejor no pensar en nada porque corría el riesgo de vomitarme. El padre me dijo pasame pues la toalla. Miró a los lados para cerciorarse de que no había nadie y se bajó los calzoncillos. Yo no miré hacia abajo, él me los entregó como si fueran un trofeo y yo se los recibí, con las puntas de los dedos, como si fueran un pañuelo mocoso. Se amarró la toalla, se me acercó y me dijo ¿y entonces, mijo?, ¿qué hacemos? No habíamos entrado a los baños y él ya estaba sudando. Me dieron ganas de mortificarlo y le dije lo que Dios quiera, padre.

Esa noche le conté a Perla:

—El padre Arturo estuvo por la lavandería.

—¿Mucha sotana sucia? —preguntó Perla.

—Mucha —le dije—, pero no pagó.

—Así son —dijo Perla—, lo quieren todo gratis.

—Ni siquiera me dio las gracias.

—¿No?

—No —le dije—, solamente me dijo: que Dios te pague, muchacho.

Me fui a dormir temprano con ganas de olvidar ese día, pero como a la hora me sacudió de la cama un cimbronazo que nos dejó sentados a todos. Una bomba. Un pedo del monstruo, un taconazo furioso del engendro. Anabel apareció con el radiecito pegado a la oreja, dijo fue un carro bomba. Todas salieron en piyama al patio, yo iba en bóxer y sin camisa. Mireya preguntó ¿dónde? Anabel respondió: en el lugar de los hechos, y antes de que cualquiera la insultara, aclaró: eso es lo que dicen en el radio. Libia ordenó andá fijate si se quebró algo. Perla dijo a mí me pareció que sonó lejos. Marta dijo la onda explosiva. Mireya dijo a mí me quitó hasta las cobijas y me botó de la cama. Anabel informó: dicen que hay varios muertos. ¿Cuántos?, preguntó Mireya. Varios, dijo Anabel. Perla dijo prestame ese radio, Anabel, que vos no sabés qué está pasando. Anabel se negó, dijo pusieron un carro bomba. Mireya preguntó ¿quiénes? El monstruo, dije yo. Libia dijo: aquí el único monstruo sos vos. ¿De dónde sacaste esa cadena? Todas miraron hacia mi pecho, la cadena colgaba en mi torso y relucía en medio de la noche. Perla dijo yo se la regalé. Libia dijo ¿vos?, ¿de dónde y con qué? Yo le pregunté ¿querés saber la verdad, abuelita? Anabel anunció hay decenas de heridos. Mireya insistió vos no entendés lo que dicen, pasame el radio. Marta dijo: en muchas casas están cruzando cinta pegante en los vidrios para que se rompan hacia afuera. Perla dijo eso fue El Que Sabemos. Anabel lo confirmó: eso están diciendo en el radio. Mireya preguntó ¿cómo lo supieron tan rápido? Perla dijo así es su estilo de cagadas. Anabel dijo fueron cincuenta kilos. Yo dije ¿querés saber la verdad, abuelita? Mireya dijo me voy a buscar otro radio. Perla dijo me voy a dormir. Anabel dijo va a hablar el alcalde. Que hable, dijo Perla. Yo dije ¿la verdad, abuelita? Callate, culicagado, dijo Libia. Anabel dijo van a tomar las medidas necesarias. Mireya dijo subile el volumen. Anabel se negó, dijo se me acaban las pilas. Yo dije fue él, abuelita. Marta preguntó ¿quién? Anabel dijo: el alcalde. Perla dijo, desde el cuarto, ¡Vidal! Yo dije El Que Sabemos. Libia ordenó todos a dormir. Mireya dijo voy a buscar otro radio, y se fue. Marta dijo yo estaba soñando con papá, y salió para su cuarto. Anabel, antes de irse, dijo hay indignación y conmoción nacional. Libia dijo, yéndose, pobre ciudad. Yo me quedé solo en el patio mirando la noche, acariciando la cadena de oro, pensando en lo raro que era el monstruo, que de día daba regalos y de noche se ensañaba con su propia gente.

¿Será la misma bestia o será otra?, me preguntó Ilinka. Le dije es la misma. Ella dijo pero a nosotros no nos hacía regalos. Le dije nosotros nos dimos cuenta, después, que no eran regalos. ¿Qué era, entonces?, dijo ella. Le dije carnadas. ¿Y cayeron?, preguntó. Caímos, le dije. Ella dijo pues a nosotros nos atacó sin seducirnos, por eso pensé que nuestro monstruo era otro. Es el mismo, le dije, sólo que parece que fueran muchos. Ella no se veía muy convencida: ¿el mismo en Medellín y Sarajevo? Le dije tienen todo en común: un odio interminable y una historia sin salida. Le señalé la ventana del frente y le dije: mira, no hay que ir tan lejos. Ilinka y yo vimos cuando la mujer disparó dos escupitajos hacia un plato. Le dije ahí está él dentro de ella. Ilinka dijo pensé que estabas delirando. Hoy no he tomado nada, le dije. Ella me miró con cara de no te creo. Te lo juro, le dije, pero eso no quiere decir que más tarde no me tome algo.

Una ambulancia cruzó apurada, iluminó el apartamento con las luces rojas y nos dejó pensativos hasta que desapareció su lamento. Le dije a Ilinka quiero cambiar esta poltrona por una más cómoda en la que quepamos los dos. Ella me dijo me gusta estar apretada contigo. Le dije y también quiero cambiar el sofá por uno más grande. Ella dijo es tu dinero. Le dije pero es tu sitio y ella dijo tú pasas más tiempo aquí que yo. Le dije es por poco tiempo, el resto lo voy a pasar muerto. Yo también, dijo ella. Sí, pero yo antes, le dije. Ella dijo: si es que aquél no nos mata ahora. En otra ventana se asomó un niño con una ametralladora de juguete y comenzó a dispararles a los que pasaban abajo. Luego apuntó al frente y nos disparó.

Ilinka me dijo:

—Que no sean verdes.

—¿Qué cosa? —pregunté.

—Los muebles. Que no sean verdes. Todo en el bar es verde y no quiero encontrar aquí el mismo color.

—Entonces, blanco tampoco —le dije—. El hospital es blanco.

—El hospital es color hospital. Mezclas un tono azulado, un tono verdoso, uno grisáceo, una luz blanquecina, dos gotas de negro y ahí tienes el color hospital.

—El mismo que le combina a mi palidez —le dije.

(—Te pusiste pálido —me dice—. ¿Con quién hablabas?

—Con nadie —le digo.

—¡Cómo que con nadie! Yo te oí hablando.

—Con nadie —le digo.

—Entonces, ¿por qué quedaste así? Estás pálido.

Pálido y atónito. Lo mejor es decirle la verdad.

—Era Chelita.

—Ah —exclama—. ¿Qué quería ésa?

—Mataron a Buriticá.

—¿Otra vez? —me pregunta.

—Sí. Otra vez.

—Eso son cosas de ella para que vayás a verla —dice.

—No son cosas de ella.

—¿Ah, no?

—No —le digo—. Acordate que yo soy el que escribo).

Al otro día de la explosión del carro bomba, Libia se despertó tarde y no encontró a ninguna de sus hijas en la casa. Anabel le dijo se fueron a ver el boquete. ¿Cuál boquete?, preguntó Libia. El que dejó la explosión, dijo Anabel, como que mide cincuenta metros. Libia preguntó ¿y éstas qué tenían que hacer allá? Anabel dijo ¡jum! Libia dijo a lo mejor es otro boquete el que les interesa. Anabel sonrió y Libia le dijo traeme un vaso de agua, Anabel. ¿Qué te vas a tomar?, preguntó y Libia le contestó a vos qué te importa. Anabel le dijo pero a tus hijas sí. Libia le preguntó y a vos quién te manda, ¿esas o yo? Anabel le dijo si no me decís qué te vas a tomar no te traigo el agua. Libia refunfuñó, abrió la mano y dejó ver cuatro pastillas rojas de distintas formas. ¿Qué es eso?, preguntó Anabel. No sé, dijo Libia. Anabel preguntó ¿y para qué te las vas a tomar? Libia dijo porque hoy me tocan las rojas. Me queda más fácil tomarme las pastillas por colores: ayer fueron las amarillas, hoy tocan las rojas. Anabel se quedó mirándola y le dijo vas a envenenar a los gusanos, Libia.

—¡Anabel! —llama Perla desde mi cuarto. Está echada en la cama, recostada de medio lado. Al rato, y con desgana, llega Anabel. Perla le dice—: ¿qué es eso, Anabel?

Le señala algo que hay en la mesa de noche. Anabel se acerca y frunce la mirada. Dice:

—Un bicho.

—Un bicho —repite Perla y pregunta—: ¿y cómo lo supiste?

—Un bicho muerto —dice Anabel.

Perla se incorpora a medida que se ofusca. Le dice a Anabel:

—Bravo. ¿Cómo supiste que estaba muerto?

—Porque tiene las paticas para arriba —explica Anabel.

—¿Y hace cuánto se habrá muerto? —pregunta Perla.

Anabel suelta una exclamación de no tengo ni idea. Perla le dice.

—Pues yo sí sé. Como mínimo lleva ocho días de muerto.

—¿Y vos cómo sabés?

—Muy fácil —dice Perla—: lleva ocho días ahí, en el mismo punto.

Anabel abre la boca. Pregunta:

—¿Y qué le pudo haber pasado?

—Me importa un culo lo que le pudo haber pasado, lo que sí me importa es que lleve ocho días ahí.

Anabel se acerca un poco más al bicho y arruga la nariz. Perla se sienta, resopla y dice:

—¿Qué has estado esperando, Anabel? ¿Que venga una araña y se lo lleve?

—¿También hay arañas por aquí? —pregunta Anabel.

Perla se levanta, se para detrás de Anabel y, casi a los gritos, le dice:

—¿Qué tenés dentro de esa cabeza? ¿Gusanos? ¿No entendés que este apartamento se está llenando de bichos y de mugre? Sabés lo exigente que es Vidal con la limpieza, ¿qué te la pasás haciendo todo el día, Anabel?

—Esto se llenó de bichos desde que llenaste el apartamento de flores. Aquí ya no se puede respirar con tanta flor revuelta y con tanta vela. Aquí ya no se puede respirar —dice Anabel—, vamos a terminar ahogadas.

Perla coge el bicho con dos dedos, va hacia la ventana y lo arroja. Se cruza de brazos y le dice:

—¿Vos qué sabés de ahogos, Anabel? Dizque ahogada. Vos no sabés lo que es levantarse como si le estuvieran poniendo a uno un pie en el pecho, todo el día como si te estuvieran cerrando la llave del aire. ¿Ahogos vos? Vos que no has tenido un hijo que te ponga a sufrir, ni una mamá o un papá por quienes hacer fuerza. Vos que no has tenido que buscarte la plata para sobrevivir, vos que te limitás a comer y a cagar, vos…

Perla se queda sin aire, abre las fosas nasales y hace ruido cuando respira. Anabel la mira sin parpadear, abre y cierra la boca, como si quisiera soltar el taco que no la deja hablar. Luego de forcejear con el aire, Anabel puede decir:

—¿Cómo respirarías vos si no hubieras tenido un hijo, si no hubieras tenido un papá y una mamá, si no hubieras tenido cosas en qué pensar, si únicamente te limitaras a comer y a cagar como vos decís? ¿No te ahogarías cada mañana, cuando te despertás, si no tuvieras nada? —y, más despacio, enfatiza—: ¿absolutamente nada?

Perla sacude la cabeza y le dice:

—¿Qué estás diciendo, Anabel? No te entiendo nada.

—Yo tampoco te entiendo, Perla. No nos entendemos.

—No hace falta —dice Perla.

Yo las miro desde la Puerta de Alcalá, desde una calle empinada de Carcassonne o echado en el prado del Hyde Park. Desde cada pared de mi cuarto veo a dos viejas resollando, las dos con los brazos en jarras, enfrentadas solamente por la costumbre de carearse, y resolviendo el duelo de la única manera que lo saben hacer.

—Mejor tomémonos un trago —dice Perla.

—Pero vos lo servís —le dice Anabel.

—Malparida —le dice Perla.

—Vos también —le dice Anabel.

Desde afuera oí el tilín del hielo en el vaso. Me imaginé que si estaba tomando desde temprano, y que si ella misma venía a abrirme la puerta, era porque el asunto era urgente.

Graciela me abrió y vi que en la otra mano tenía el trago y las llaves del carro. Me preguntó ¿sabés manejar, bizcocho? Le dije: un poquito, y ella me preguntó ¿qué tan poquito? Lo poco que había aprendido en la camioneta de tío Amorcito cuando me la soltaba de vez en cuando para que yo aprendiera a hacerle las vueltas. Lo cierto es que me dejaba manejar, únicamente, para manosearme aprovechando que yo tenía ocupados los pies y las manos. Le dije a Graciela manejo bien en plano, las lomas me dan más trabajo. Caminamos hasta el carro y ella me dijo pues vámonos por lo plano, pero vos manejás. Se me enfriaron las piernas de sólo pensar que iba a manejar un Mercedes Benz 500 SL, coupé, color champaña, convertible, motor en V de ocho cilindros y cabrilla telescópica. Graciela me dijo no es por el trago, bizcocho, vos me has visto manejar sin problema cuando salgo de la discoteca. Le pregunté ¿entonces por qué no manejás vos? Ella me dijo porque estoy ciega de la ira y del amor.

Arranqué con cuidado para que el carro no corcoveara. Salí despacio mirando a cada lado, disimulé los nervios y puse cara de dueño. ¿Para dónde vamos, Graciela? Ella me dijo, haciendo sonar el hielo en el vaso, para cualquier parte, lo importante es salir de la casa, estoy segura de que Buriticá tiene micrófonos por todas partes. Le pregunté ¿qué te pasa, Graciela? Ella movió una palanca de la silla y echó hacia atrás el espaldar. Bebió y me dijo: Buriticá me quiere sacar de Medellín. ¿Qué estás diciendo, Graciela? Lo que oís, bizcocho, Buriticá dice que esto está muy peligroso, que se va a poner peor y me quiere mandar para Miami. Eso por un lado. Le pregunté ¿y por el otro? Graciela dijo: por el otro, no. Por todos los lados me quiero comer a Osorio.

A mí se me bajó la dicha de estar manejando el Mercedes. Se me iban a llevar la gallina de los huevos de oro. Quedé tan atolondrado que me pasé un semáforo en rojo y casi se nos viene un bus encima. A Graciela se le regó el trago en el vestido y me gritó ¡qué hubo, papá! Se metió los hielos a la

boca y me dijo: ero yo no e oy a ir ara ingún lao. Le pregunté
¿que qué? Escupió los hielos al vaso y me dijo no me voy a
ir para ninguna parte. Se echó otra vez los hielos a la boca
y los masticó, a mí se me erizó la piel y me dio un escalofrío. Cuando terminó, Graciela dijo: yo solamente me voy de
aquí cuando quede saciada de Osorio. ¿Así son las ganas?, le
pregunté. Ella me dijo ya me pueden decir la Mamá de las
Ganas. Yo le dije: la ganosa. Ella soltó una carcajada y me
dijo no, no, no, bizcocho, no me digás así, qué horror. Se siguió riendo y después dijo ay, bizcocho, yo no sé qué hacer.
Se quedó mirándome y me dijo no te imaginás cómo te luce
este carro.

Entonces tomé para el centro con el único propósito de pasar por el frente de la casa, y crucé los dedos para encontrarme a Libia, saliendo o entrando, y que me viera manejando
esa nave. Le dije a Graciela te voy a pasar por mi casa, pero
no me vas a decir nada que yo no vivo ahí por gusto sino por
necesidad. Ella me dijo ay, bizcocho, no me vas a hacer entrar, mirame esta facha, no estoy para visitas. Le dije: tranquila, que yo solamente quiero que me vea mi abuela. Llegamos
y Libia ni entraba ni salía. Me estacioné al frente y comencé a
pitar por si de pronto le daba por salir. Después de mucho pitar, la que salió fue Anabel. Graciela me preguntó ¿esa quién
es? Yo le dije: nadie, y a Anabel le dije decile a Libia que se
asome un segundo. Anabel se entró y yo le dije a Graciela: no
vas a decir nada cuando la veás, yo no tengo la culpa de que
me hubiera tocado una abuela así. Al momentico salió Libia,
me estiré para saludarla desde la ventanilla de Graciela y le
dije hola, abuelita. Libia se demoró en reconocerme. Graciela se acomodó las gafas oscuras, levantó la mano con el
vaso vacío y le dijo buenos días, doña... Yo le repetí hola,
abuelita, y cuando no le quedaron dudas de que era yo, tiró
la puerta sin decir nada. Graciela me dijo conque viniste a
descrestar, ¿ah, bizcocho? Le dije no, tenía la esperanza de
que le diera un infarto, pero estoy por creer que Libia no

tiene corazón. Arranqué y Graciela me dijo los que no tienen corazón son ustedes, los hombres. Suspiró y metió la lengua en el vaso para buscar algún pegote de alcohol.

Cuando nos acercamos a la casa de ella, le dije: yo te hago ese cruce, Graciela. Ella me preguntó ¿qué, bizcocho? Le dije: Osorio, yo te lo meto a la cama la primera vez y del resto te encargás vos. Graciela soltó un alarido, brincó en la silla, se le soltó el vaso, se pegó a mí y me dijo ¡yo sabía que me ibas a ayudar! El carro culebreó por el abrazo que me dio Graciela. Me dijo no tengo con qué pagarte, bizcocho. Yo aceleré y le dije claro que sí, Graciela, claro que tenés con qué pagarme. Ella siguió saltando eufórica en la silla, gritó ¡necesito un pase, bizcocho!, ¡un pase! Gritó ¡Osorio mi amor, Osorio mi amor! Yo saqué el codo por la ventanilla y hundí el acelerador a fondo, y vi cómo Medellín nos hizo venias a mí y a mi Mercedes Benz.

24

Ilinka me dijo: en tu apartamento hay ruidos extraños. Le dije esa es Perla roncando. Ella dijo no, es como si te metieras a un bosque a la medianoche. Le dije: también pueden ser tus fantasmas balcánicos. Ilinka dijo esos no son, yo a mis fantasmas los reconozco. Me contó que cuando llegó a París seguía oyendo tiroteos y explosiones, que se despertaba sobresaltada como si estuviera en medio de un bombardeo. Pasó mucho tiempo para que mis fantasmas dejaran de atormentarme, me dijo, y eso que todavía me asustan con uno que otro balazo que me roza el oído. Me preguntó ¿no vas a mirar la ropa que te traje? Le dije: ahora no puedo, no estoy en mis cabales.

Se recostó a mi lado, me acarició la mano y me dijo no sabía qué ropa traerte, toda tu ropa es muy bonita. Le dije tengo escalofríos, Ilinka. Se pegó más a mí, y le conté hoy me la he pasado todo el día con diarrea. Ella dijo tu estómago no aguanta más, tienes que comer algo que te alimente. Le dije estoy cagando agua, Ilinka. ¿Y qué esperabas?, me preguntó. Uno caga lo que come, estás expulsando vodka puro, Vidal. Le dije iba a llamarte al hospital pero no pude pararme, yo creo que ya reventó; así es como empieza: llega por el mismo sitio por donde te contagian.

Quedé enredado en alguna espiral del tiempo, en las que no hay nada que hacer sino dejarse llevar y caer donde el tiempo quiera soltarnos. Abrí los ojos cuando Ilinka decía es como si te metieras a un bosque a la medianoche. Le pregunté ¿qué viste? Ella dijo las sombras se proyectaban por todos los rincones, como flores gigantes, el resplandor de las velas cambia de color, los santos se ven inquietos en sus estampas, hay ruido de aves y gruñidos, y hay un espanto pequeñito que abre puertas, envuelto en humo. Le dije esa es Anabel. ¿Quién es esa?, preguntó Ilinka. Le dije no sabría decírtelo. Ilinka me dijo: iba envuelta en humo. Le expliqué: fuma de noche porque Perla no la deja fumar en el día. Pues debería dejarla, dijo Ilinka, porque, de todas maneras, el apartamento se mantiene lleno de humo y huele peor que cualquier cigarrillo. ¿De verdad huele mal?, le pregunté y ella dijo el olor te pega cuando entras, ¿por qué no hueles la ropa que te traje? Está impregnada de tu apartamento. Le dije: ahora no puedo, no estoy en mis cabales. Ella dijo no pude encontrar las medicinas que dejé la vez pasada, no estaban en la cocina, busqué en las alacenas pero no las encontré. Le dije esos remedios enloquecieron a Perla. Me preguntó ¿se los tomó? Le dije no, sólo con verlos. ¿Cómo lo supiste?, preguntó Ilinka. Le dije son cosas que se saben cuando uno ha desaparecido. Ilinka me dijo ella se va a enterar mañana de que sigues vivo. ¿Qué hiciste, Ilinka? Me dijo pegué en la puerta de la nevera una de esas fotos que te tomé. Le iba a reprochar pero no me dejó. No es justo lo que le haces, Vidal.

Perla habla por teléfono y con la mano cubre su boca y la bocina. Dice soy yo contra todos. Hasta Modot, que parecía de nuestro lado, ahora parece su aliado; seguramente se lo compraron, o a lo mejor Modot quiere quedarse con todo lo que nos corresponde. Imagínate lo que se les puede pasar por la cabeza a estos abogados franceses cuando les caen de clientes unos indios platudos como nosotros. Perla se queda callada, su frente casi toca la pared, como si hablara en un confesionario. Sigue: ya sé que no somos indios, excepto Anabel, claro, y la otra india que vive abajo, la que trabaja con los Villeret, ¿te acordás de ellos?, por aquí no han vuelto. En fin, el caso es que estos franceses nos ven como recién bajados de los árboles, y este Modot no nos ve distinto, yo no sé por qué lo contrataste, puede que le haya sido leal al viejo cacreco ese, pero quién nos garantiza que nos va a ser fiel a nosotros, ¿ah? Un resplandor ilumina un lado de la cara de Perla, ella se da vuelta y dice en voz alta ¡Anabel, corré que se regó otra veladora! Luego dice, bajito, ésta es otra que está rarísima, ya no obedece, se la pasa sobando un chandoso de la calle y luego sube y ni se lava las manos. Vuelve y grita ¡Anabel! Dice: te voy a tener que colgar, quién sabe ésta dónde se metió, y si no recojo esa vela de pronto se me prende la casa. Le da un beso ruidoso a la bocina y cuelga. De paso para la sala le llama la atención un sobre que se escurre por debajo de la puerta. Perla mira la veladora que se está extinguiendo y ve que arde el papel que la envuelve. Mira el sobre amenazante sobre el piso y no sabe adónde debe ir primero. Piensa qué tal que Vidal encuentre este apartamento hecho cenizas. Corre y sopla lo que queda de vela y el humo le hace arrugar la cara. Luego corre hasta la puerta, la abre y se topa con Anabel que está, al otro lado, con la llave metida en el pomo. Perla le dice:

—Ah, fuiste vos.

—¿Me llamaste? —pregunta Anabel.

—Sos vos la que me está haciendo esta cagada —le dice Perla.

—Te oí desde abajo.

—Te pillé, malparida.

Anabel entra y, sin darse cuenta, pisa el sobre. Perla sigue tras ella y le dice:

—Ahorrame el trabajo de agacharme y decime lo que dice ahí.

Anabel se da vuelta y pregunta:

—¿Ya empezaste a beber? ¿De qué me estás hablando?

Perla le señala el sobre en el piso. Anabel lo mira y dice:

—¿Otro?

—Sí —dice Perla—, otro, pero éste es el último porque ya no voy a dejar que me sigás güevoneando la vida.

Anabel apenas mira, Perla se devuelve, toma el sobre y lo abre con desparpajo. Dice:

—Ah, se ve que te ayudó la de abajo, ¿cómo es que se llama la mica esa?

—¿Qué dice ahí? —pregunta Anabel.

—¿Te lo repito?

Perla estira el brazo con el papel y echa la cabeza ligeramente hacia atrás, como si fuera a leer un edicto. Enfoca y lee:

—*Sortez sorcière*. Fuera, bruja.

Mira a Anabel y le dice:

—Bilingüe y todo. Qué bonito. Las felicito.

Anabel sigue estática, tratando de unir ideas, o esperando, al menos, que Perla las una por ella y pueda entender lo que dice.

—Entonces eso es lo que querés —dice Perla—, quedar igual a tu amiga, ¿cómo es que se llama, carajo?

—¿Dayessi?

—¡Esa! —dice Perla—. Lo que querés es que yo también me vaya y vos quedés como esa otra, Dayessi, dueña y señora del apartamento.

Perla da dos pasos adelante y rompe el papel en las narices de Anabel. Le dice:

—Te jodiste, Anabel, porque de aquí no me saca nadie y menos con amenazas pendejas.

Da un respingo y deja a Anabel tratando de asociar las últimas palabras con las del comienzo. Luego Anabel chasquea los dedos y le dice:

—Ah, lo que estás insinuando es que yo… —trata de seguir pero la risa la interrumpe, entre carcajadas dice—: ¿yo? ¿Vos? ¿Nosotras?

Perla ya va llegando a su cuarto pero se detiene a mirar a Anabel, con desprecio. Anabel le dice, desde el otro extremo:

—Si supiera escribir no te habría dicho bruja sino loca.

Perla entra al cuarto y tira la puerta. Anabel, desde su sitio, sigue diciendo, entre risas, loca, loca, ¡fuera, loca!

La que llegó como una loca al comedor fue Mireya, casi no le salía la voz para decir ¿ya vieron lo que hay en el garaje? Libia preguntó ¿qué hay?, y Mireya dijo: una nave. Yo presagié un resto de desayuno bastante turbulento. Libia insistió ¿qué nave?, y Mireya puntualizó: una narconave. Perla me miró, se puso de pie y salió para el garaje, seguida de las otras. Libia y yo nos quedamos sentados. Ella me dijo vos que sos más metiche que todas juntas, ¿no vas a ir a ver? Le dije ya sé lo que hay, yo mismo lo traje. ¿Qué cosa?, preguntó Libia. El carro, le dije, el Mercedes que está en el garaje. Ella me preguntó ¿el mismo que…? El mismo, abuelita; ¿querés que te cuente cómo lo conseguí? Ella me ordenó: no, mejor callate, mariquita. En esas regresaron Perla y las tías. Perla me preguntó ¿de dónde sacaste eso, Vidal? Y antes de que yo pudiera abrir la boca dijo ya sé, no me digás, más bien decime qué está haciendo esa cosa ahí. Le dije *esa cosa* es un Mercedes Benz 500 SL, último modelo, con motor de ocho cilindros. Ella dijo sí, güevón, pero por qué está parqueado en esta casa. Y antes de que yo pudiera explicarle, ella dijo si estás buscando que te maten, pues que te maten a vos solo, pero no nos metás a nosotras en tus enredos. Y Libia dijo, sin dejar de masticar, y qué que lo maten: un negro menos, una arepa más.

Perla me vació una cantaleta que todavía me retumba en los oídos. La dejé gritando ¡cuando ya no le sirvás te va a cortar el dedo chiquito del pie y te lo va a hacer comer, si es que Buriticá no te capa antes! Yo salí en el Mercedes para la cita que tenía en Baños de Apolo, una de las citas más importantes de mi vida: con mi destino, con mi futuro, con París, con Osorio. Lo había citado en la mañana porque los baños estaban vacíos, casi siempre los viejos maricas llegaban después del trabajo, o después de mediodía, cuando se escapaban de sus puestos con la excusa de una cita con un cliente. Ese cliente muchas veces fui yo, el cliente de mis clientes. Pero esa mañana no quería encontrármelos, necesitaba estar a solas con Osorio, no para lo que acostumbraba hacer sino para cuadrarle la vuelta a Graciela. Yo le había preguntado a Osorio ¿cuándo es tu día de descanso?, y luego le dije te voy a dar una entrada de cortesía para que pasés toda una mañana en los mejores baños turcos de Medellín.

Cuando él llegó yo ya estaba en toalla, ya había puesto el eucalipto, había puesto a enfriar la ginebra y había sacado las toallas más nuevas para él. Me pareció que Osorio no esperaba encontrarme porque me dijo: cuando vi el carro afuera pensé que la que estaba aquí era doña Graciela. Le dije ojalá, pero aquí no pueden entrar mujeres. ¿Y eso?, me preguntó. Caprichos del gerente, le dije. Comenzó a desvestirse, yo iba a ver lo que Graciela pagaría millones por ver. Osorio me preguntó ¿y venís mucho? Ya estaba en calzoncillos y no pude evitar mirar hacia abajo, y peor todavía, me pudo la costumbre y cogí su ropa y empecé a doblarla para meterla al locker. ¿Qué estás haciendo?, me preguntó Osorio. Me puse rojo, le dije podés guardarla ahí. Osorio se bajó los calzoncillos. Le dije este negocio es de un tío mío. Me dolían los ojos de tanto forzarlos para que no se clavaran entre las piernas de Osorio. Ya le iba a entregar la toalla pero me detuve, simplemente se la señalé. Ahí está tu toalla. Entonces me pregunté ¿cómo no voy a contarle a Graciela cómo es la verga de Osorio, de qué tamaño, de qué color, qué expresión tiene? Y mientras él cerraba el locker, y antes de que se enrollara la toalla, dejé que mis ojos memorizaran cada detalle de mi pasaporte a una vida mejor. Osorio me preguntó ¿qué pasa, *man*? Le dije, con confianza: y qué, Osorio, ¿una ginebrita? Le di una palmada en el hombro y le señalé el camino. Antes de que nos tragara el vapor, tuve la certeza de que si Graciela ya estaba medio loca por el guardaespaldas, iba a quedar loca del todo cuando viera lo que yo vi.

—Contame, bizcocho, no me hagás sufrir más.

Graciela se mordió un dedo, y yo, aposta, me quedé callado otro rato. Seguí manejando como si me importara más la carretera. Luego le dije:

—Vas a quedar de silla de ruedas, Graciela.

Ella pegó un grito y se metió dos dedos más a la boca. Yo asentí con la cabeza, le dije:

—Y te lo digo yo, que he visto de todo.

Graciela volvió a gritar, se metió el puño entero a la boca y empezó a saltar en el asiento. Me dijo:

—Y de lo otro, ¿qué le dijiste de lo otro?

—Todo quedó arreglado, Graciela.

—Pero ¿qué dijo él?

—Dijo: doña Graciela es muy generosa.

—¿Sólo eso? —preguntó Graciela.

—Me dijo: decile a doña Graciela que ya sé lo que tengo que hacer.

A Graciela se le escapó otro grito, se dio palmadas en los muslos, subió la ventanilla, abrió la cartera, sacó un tarrito con perico, le metió la uña del dedo meñique, se la puso debajo de cada fosa y aspiró.

—¿Querés?

—Toca celebrar —le dije.

Puso su uña debajo de mi nariz, aspiré dos veces, sin dejar de manejar, mientras Graciela canturreaba ¡papá, papá, Osorio es mi papá! Le pregunté:

—¿Puedo quedarme hoy con el carro?

Ella me dijo:

—Quedate con lo que querás —y se chupó la uña periquera.

Tocaba aprovechar porque así el monstruo se pusiera a veces generoso, últimamente se le veía bastante exaltado y yo no sabía qué podía pasar después. Algunos decían que estaba acorralado, pero yo lo veía más monstruo que nunca, como si su propia monstruosidad se lo estuviera devorando y hubiera una pugna entre monstruo y monstruosidad para ver quién era más cruel. Una bomba sonaba por aquí y otra por allá, una destruyó un periódico, otra tumbó un avión, un bus lleno de dinamita mató a setenta y dejó heridos a seiscientos, mataron a Galán en plena plaza pública y ante los ojos de miles, murieron más de quinientos cuando Estados Unidos se tomó a Panamá para buscar a un solo hombre: un amigo que ya no les era útil; más de quinientos mil salieron en Pekín a la plaza Tiananmen a pedir libertad y en el intento se les fue la vida a más de cien; la selección Colombia clasificó al mundial de fútbol; murió el ayatola Jomeini; mataron a "El Mexicano", un consentido del monstruo; otros consentidos lograron que su candidata fuera elegida, una vez más, reina de belleza nacional; aquí la única reina soy yo, aclaró Graciela, y a las pocas semanas vieron cojeando a la reina de belleza de los mafiosos; un carguero derramó once millones de barriles de petróleo en el mar de Alaska; murió Salvador Dalí; cayó el muro... Era como para enloquecerse, no se sabía muy bien si era el monstruo el que tenía al mundo así, o si era el mundo el que ponía frenético al monstruo. Perla decía el mundo está volteando al revés. Libia decía yo lo sabía, yo ya había anunciado el final. Marta decía la onda explosiva. Yo preguntaba ¿quién ha visto las llaves del Mercedes? Tío Amorcito me pedía subamos un momentico a la oficina, Graciela imploraba ¡Osorio! Y Osorio le contó a Buriticá lo que Graciela quería hacer con él, con el sapo de Osorio.

Y Perla me preguntó ¿qué hacemos con el conde? Le dije ¿por qué?, ¿qué le pasa? Ella dijo no le pasa nada y ese es el problema. Le dije: en ese caso, Perla, el problema es tuyo. Y tuyo, me dijo, porque se te va a ir la juventud cuidando a un viejo. ¿Y qué puedo hacer, Perla? Ella me dijo pues deberíamos comenzar a disfrutar lo que nos corresponde. Le dije yo ya empecé. Ella me miró desconcertada, dijo ¿ah, sí? Miró alrededor y preguntó ¿esto? Le dije hay otras cosas. ¿Qué?, preguntó. ¿Las cenas esas adonde no me llevan?, ¿las fiestas donde no se baila y se oye violín toda la noche?, ¿los, cómo se llaman, cómo es que les decís cuando salís a caminar con el conde? Le dije veo que todavía no has entendido de qué se trata todo esto. Ella insistió ¿cómo es que llama eso?, ¿cómo les decís? Le dije para vos todo sigue siendo pelotera y aguardiente. Ella insistía ¿cómo es esa palabra?, vos la decís a cada rato. Le dije para vos la única manera de disfrutar la vida es estando borracha. Ella decía pro... prom... Le dije *promenade*. Perla gritó ¡eso!, me agarró del brazo y, conteniéndose, me dijo prefiero vivir borracha, gozar borracha, a aguantármele los pedos a ese viejo.

(—¿Sabías que cada persona se echa catorce pedos diarios? —me pregunta.

No quiero hablar con nadie. No le hago ningún comentario, pero ella sigue:

—Es la única manera de evacuar los nueve litros de gases que produce el cuerpo al día.

Cuando llegó la miré, pero ahora no la miro. Además, no entiendo por qué me sale con ese cuento.

—No vas a pensar que es cuento mío —me dice—. Lo leí en *Le Monde*.

Ya me conoce y sabe lo que pasa cuando decido callarme. Ella dice:

—Me pregunto qué pensará la reina de Inglaterra si lee eso.

Se da por vencida y comenta:

—Pues como parece que en este momento estoy sola...

Oigo un estruendo y luego ella dice:

—Bueno, por hoy me quedan trece).

Me limité a matarla con la mirada y a sacudir el brazo para que me lo soltara. Ella no se quedó atrás y también quiso matarme con los ojos, pero los míos, por bellos, estaban acostumbrados a ganar y doblegaron a Perla, que con la mirada vencida y con otra voz, dijo: no me mirés así, Vidal. Le dije entonces no digás tantas güevonadas. Ella dijo ¿y qué más puedo decir si me da escozor de solo verlo, si no lo desamparás ni un segundo, si la vida se te está yendo haciéndole la sombra a ese señor, si ya no existo para vos… No pudo seguir hablando, clavó la cabeza en señal de entrega, dispuesta a recibir un último golpe. En medio del silencio incómodo pude oír a milord arrastrándose en sus pantuflas, acercándose con la respiración profunda, llegando para mirar un cuadro que se repetía casi a diario, tan común que ya ninguno de los tres decía nada porque, además, día a día íbamos aprendiendo a leernos en los tres pares de ojos.

En la ventana de la que escupía había una olla puesta sobre la estufa lista para recibir el escupitajo. Oí a un niño berreando como si lo estuvieran moliendo. Al edificio del frente llegaron dos carros de policía, con las sirenas apagadas pero con las luces rojas encendidas, se bajaron tres hombres y entraron caminando despacio. Oí dos cachetadas y luego a una mujer insultando. Oí una música indescifrable. Vi que se encendió una luz en un apartamento y entró una pareja besándose, sin despegarse se quitaron la ropa, no supe si eran un hombre y una mujer, dos hombres o dos mujeres; era una pareja de algo. Ni siquiera desnudos pude saber de qué sexo eran. No me despertaron ganas, no sentí nada. Me serví otro vodka y me tomé otra fluoxetina. Todavía faltaban dos horas para que llegara Ilinka. Tenía muchas ganas de hablar con alguien, se me ocurrió que podría llamar a Perla, solamente para oírle la voz. Los policías salieron con un muchacho, lo llevaban agarrado por los brazos, se subieron a los carros y se fueron. Al lado sonó algo parecido a un balazo. Pensé que podría visitar a Ilinka, caerle de sorpresa a Les Trois Doigts, pero me dieron nauseas y eché la cabeza hacia atrás. No sabía dónde quedaba el bar y en el apartamento no había directorio telefónico. Aunque era sólo cuestión de marcar el 12 y preguntar, apenas tuve alientos para correr al baño. De paso, alcancé a ver en otra ventana al frente, abajo, a la mujer que tanto miraba hacia acá.

(—¡Vení, corré, rápido! —me dice.
Voy junto a ella en la ventana, le pregunto:
—¿Qué pasa?
Me señala otra ventana al frente, más arriba.
—Allá estaba, por allá se asomó —dice.
—Yo no veo nada.
—No —dice—. Ya se fue).

Desde que comencé a llegar en el Mercedes a mis clases de francés en la Alianza, noté que el ambiente se fue cargando, por un lado, de envidia, y por otro, de un repentino interés. A la envidia ya estaba acostumbrado, pues siempre la desperté, sobre todo en un país de feos, pero con el carro pude confirmar que la belleza sin riqueza es un camino a medio recorrer. El Mercedes Benz de Graciela me ayudó a imaginar esa mitad que todavía me faltaba por transitar. Y a pesar de algunos comentarios destemplados y de una que otra cara que se volteaba cuando me veían pasar, noté que iba ganando en respeto y en admiración, tanto que llegué a considerar la posibilidad de no irme a París y quedarme en Medellín. Me pregunté si valdría la pena cambiar el Mercedes por el metro de París, el reconocimiento por el anonimato, la cabeza de ratón por la cola de león. Mientras a Graciela le resultara su embeleco con Osorio, yo tendría asegurada una vida que difícilmente podría darme en otro lugar. Por esos días, en Medellín, era mejor estar en el bando que tocaba y yo estaba en el adecuado. O eso creía, porque una mañana me despertó Graciela y, sin saludar, con una voz que casi no reconozco, me dijo:
—Se nos torció Osorio.

No me demoré más de un segundo en enfriarme. Ella me dijo:

—El hijueputa le contó todo a Buriticá.

—¿Qué es todo? —le pregunté con lo que alcanzó a salirme de voz.

—Todo —dijo Graciela—. Absolutamente todo, con pelos y señales.

—¿Y?

—Yo ya me voy, bizcocho. Estoy en la casa de mi hermana pero ya salgo para el aeropuerto.

—¿Para dónde te vas, Graciela?

—Para donde salga el primer avión —me dijo.

—Pero...

—Y si querés que te dé un consejo, bizcocho, vos también estás marcando calavera, desaparecete vos también.

—Pero... ¿para dónde me puedo ir, Graciela?

—Para la parte más lejos que podás. Buriticá está iracundo.

—Pero...

—Me tengo que ir, bizcocho, porque si este hombre me encuentra...

No sé en qué momento pasé de estar parado a acurrucado en el piso, esquineado, enrollado en el cable del teléfono y con la mirada clavada en la puerta de la calle, esperando a que alguien la abriera de una patada. Le dije:

—¿Y si hablamos con él? ¿Si le decimos que todo era un chiste para Osorio?

—Ay, papá —me dijo Graciela—, estás bailando con los pastores. No sabés cómo son las cosas aquí —al fondo pude oír voces que la llamaban. Ella me dijo—: bueno, chao, ahora sí me tengo que ir.

—Y tu carro, Graciela, ¿qué hago con tu carro?

—Dejalo por ahí. Es el único que hay en Medellín y es muy fácil de reconocer.

—Pero…

—Cuidate, bizcocho.

No dijo adiós, ni hasta luego. Antes de colgar oí que les dijo a otros: ya voy, que me esperen en el sótano; pasame la peluca, Rudy. Luego sólo pude oír el tono de ocupado emparejándose con el agite de mi corazón.

25

Sólo cuando me vi volando a más de treinta mil pies de altura y sin posibilidad de retroceder, consideré si mi decisión de venirme a París no era tan rápida como el avión que me transportaba. ¿De dónde saqué el tiempo para solicitar visa, tramitar pasaporte, comprar dólares, empacar, despedirme, si desde el momento en que Graciela colgó el teléfono hasta cuando el avión se olvidó del suelo colombiano, el tiempo se me hizo una bola de minutos, horas y días que rodaba veloz y lenta a la vez? Con los ojos cerrados, arrullado por las turbinas y por el cansancio después de tanto afán, traté de desenrollar la bola para poner en orden los acontecimientos.

¿Qué fue primero y qué fue después? ¿Cuándo le apliqué a tío Amorcito el dicho preferido de Graciela: es mejor deber plata que favores, y por eso le dije yo he hecho mucho por vos, tío Amorcito, ahora te toca hacer algo por mí? ¿Cuándo Perla me dijo no me digás nada, ya se sabe en todo Medellín? En qué momento pensé en vender el Mercedes y quedarme con la plata, ¿fue antes de pensar una cosa es que lo maten a uno por alcahueta y otra por ladrón?; ¿dónde dejé, entonces, el Mercedes? ¿Cuándo Libia me preguntó cómo querés que te vistamos para tu entierro? Cuántos días pasaron sin que Perla dejara de llorar, ¿fue antes o después de qué? ¿En qué momento tío Amorcito me entregó un papel con un nombre y un teléfono en París?; ¿quién era este José Roberto Faría? A quién besé por última vez en el aeropuerto, ¿a Perla o a tío Amorcito? Sé que, triste y todo, tuve los ánimos para intentar hacerle a Perla una última *pirouette*. Le dije: después mando por vos. A tío Amorcito le dije te portaste como un verdadero tío. Y después, al oído y con voz cálida, le susurré: te llevaré en mis pajas.

Salí de Medellín mirando a cada segundo por encima de los hombros, esperando, en cualquier momento, una bala de Buriticá. Hasta en el avión que me llevó a Bogotá todos los pasajeros me resultaron sospechosos, cualquiera podría tener la misión de matarme antes de conocer París. Y en Bogotá, antes de tomar el vuelo definitivo, todo seguía pareciéndome rápido y lento. Apenas tuve tiempo de compadecerme de su clima, agazapado en un rincón, viendo llover junto a una ventana, padeciendo la eternidad mientras llamaban a abordar. Fui el primero en subir y el último en entristecerme, aunque me habría gustado salir de otra manera. El avión atravesó el techo gris, respiré a fondo creyendo que todo había quedado atrás: Colombia, Buriticá, el monstruo, el tercer mundo, la fealdad. Recosté la cabeza y cerré los ojos sin sospechar que, al igual que en las películas de ciencia ficción, yo viajaba como uno de esos astronautas que, sin saberlo, recorren el espacio sideral con un monstruo dentro del cuerpo.

Sin embargo me dormí, todavía no tenía por qué preocuparme, el engendro seguiría inerte en mi sangre hasta cuando considerara oportuno despertar. Y ese momento sería cuando yo creyera que estaba a punto de alcanzar mis sueños; ahí, a dos milímetros de tocarlos, rugiría el monstruo decidido a aguar la fiesta. Mientras tanto, y a medida que el avión tragaba kilómetros, me deshacía del miedo y de la angustia de los últimos días, de la demencia contagiosa de Medellín y lo cambiaba por la excitación de acercarme a Francia. Una azafata anunció en un machacado francés, en un machacado inglés y hasta en su propio y machacado español que ya habíamos comenzado el descenso, que apagáramos los equipos electrónicos, enderezcan sus asientos, juro que dijo, y yo subí la ventanilla y ya era de día. Se veía la campiña, la colcha francesa verde y parda con castillos y mansiones que me transportaron del sueño a la más feliz de las realidades. No eran castillos en el aire como los que soñé desde niño sino reales y puestos en la tierra, con gente de verdad, con jardines y salones a los que me prometí entrar algún día, porque si la belleza no sirve para abrir castillos entonces no sirve para nada.

Al otro lado del mundo aún no había amanecido, no había cantado ningún gallo y Perla ya estaba despierta, con la mano puesta en ese espacio frío de la cama que yo había ocupado hacía apenas unas horas. Sólo la consolaba mi promesa de enviar por ella cuando me hubiera acomodado y solucionado los apuros económicos. Sintió que Libia pasó frente a su cuarto alumbrando con una linterna, oyó que Mireya hablaba dormida, la tos de Anabel que perforaba el amanecer, oyó un balazo a lo lejos, por fin cantó un gallo, la enfrió un viento que se coló bajo las cobijas, oyó a Libia gritando desde algún lugar *apage Satanus!* Todavía estaba oscuro y en la eternidad de ese amanecer Perla percibió, como nunca, la lenta transformación en espectros de todas las mujeres de la casa.

Yo estaba distraído, amarrándome los zapatos, y Perla entró caminando en puntillas, a mis espaldas, con la intención de asustarme. Me agarró por los hombros y yo fingí sorpresa para complacerla. Y porque preví que en unos segundos ella iba a cambiar su juego por otra pataleta, apenas le anunciara: vamos a salir, Perla. Cuando ella me preguntara ¿me alisto? Cuando yo le dijera: vamos a salir milord y yo, solos.

—Ah —dijo.

—No nos vamos a demorar —le dije—. Vamos a dar una vuelta en el carro.

—Y yo no quepo —dijo Perla.

Luego agregó tranquilos, vayan, demórense que todavía me falta mucho por limpiar y mucha ropa para planchar.

Me fui a la sala y ella, detrás, me decía demórense tranquilos que yo aprovecho y limpio el techo. Milord me esperaba, se puso de pie cuando me vio y me sonrió. Perla me dijo voy a aprovechar también para lavar los sanitarios. Le dije callate. Milord me preguntó *et les clés?* Saqué las llaves del bolsillo y se las mostré. Cuando estábamos en la puerta, milord se llevó la mano a la frente y me dijo *j'ai oublié de prendre mes pillules.* Perla me preguntó ¿qué le pasó?, ¿quiere que yo lo baje cargado? Le dije callate, Perla. Me fui al cuarto de milord, ella insistía, pero ¿qué pasó?, ¿en qué les puedo ayudar? Le dije en nada, a milord se le olvidó tomarse sus pastillas. Busqué los frascos en la mesa de noche y ella me dijo por qué no me lo dijiste, qué vergüenza con ustedes, ¿querés que le lleve un vasito de agua al señor o él las mastica? Saqué las pastillas y me di vuelta, le dije ya, Perla, ya hiciste el show de hoy, lo hiciste muy bien, te felicito. Salí rápido pero mejor hubiera esperado a que ella también saliera del cuarto, porque se quedó mirando, con ojos delincuentes, los frascos de las pastillas.

El timbre del teléfono le hace pegar un salto, trata de contestar pero el brazo no le obedece, se había dormido sobre él y lo tiene entumecido. El teléfono sigue sonando y ella apenas puede mover los dedos, entonces cambia de posición y levanta el teléfono con el otro brazo. Resopla cuando oye a Modot al otro lado. Estoy dormida, Modot. El abogado le dice discúlpeme, madame, pero le ruego que me llame apenas se despierte. Ella le dice vamos a ver si me acuerdo, ahora estoy muy dormida. Él dice más le vale que se acuerde, madame, porque pasado mañana tiene una citación por parte de un juez penal. ¡No me diga!, exclama Perla. Sí, madame, dice Modot, ¿tiene con qué anotar la dirección? Perla le dice: ahora no puedo, tengo el brazo dormido. Modot pregunta ¿y el otro? Con el otro, dice Perla, sostengo el teléfono. Modot le dice pues cuando despierten usted y su brazo, llámenme para darles instrucciones. Perla dice pues ojalá no se me olvide, abogado, porque es muy probable que confunda esta llamada con una pesadilla.

Yo también andaba medio adormilado y sentía la boca herrumbrosa, como cada vez que me despertaba de un sueño interrumpido. La sensación, últimamente, era la misma: primero diez segundos de extravío y después varias horas de tristeza. Miraba las paredes para ubicarme y después el reloj. Al rato me servía un trago de vodka para matar el sabor a hierro. Para lo demás me tomaba varias pastillas que al final no funcionaban. Nada funcionaba porque nada de lo que había para funcionar estaba bueno. ¡Qué puede funcionar cuando uno tiene la muerte respirándole en la nuca! Al frente vi a dos revolcándose desnudos. En otro lado, a varios que celebraban. Vi muchos televisores encendidos a las dos de la madrugada. Un viejo caminaba de lado a lado su apartamento, a veces se recostaba en la pared y luego seguía caminando. En algún piso de mi lado sonaba música salsa a todo volumen, más arriba sonaba algo árabe, tal vez abajo sonaba un rock pesado que amenazaba con derribar los muros. Los que estaban desnudos dejaron de restregarse, se quedaron quietos con los cuerpos trabados. Una punzada se me metió entre las costillas como si me escarbaran los pulmones, fui perdiendo aire y apenas tuve alientos para tomarme una maprotilina y cerrar los ojos. Al rato desperté y me gasté diez segundos en ubicarme y otro rato largo en salir de las sombras. Al frente vi a dos revolcándose desnudos.

(—Pues no puedo decirte que me da tristeza —dice ella.
Yo sigo en silencio, atolondrado y con la mirada perdida.
—Es más —dice—. Tengo que admitir que hasta me alegro.
Sigo callado.
—Uno no debería alegrarse con la muerte de los demás —dice—, pero a veces…
Sigo con la mirada puesta en algún punto fijo.
—¿Cómo la mataron? —me pregunta.

Si no le respondo ahora va a seguir preguntándome hasta que le cuente. Le digo:

—Le hicieron tragarse la verga de Osorio.

—¿Quién es Osorio? —pregunta.

—Un guardaespaldas de Buriticá.

—¿Y uno se muere por tragarse eso? —pregunta.

—Osorio era muy vergón. Ella murió ahogada.

—¿Y a él qué le pasó? Bueno, además de…

—También lo mataron —le digo—. Lo dejaron desangrar.

Muy a su pesar, ella pone cara de repudio. Se prepara para decir lo que yo sabía que tarde o temprano me iba a decir:

—Yo te lo dije. Todo el que se metiera con esa señora iba a terminar mal. Mirá de la que te salvaste.

Ahora me toca a mí. Le digo:

—Pienso en Chelita. Pobre.

Entonces ella se revuelve en su asiento y me dice:

—Veo que todavía no te has salvado de nada).

Renseignements France Telecom bonjour. Pedí la dirección del bar donde trabajaba Ilinka y después un taxi para llegarle de sorpresa, aunque mientras lo esperaba estuve tentado de cancelarlo. Hacía meses que no salía más allá de dos esquinas: en la primera retiraba dinero del cajero electrónico y en la segunda compraba vodka y algo de comida para Ilinka. Pero llevaba meses sin ver otras calles y sin subirme a un carro. Y esa noche, sin embargo, decidí irme a un bar. Si había un sitio en el mundo donde pudiera ir en mi estado era un bar, ojalá oscuro. Antes de que llegara el taxi traté, en vano, de componer mi aspecto con los cosméticos de Ilinka.

Por ningún lado decía Les Trois Doigts. No había ningún letrero, pero el taxista insistió en que esa era la dirección que yo le había dado. Me dijo *il y a de la musique à l'intérieur*. Bajé la ventanilla y sí, algo retumbaba adentro, pero más que música me pareció el ruido de una construcción. Habría preferido devolverme en ese instante, en el mismo taxi, pero antes de que pudiera considerarlo me chupó el pasillo negro y verde de Los Tres Dedos, y un latigazo me zumbó al oído.

Yo reconocía esos sitios con sólo olerlos. Antes de afinar el olfato pensé en lo que podría estar sucediendo: un error en la información que me dieron, una reacción acelerada de la maprotilina, o el lado oscuro de Ilinka escondido en un bar para sadomasoquistas. Ya conocía las máquinas de tortura, los crucifijos en forma de equis, ya había visto hombres colgando de las bolas, mujeres que arrastraban a hombres como perros, nalgas al aire llenas de moretones, mujeres colgando de pies y manos mientras las penetraban por boca, vagina y ano. Los que caminaban torpemente con grilletes, las capuchas de cuero, alambres en las tetillas, los ojos vendados, los escupitajos. Hubo ojos que me acecharon, que me vieron deambular por el bar y que se dieron cuenta de que así caminara derecho, parecía que lo hiciera arrodillado. Y sabía que no llamaba la atención por hermoso sino por pintorreteado. La música aturdía al compás de los látigos, de los planazos sobre las pieles y de los gemidos de placer y dolor que aquí venían siendo lo mismo. Había recovecos, varios pisos más, siempre hacia abajo, y mientras más se bajaba más intenso era el placer de los sufrientes o más intenso el de sus amos. Pedí un coctel fuerte que se llamaba "Orines de mi dueño". En el salón más grande había una mujer atrapada en una telaraña, un tipo gozaba con su verga prensada entre dos tablones y varios hombres se masturbaban sobre un muchacho. En una jaula enorme, colgada del techo, una mujer encapuchada soltaba patadas por entre los barrotes. Tenía las manos esposadas y parecía gritar a través de su capucha de látex. Otra mujer, a la que le sangraban los pezones, se paró frente a mí, creí que me miraba pero me di cuenta de que no miraba para ningún lado, estiró un brazo y así se quedó. La de la jaula seguía desesperada, algunos hacían el intento de bailar, me bebí hasta el fondo los "Orines de mi dueño", me pareció oír que alguien me llamaba desde un hueco, ¿mi dueño? Me pareció ver unos ojos conocidos detrás de aquel látex, entonces volví a mirar a la de la jaula, que sólo llevaba una tanga de cuero, me acerqué y la miré a los ojos y las tetas. Ella se sacudió con rabia, pateando por entre la reja. De tanto acercarme casi me gano una patada en la cara. Sus ojos eran lo único vivo en la masa de látex que le forraba la cabeza, y yo conocía esos ojos.

¿Te conozco?, me preguntó el desconocido y le dije que no, pero que seguramente conocía a tío Amorcito. Le dije él me dio su teléfono. ¿Quién?, me preguntó. Tío Amorcito, le dije. Creo que no lo conozco, dijo. Le aclaré: Alfredo, el dueño de Baños de Apolo, en Medellín. Se quedó callado y carraspeó. Le dije él me dijo que lo llamara a usted apenas llegara a París, que usted podría ayudarme. Un momento, me dijo. No se oyó nada y al rato sentí como si levantaran otra extensión, entonces él habló: ¿usted es sobrino de Alfredo? Casi, le dije. ¿Qué significa casi?, preguntó. Tío Amorcito es como de la familia, le dije. ¿Y él le dio mi número?, me preguntó. Sí, él me dijo que usted podría acomodarme. ¿Yo? Sí, le dije, usted, José Roberto Faría. Se quedó callado otra vez. Yo ya me iba impacientando con la situación, le dije sólo necesito que me vea. Él dijo no le entiendo, ¿para qué? Le dije sólo véame, José Roberto, y después decide qué hacer conmigo. Me preguntó ¿dónde está usted ahora? Todavía estoy en el aeropuerto, le dije. Luego de otro silencio, me preguntó ¿sabe tomar el metro? No, le dije, pero puedo preguntar. Pregunte por RER B, ¿tiene con qué anotar? Estoy anotando, le dije. Me preguntó ¿cómo me dijo que se llamaba?

Fui al baño y me lavé la cara, me eché colirio, vi que me lucía la barba trasnochada, me eché gel en el pelo, me eché loción para borrar todo vestigio de más de once horas de vuelo. En cambio, Perla fue al baño y ya se le notaba la lentitud de mi ausencia. Sentada en el sanitario, con el pelo revuelto y con la cara entre las manos, se quejaba del primer día que pasaba sin mí, después de vivir juntos más de veinticinco años. Hizo fuerza para orinar pero no le salió ni una gota, y cuando se cansó de estar sentada en la taza, se dijo qué voy a orinar si todo lo estoy meando por los ojos. La diferencia horaria nos daba la sensación de más distancia. Al menos yo conocía su rutina y podía calcular lo que ella podría estar haciendo, podía intuir que mientras me acercaba a París en tren ella estaría levantándose de la cama, hasta podía imaginarla en su primera meada, en el café que exigía antes de dirigirle la palabra a cualquiera, en fin, en la rutina perezosa de una casa que conocía de memoria. Pero ella no podía imaginarme entrando a París como un conquistador, con la ilusión puesta en las señas que me había dado el brasileño. Ella no podía sentir a París entre las piernas, como yo. No presentía hasta dónde iban a llegar mis ganas ni que esas ganas, luego, iban a traicionarme. Después de tanto recorrido y tanto esfuerzo, ni ella ni yo presentimos que yo podía terminar encerrado en una jaula colgante, en pelota y echado como un perro a los pies de una serbia que lloraba indignada, bajo su capucha de látex, porque yo le había descubierto su secreto.

¿Ilinka?, le pregunté y ella, desde arriba, me respondió con una patada en la mandíbula. Le agarré la pierna en su segundo intento por golpearme, le pregunté ¿cómo me subo?, y ella sacudió con ira todo el cuerpo. ¿Cómo me subo?, pero ella me envió otra patada que se perdió en el aire. Le di la vuelta a la jaula y encontré la puerta sin ninguna traba. Busqué a los lados algo para subirme y encontré un taburete de la barra. Todo lo que me había metido en la cabeza me ayudó a volar. Entré a la jaula como un pajarito que regresa porque no conoce otro mundo que el de las rejas. Me abracé a Ilinka para que no me demoliera a golpes, y en el abrazo, y a través del látex, pude oír que ella me gritó *glup!, slaboumnik!* Abajo, un hombre me hizo señas para que saliera y con una cadena le dio golpes a la jaula. Le dije ¡soy parte del espectáculo!, y, sin esperar, me quité la ropa. El hombre se tranquilizó cuando me vio desnudo. Ilinka también se calmó cuando me vio deslizar hasta el suelo y caer enrollado a sus pies, indefenso pero tranquilo, como un animal que sólo puede vivir en cautiverio.

No te puedo traer a vivir aquí porque vivo con mi mamá, me había dicho José Roberto antes de colgar, voy a acomodarte con unas amigas, una de ellas es mi... No supo qué decir o no pudo decirlo. Le dije puedo acomodarme en cualquier parte, es sólo por un tiempo. No quiso comprometerse con un desconocido en su casa y me citó en la calle. Si yo había anotado bien las señas no tenía por qué perderme: línea amarilla, estación de metro Bastille, buscar salida por Opéra Bastille, edificio redondo con espejos, escaleras entrada principal. Mi maleta no era grande pero pesaba, y era la pista para reconocernos. Me preocupaba, de todas maneras, que me confundiera con cualquiera de los miles que andan arrastrando maletas por París.

Llegué a las escaleras de la entrada principal y me encontré con unas ochenta personas, sentadas, mirando el angelito que corona la columna central de la plaza de la Bastilla. Descarté mujeres y niños y busqué a José Roberto entre todos los hombres que quedaban. Sin embargo, él llegó por detrás y me puso una mano en el hombro. Me di vuelta y le sonreí para sellar lo que él, en ese instante, comenzó a sentir por mí. Un tiempo después me confesó, entre los vapores de un hammán, lo que yo supe cuando me puso esa mano en el hombro: que no había esperado en las escaleras de la Opéra Bastille sino escondido unos metros más lejos, para analizarme antes de entrar en contacto. Me dijo: así tuviera referencias tuyas, eras un desconocido. Y que cuando me vio, pensó: ese no debe ser, no parece colombiano. Que siguió esperando a otro mientras yo miraba, despistado, la gente en las escaleras. Que luego se dijo: no parece latinoamericano, pero tampoco parece europeo ni francés. Que se dijo éste parece de otro mundo. Recordó mis palabras: sólo véame, y entonces fue ahí cuando se acercó.

¿Está pesada la maleta?, preguntó. Tenemos que caminar. No importa, le dije. Mientras caminamos, José Roberto quiso averiguar más. ¿Qué vienes a hacer acá?, ¿cuánto tiempo te vas a quedar?, ¿tienes trabajo?, ¿conoces a alguien más en París?, ¿qué sabes hacer?, ¿está muy pesada tu maleta?, no creas, me dijo, a pesar de lo bella, esta ciudad aplasta. Quién más que yo sabía lo que pesaba la belleza, pero yo también era bello y un bello en París es doblemente bello, y así como plata llama plata, a lo bonito le gusta lo bonito, entonces, ¿por qué iba a preocuparme de que París me fuera a aplastar? José Roberto me preguntó, otra vez, ¿qué sabes hacer? Fui honesto y le dije: de todo y nada. ¿Qué hacías en Colombia? Le dije trabajaba con tío Amorcito. ¿Con quién? Con Alfredo, le dije y él asintió recordándolo. ¿Y qué hacías? De todo, le dije y él entendió. Al rato levantó el brazo y señaló, dijo allá es, y se detuvo. Se paró frente a mí y me dijo te voy a pedir un favor, no les menciones a mis amigas lo de tu trabajo con Alfredo. Le dije ¿y si me preguntan qué hacía en Medellín? José Roberto miró hacia el suelo y dijo no creo que te pregunten, Flávia es muy prudente y la otra es muda, pero, no sé, invéntate algo. Le dije puedo decirles que soy *esthéticienne*, eso es algo que siempre he querido ser. José Roberto dijo alarmado ¡no, eso no! Flávia trabaja en una de las peluquerías y puede descubrir que no sabes nada de eso. ¿Una peluquería?, le pregunté. Él dijo sí, son mías, hay una aquí cerca y la otra está en la Place d'Italie. ¿Peluquerías?, pregunté otra vez invadido por la dicha; ¿será verdad tanta belleza?, le dije a José Roberto.

En Medellín, Perla miró el reloj y le dijo a Libia: ya llegó, ya está en París. Trató de llenar con un suspiro el vacío que sintió en el pecho. Se preguntó en voz alta ¿ya habrá almorzado? ¿Qué estará haciendo? Y Libia, que no había dicho nada hasta entonces, dijo no soy adivina pero puedo imaginarme lo que está haciendo. Perla le dijo dejalo tranquilo que ya no está acá. Libia dijo quién sabe a quién estará engatusando con su delirio de belleza. Perla le respondió no es ningún delirio, es la verdad a secas. Libia dijo toda verdad tiene un tope y cuando se sobrepasa se entra en los terrenos de la mentira. Perla dijo la belleza de Vidal no es de mentiras. Claro que es de mentiras, dijo Libia, sobre todo porque es belleza física. Se quedaron calladas un momento y luego Libia dijo: sólo esperate a que llegue a viejo, si es que llega, para que descubra la verdad de su belleza. Perla le dijo callate, y vio que Libia sacó del bolsillo un puñado de pastillas verdes.

Perla tomó el frasco de vitamina C que había en mi cuarto, no lo había encontrado por casualidad sino que recordó haberlo visto y fue a buscarlo. Aprovechaba que estaba sola porque yo había salido con milord. A ella se le había quedado en la cabeza la imagen del propanolol, una de las tabletas que milord se tenía que tomar a diario y que a Perla se le parecía tanto a la vitamina C que yo tomaba para las gripas. Sacó una de mi frasco y se fue al cuarto de milord, sacó otra de su frasco y las comparó. Puso cara de estar pensando: bueno, la verdad es que no se parecen tanto. Las midió y hasta las olió por separado. En su cara se podía leer: no se parecen tanto pero un viejo puede confundirse, la vejez y la fuerza de la costumbre… Puso cara de ¡por Dios, qué es lo que estoy pensando!, y hasta se dio la bendición sin soltar la pastilla de los dedos. Pero cuál, ¿el propanolol o la vitamina?, ¿cuál era cuál? Perla se confundió por un instante y uno podía leer en su cara la duda y la evidencia: si se confundió ella, que tomó con cuidado cada tableta de sus respectivos frascos, ¿cómo no iba a equivocarse un pobre viejo que tomaba su droga por inercia, casi sin mirar el frasco, siempre sin mirar la pastilla?

Yo abrí la boca, saqué la lengua, cerré los ojos y recibí la pastilla que alguien me dio a través de la reja, sin importarme qué me estarían dando. Ya llevaba bastante rato enjaulado con Ilinka pisoteándome y necesitaba meterme cualquier cosa en la cabeza. Cualquiera que fuera la hora, Les Trois Doigts estaba a reventar y todavía me faltaba una hora más de encierro, hasta que Ilinka terminara su turno de "prisionera encadenada para su propia satisfacción". Me tragué la pastilla con una gota de saliva que logré acumular.

Perla, medio dormida, estiró el brazo y se echó otro sorbo de whisky. Libia abrió un ojo, estiró el brazo y se tragó una tableta de glimepiride. Anabel bostezó y se tragó una mosca. Marta abrió la boca y dijo, adormilada, la onda explosiva. El monstruo abrió la boca y se tragó a dos mil, envió un zarpazo y se llevó a mil quinientos, escupió y ahogó a doscientos cincuenta. Milord abrió los ojos en la penumbra y tanteó el frasco de propanolol. Tanteó el vaso de agua en la mesa de noche y resbaló por su garganta lo que tendría que ser el antiarrítmico diario que lo mantenía con vida.

A esa misma hora, todos los días, Perla comenzó a despertarse con repentinas palpitaciones de culpa en el pecho.

26

Yo insistía: no puede ser verdad tanta belleza, y Flávia me dijo *você é bonito e você é de verdad*. Y la Mudita, a falta de palabras, asintió con la cabeza y con las pestañas. Volví a preguntar ¿cuándo empiezo?, y la Mudita dibujó en el aire, con dedos y manos, la respuesta: cuando quieras. Compré una tarjeta de teléfono y llamé a Perla, le pregunté ¿qué estabas haciendo? Ella me dijo pensando en vos mientras armaba un rompecabezas. Le pregunté ¿cómo están todas? Me dijo cómo querés que estemos: más viejas y más aburridas. Yo creo, Vidal, que dentro de poco me voy a ir de esta casa. Le dije acordate, Perla, que dentro de un tiempo yo… Vos qué, me interrumpió, vos te pasás semanas sin llamar. Entonces le dije adiviná qué. Ay, Vidal, no seás cansón, decime lo que me vas a decir. Conseguí trabajo, le dije. ¿De verdad?, preguntó Perla. Le dije parece mentira que lo haya conseguido tan rápido, ¿cierto? Ella me preguntó ¿y eso dónde? Le dije en La Reine des Ciseaux. ¿Dónde? En un salón de belleza, le dije.

No me emocionó tanto el hecho de haber encontrado un trabajo como haber encontrado un peldaño para asentar mi próximo paso. Todavía no sabía qué seguiría pero estaba seguro de que muy pronto iba a aparecer el otro escalón. Así se lo dije a Perla y ella me dijo con tal que arriba no se te olvide que existo yo. Le pregunté ¿qué más ha pasado por allá? Ella me dijo aquí la única que pasa es la muerte. ¿Quién se murió?, le pregunté y ella dijo: miles. Le pregunté ¿y Libia clasificó? No, pero está en la fila, dijo. Nos reímos. Ah, y se voló El Que Sabemos. ¿De dónde?, le pregunté. Pues de la cárcel, me dijo, dizque se escapó disfrazado de mujer. Me reí otra vez y le pregunté ¿y alguien lo vio así? Ella me dijo: seguramente los cómplices. Y nuestra conversación terminó como siempre, de sopetón, cuando se acabó la tarjeta.

Perla se quedó pensativa al lado del teléfono, mirando el aparato. Luego fue a la biblioteca donde estábamos milord y yo. Me dijo:

—Pobre Fanny.

—¿Qué le pasó? — le pregunté.

—Se le escapó el tigre.

—Pues no debe ser muy complicado encontrar un tigre en Medellín.

—Yo no creo que lo encuentren tan fácil —me dice—. Me parece que ella misma lo ayudó a escapar.

—*Qu'est-ce qu'il y a, Vidal?* —preguntó Milord.

Perla le rugió y sacó la mano crispada como si diera un zarpazo. Milord se echó hacia atrás y me miró aterrado. Yo le reproché a Perla y ella me dijo:

—Le estoy explicando, pero ya que no entendió, explicale vos. Y decile que Fanny quería más a ese tigre que a todos sus maridos.

—¿Para qué le voy a decir eso?

—Para que sepa —me dijo— que entre un animal y un hombre toda mujer prefiere al animal.

Ilinka me dio otra patada para indicarme que ya podíamos salir de la jaula. Yo no estaba dormido ni despierto sino en otra galaxia, no tan lejana. A ella le desataron las manos y se descolgó. Yo seguí en pelota y en cuatro, mirándola desde arriba. Ilinka se levantó la capucha, hasta la altura de la boca, y me dijo ¿vas a quedarte ahí? Hizo ademán de tirar la puerta y salté empanicado y sin equilibrio, caí boca arriba junto a ella, y por un instante creí que no había caído al piso sino al techo. Ella no me ayudó a levantar y salió a cambiarse sin importarle que yo la siguiera dando tumbos, abrazado a mi ropa, a la distancia de todo esclavo, de los siervos y los subyugados que gozaban con la humillación en Les Trois Doigts. Ilinka me cerró una puerta verde en las narices y yo me acurruqué a esperarla. Al rato salió como la conocía, me dijo vístete y yo la miré indeciso. Ella taconeó, vístete que nos vamos, dijo, y yo me levanté hasta su altura. Ilinka me dijo voy a dejarte donde tu mamá.

Perla le dice a Anabel: tengo el presentimiento de que hoy va a venir Vidal. Anabel le dice ese presentimiento es viejo. Perla dice no, el de hoy es nuevo, es distinto. ¿Qué tiene de distinto?, pregunta Anabel. Perla le responde: la convicción. Va hasta la puerta del apartamento y la abre, Anabel le pregunta ¿para dónde vas? Para ningún lado, dice Perla, voy a dejar la puerta abierta y no se te ocurra cerrarla. Anabel pregunta ¿ni por la noche?, y Perla le dice ¡menos por la noche!, lo más seguro es que él logre escapárseles aprovechando la oscuridad. Anabel pregunta ¿y si se entra alguien más? ¿Quién más?, pregunta Perla. Anabel dice pues los que echan sobres por debajo de la puerta. A esos, o a esas, dice Perla con malicia y espera una reacción de Anabel; luego añade: al que sea sólo le interesa dejar el sobre, no le importa entrar, y a lo mejor ni se atreve si ve la puerta abierta porque lo que menos le interesa es dejarse ver. Anabel pregunta ¿sabés quién es? Claro que lo sé, dice Perla. Se para en medio de la sala como repasando que todo esté en orden y le pregunta a Anabel: ¿la cama de Vidal está arreglada? Anabel asiente. ¿Con sábanas limpias? Anabel asiente. Perla le dice ponele una jarra de agua en la mesa de noche, y una toalla en el baño que a lo mejor va a querer bañarse después de la fuga, ¿me oíste, Anabel? La otra está mirando la puerta abierta y el pasillo oscuro. Perla se le arrima: ¿qué pasa?, ¿cuál es el problema? Anabel le dice si al menos tuviéramos un perro que nos cuidara. Perla le dice ¿no te has dado cuenta de que es el dueño el que siempre termina cuidando al perro? Pero un perrito... intenta decir Anabel y Perla vocifera: lo único que le falta al pobre Vidal es que después de escaparse, de esquivar culebras, zorros, minas quiebrapatas, después de pasar toda una noche escabulléndose venga a toparse, precisamente en su propia casa, con un perro que no lo deje entrar. Anabel menea la cabeza y, señalando hacia afuera, dice:

—No sé, pero me parece que esa puerta es más para salir que para entrar.

Ilinka ya se sabía de memoria el código de entrada. Yo seguía sin entender qué estábamos haciendo ahí, pasadas las cuatro de la madrugada, frente al portón de mi apartamento de Courcelles. Le dije a Ilinka nosotros no vivimos aquí. Ella me preguntó ¿nosotros? Le dije tú y yo. Ella dijo ¿ese "nosotros" es el que te da derecho a meterte en mi vida? No me he metido en tu vida, le dije. Ella dijo te metiste hasta en mi jaula. Quise enroscarme otra vez entre sus pies, no como en la jaula para suplicarle protección sino para impedirle entrar. Pero me quedé inmóvil cuando ella marcó los números y abrió el portón. Puso un pie adentro y me hizo una seña para que entrara. Le pregunté ¿por qué le pones tanto misterio a esa jaula? Ella se devolvió y se paró frente a mí, porque es mi jaula, dijo, porque es mi vida y porque no tienes derecho a meterte, yo nunca me he metido en tus cosas. Le dije: ahora te estás metiendo. ¿Qué?, me preguntó. Me estás obligando a entrar, te estás metiendo en mi decisión, le dije. Ella me dijo tú empezaste. Le dije fue un accidente. Ella se dio vuelta y vio que el portón se había cerrado de nuevo. Volvió a entrar, el sensor encendió la luz del vestíbulo y alumbró a Ilinka sosteniendo la puerta para que yo entrara.

En Medellín, Libia también abrió la puerta pero no había nadie afuera; sin embargo dijo siga, monseñor, siga. Estiró el brazo para ofrecerle la casa, luego cerró la puerta, se llevó las manos al pecho y dijo: una palabra suya bastará para sanarme. Marta y Mireya presenciaron la escena con la boca abierta y en silencio. Libia pasó junto a ellas y las miró con severidad por no haber saludado. Entonces, sin ponerse de acuerdo, las dos le hicieron una pequeña venia al espíritu de monseñor.

Otra que abrió una puerta fue la Mudita cuando llegué a trabajar, por primera vez, a La Reine des Ciseaux. Desde lejos ya la había visto asomada en el vidrio, esperándome. Me vio, corrió a la puerta y la abrió, abrió su sonrisa y su brazo para indicarme que pasara. Sus manos aleteaban para mostrarme cada ángulo del salón de belleza y cada cosa que yo iba a usar: aquí los secadores, allá las cámaras de bronceo, el cuarto de depilación con cera, el mueble de los champús, los tintes, los acondicionadores. Los dedos de la Mudita señalaron, veloces, las toallas, las capas, me presentaron la manicurista, la recepcionista, los otros peluqueros, la Mudita haciendo de su silencio toda una algarabía. Flávia le dijo ¡ya cálmate, niña!, y a mí me preguntó ¿qué te parece? Me agarró distraído mirando el nombre del salón pintado en el vidrio y pensando cómo iba a hacer para cambiarle el "reina" por "rey". La Mudita salió en carrera cuando una alarma le recordó que ya tenía que quitarle el tinte a una clienta. ¿Qué te parece?, repitió Flávia y a mí se me contagiaron la mudez y la excitación de la Mudita. Sólo pude levantar los hombros y suspirar con fuerza.

Respira profundo, me dijo Ilinka en voz muy baja, pero apenas tuve aire para decirle: la puerta está abierta. Ella se adelantó un poco, estiró el cuello y se dio vuelta para decirme es verdad, está abierta. Nos quedamos tan quietos que el sensor de luz no detectó ningún movimiento y nos dejó en la oscuridad. Sólo nos alumbraba el resplandor que salía desde el apartamento. Ilinka agitó un brazo y se volvió a encender la luz del pasillo. Yo me agarré la cabeza y me recosté contra un muro. Vamos, me dijo Ilinka y yo le pregunté ¿qué está pasando allá adentro? Ella dijo vamos a averiguarlo. Le dije pero esa luz, Ilinka. Ella dijo esa luz es... Le dije ¿mi altar?

Ella asintió. Yo seguía con las manos en la cabeza, le dije me está fallando la omnisciencia, Ilinka. ¿Qué? Le dije no sé qué está pasando adentro, no sé si Perla está dormida o esperándome, ni siquiera sé si está ahí adentro. Ilinka me susurró: pues sólo hay una forma de saberlo.

(—No estoy seguro de si debo seguir adelante —le digo. Ella mira hacia afuera por la ventana y no dice nada. Entonces le digo—: creo que la imaginación me está traicionando.
Entonces se voltea y me dice:
—Eso te pasa por mentiroso.
—Imaginar no es lo mismo que mentir.
—No sé —dice—, pero el que miente sí imagina, ¿o no?
Vuelve a mirar hacia afuera, a buscar al otro lado de la ventana. Le digo:
—No. Eso son imaginaciones tuyas.
Me dice:
—Dame un minuto y te muestro lo que hace rato me estoy imaginando).

Avanzamos hasta el umbral y nos quedamos quietos mirando hacia adentro. Me pareció que a cada segundo la sombra de Ilinka se desplazaba de su sitio. Le dije quédate quieta, me pones más nervioso de lo que ya estoy. Ella me dijo lo que se mueve son las llamas de las velas. Desde donde estábamos sólo vimos el resplandor inquieto que salía de la sala. Me dijo le has metido demasiadas porquerías a tu cabeza. Por qué me pones a hacer esto, Ilinka, esto no es fácil. ¿Y qué es fácil?, preguntó. Le dije: aparte de destruir, nada. Ella dijo sigamos, entonces.
Si no me hubiera visto colgado en todas las paredes le habría dicho a Ilinka que ese no era mi apartamento. Hacia donde miré me vi en poses y en lugares que ya había olvidado. Ilinka iba dos pasos adelante y cuando llegué a la sala vi el altar por encima de su hombro. Abrí la boca y exhalé. Ca-

miné hasta el centro y miré todo alrededor. Le dije a Ilinka así debe ser el cielo. Me refería al cielo de los que creen y no al mío, que iba a ser solamente tierra, gusanera y podredumbre. Ella me dijo: a mí me parece una escenografía delirante, más que de luto parece de fiesta. Le dije es porque todavía no me he muerto. Ella dijo pues, entonces, no sé lo que celebran.

En la mitad de tanta luz y tanta cosa se entronizaba mi imagen en un intento de ser el dios del pequeño mundo de Perla. Mira, le dije a Ilinka, tiene más miedo que yo. ¿Por qué?, preguntó. Le mostré aquí tiene a san Emigdio para que la proteja de los sustos. Señalé más arriba y le dije mira, deja la puerta abierta pero se encomienda a san Bartolomé para que la proteja de los robos. Ilinka me preguntó ¿cómo haces para reconocer a todos éstos? Porque estudié con los curas, le dije. Ella buscó una estampa en el altar y me preguntó ¿a éste lo conoces? Me acerqué, lo miré y negué con la cabeza. Ella me dijo es san Sava. Le pregunté ¿es tuyo? Sí, yo lo puse, me dijo. Miré dos santos más arriba y me reí, dije esta Perla no cambia. Le mostré a Ilinka a san Antonio de Padua y le dije éste da novio y marido.

Sobre la mesa de centro había una botella de aguardiente, abierta y casi llena. Me eché un sorbo, le ofrecí a Ilinka pero arrugó la cara. Me preguntó ¿ya no tienes miedo? No, le dije, Perla está dormida y no va a despertarse. ¿Por qué estás tan seguro? Le dije porque hoy no está planeado que vayamos a encontrarnos. Me eché otro trago y le dije a Ilinka: vamos a mi cuarto.

De paso me asomé a la biblioteca y ahí los encontré callados, concentrados en el rompecabezas. Iba a seguir a mi cuarto pero Perla me hizo señas para que me acercara. Milord siguió buscando piezas en el arrume. Perla me dijo miralo, ¿no lo notás como muy raro? Pregunté ¿quién?, ¿él? Perla dijo a mí me parece que hoy se levantó más tembloroso. Lo miré un rato y él sintió el peso de mis ojos, me miró como preguntándome cuál era el problema. Levanté los papeles que tenía en la mano y le dije *j'ai payé les factures, milord*. Él no comentó nada y volvió al paisaje alpino del rompecabezas. Perla me dijo ¿sí lo ves? Le dije lo veo normal. Ella dijo yo lo veo más mermado. Le dije a lo mejor es el sexo con vos lo que lo tiene así. Perla pegó un alarido con risa y horror que hizo que a milord se le soltara la pieza que ya iba a poner. Ella se contuvo y le dijo *excuse moi*, señor. Él se levantó y dijo *je vais aux toilettes un moment*. Y mientras se alejaba, Perla dijo, señalando con la boca a milord, ¿yo con éste? Le dije ¿por qué no?, si ya llevan casi un año de casados. Perla aprovechó y quitó dos piezas que milord ya había encajado en el rompecabezas y las puso a su lado. Me dijo en voz baja, como si él pudiera oírla desde el baño: este señor ya está en la edad metálica, ¿sabés cuál es? Le dije que no y ella me explicó: cabellos de plata, diente de oro y pipí de plomo. Hizo una mueca de carcajada y luego me dijo ¡qué se le va a parar a ese viejo! No sé qué vio Perla en mis ojos o cómo interpretó mi silencio, pero de pronto se puso muy seria y me preguntó ¿o qué creés? Le dije ¿qué creo de qué? Ella dijo ¿le funciona o no le funciona? Le dije yo qué sé, puede que sí, puede que no. Ella insistió ah, no sabés. Sentí que milord salió del baño. Le susurré a Perla: yo lo único que sé es que eso es parte de la intimidad de milord. Ella, también susurrando, me preguntó ¿y de la tuya no? En esas entró milord, me di vuelta para mirarlo y, como siempre que me miraba, me sonrió. Cruzó para volver a su silla y vi que se había chorreado el pantalón. Perla también clavó los ojos en la bragueta de milord y, ladeando la boca, me dijo ¿sí ves lo que te digo?, al pobre ya le tiembla el pulso hasta para mear.

De paso para mi cuarto oí el murmullo que salía del radiecito de Anabel. Ilinka me preguntó ¿qué es lo que suena? No eran voces ni música sino un ruido de emisora mal sintonizada o de pilas descargadas. Le hice una seña a Ilinka para que hablara más bajito; si a Perla los tragos la ponían a dormir como un tronco, a Anabel, por el contrario, le agui-

347

joneaban el sueño. Luego abrí la puerta de mi cuarto y entré al mejor de los recuerdos. Ese cuarto, en su momento, fue la culminación de todo un proceso: muchos sacrificios, mucho sudor y culo en los baños turcos, horas interminables postrado en cuatro debajo de tío Amorcito que tuvieron su final feliz en esa habitación del boulevard de Courcelles, con los lujos, las comodidades y el prestigio de vivir en uno de los mejores sitios de París. Ese cuarto era un trofeo, un premio insuperable hasta cuando apareció la oportunidad de ganarme el premio mayor.

Me eché otro sorbo de aguardiente y me tiré sobre la cama junto al oso de peluche. Vi sombras en el techo que me mostraron el otro tiempo en el que fui sólido y del que yo pensaba que era el tiempo real, en el que era posible proyectar y manipular la felicidad. Ilinka se sentó en el borde de la cama y me dijo: no es lo que yo quisiera pero lo mejor es que te quedes. Una sombra en el techo me dijo que no, yo no podía usurpar el lugar que ya les pertenecía a las sombras. No puedo, le dije a Ilinka. ¿Por qué?, preguntó. Porque este cuarto es uno de esos sitios a los que sólo se puede volver a través de recuerdos, le dije. Ilinka dijo pues ya hemos vuelto. Le dije no, aquí todavía sigo siendo un recuerdo. Ella preguntó ¿y yo? Le dije tú ya eres parte de eso. ¿De ti?, preguntó y yo asentí. Volvió a preguntar ¿también soy un recuerdo de este cuarto? Asentí en la oscuridad y ella se dejó caer sobre mis piernas. Le acaricié el pelo y le pregunté ¿ves esas sombras? Le mostré el techo y todo lo que se proyectaba arriba se agitó para exhibirse. Ilinka me dijo yo también compartí historias con las sombras. Le acaricié la frente, le rocé los párpados y ella cerró los ojos. Me imaginé que los dejó cerrados, incluso cuando le toqué la boca y le bordeé los labios con el dedo, los tenía entreabiertos y mi dedo se metió por el medio, buscando que se abrieran un poco más hasta que le toqué los dientes, me unté de su saliva y conseguí lo que estaba buscando: que ella me lamiera el dedo. Entonces las sombras del techo se quedaron quietas, sin viento y sin motivos para distraerme. Ilinka me chupó el pulgar, el índice, se chupó uno y luego el otro, el del corazón, a cada uno le fue impregnando saliva tibia. Se metió dos a la vez, y tres, y a pesar de que quiso meterse la mano entera nunca se afanó, siempre chupó despacio y con dulzura, como si mi mano fuera una bola de helado que ella no quisiera que se derritiera. O como la sombra que nos separaba. Cerré los ojos porque las sombras ya estaban quietas y no tenía sentido mirarlas. En ese momento me servía más cerrarlos.

(—Voy a decirte la verdad para que después no estés preguntándome con quién hablaba o por qué tengo la cara así, o por qué me quedé mirando un punto fijo, o por qué me enredo cuando me hablás: he estado pensando mucho en ella, mucho, mucho.

—¿Y qué sentís? —me pregunta.

—Siento que me hace mucha falta).

Afuera hacía viento pero las sombras no se movieron. Ilinka se recostó en mi pecho y me agarró con fuerza el dedo que se sacó de la boca. No quiso soltarlo. Abrí los ojos y entre las sombras del techo me pareció ver una que tenía la forma de Ilinka sobre mí, y que todo lo demás seguía quieto, excepto dos sombras que parecían las de dos cuerpos que se movían, acompasados, por expansión y contracción. Las sombras de la calle les abrieron espacio a las sombras de los cuerpos, le dije: mira a donde fuimos a dar. Le señalé arriba. Ella puso un dedo suyo en mi boca para callarme pero yo abrí los labios y comencé a chupárselo. Me quedaban muy poca saliva y muy pocas fuerzas. Me parecía que todo lo que tenía dentro del cuerpo se iba desprendiendo, que cada órgano se iba desgarrando y también cada recuerdo. Chupaba en seco un dedo de Ilinka y en cada succión me parecía que me iba, despacio, hasta que ella sacó el dedo, afanada, y me preguntó

¿viste eso? Le dije no, no vi nada, creo que me estaba... Ella me interrumpió: un perro se asomó a la puerta. Muriendo, dije. Era un perro, dijo ella. Le dije era la muerte. Respiré profundo, ella miró el reloj y dijo son las cinco y media, Vidal, ¿te vas o te quedas? Le pedí que me ayudara a levantar. Le dije voy a llevarme el oso. ¿Eso?, preguntó. Éste, le dije y le pedí que me ayudara a llevarlo. Ese animal es inmenso, Vidal, ¿para qué quieres llevarlo? Voy a llevármelo, le dije, y mientras salíamos los tres del cuarto, le conté: este oso tiene su historia.

Un hammán es un exotismo que no les cuadra a los baños turcos de Medellín. Yo quería saber cómo eran los de París, tantear mi terreno y, de paso, agradecerle a José Roberto por su generosidad. Le pregunté por los mejores y él me dijo ¿te gusta ir a un hammán? Nos miramos y sentí que caíamos en el punto muerto donde tantas veces termina una atracción: dos hombres que se miran, que se atraen y saben que la vida les cambiaría si pudieran leerse el pensamiento, pero el silencio y los prejuicios levantan un muro alto donde chocan las ganas secretas del uno por el otro, y todo se queda en miradas y en deseos muertos. Yo fui de los pocos que aprendieron que si uno no quiere morir de remordimiento la única opción es correr el riesgo. Yo, sobre todo, no podía traicionar mi belleza dejando pasar las oportunidades. Por eso le dije a José Roberto me gusta ir a un hammán y me encantaría que me acompañaras. Y una vez solucionado el riesgo, lo demás es mi historia y su comienzo incierto.

En un punto de esa historia están los vapores de un hammán en la rue des Pyrénées, mi mano sobre el pecho peludo de José Roberto y yo diciéndole pareces un oso. Luego más cerca: *mon gros nounours*. Dos días más tarde, un oso de peluche enorme llegó en brazos de un mensajero que preguntó por mí pero no dijo quién lo enviaba. Flávia buscó alguna firma en la tarjeta y la Mudita quedó más muda que nunca. Yo me reí para mis adentros.

¿Fue ese oso el comienzo de todo? Uno qué va a saber si la vida está llena de comienzos. Cada día es un estreno y en esa madrugada se fue gestando el comienzo de algo definitivo en mi historia, en el asiento trasero de un taxi en el que viajábamos Ilinka y yo, y el oso en medio de los dos. El único que sonreía era el oso. Yo hacía esfuerzos por entender qué era ese "algo definitivo" que me invadía, pero el amanecer y la intoxicación no me ofrecieron otra opción que no fuera mi final. Traté de contárselo a Ilinka pero no me salió la voz. Ella llevaba los ojos cerrados y los dedos puestos debajo de la nariz. El oso volteó la cabeza y me miró. El taxista me guiñó el ojo por el retrovisor. Ilinka parecía dormida pero bajó la ventanilla y le puso la cara al viento. En cualquier momento Perla se iba a despertar para decir:

—Hoy amanecí con los presentimientos a flor de piel.

Anabel dirá:

—Yo sentí ruidos anoche.

Perla le dirá:

—Esos son anuncios del regreso de Vidal.

El oso me guiñó un ojo y el taxista volteó la cabeza para mirarme. A Ilinka se le escaparon dos lágrimas de sus ojos cerrados, pero el viento se las evaporó. El oso me dijo acabas de entrar en la etapa c2 de tu enfermedad. Le dije sí, tal vez eso es lo definitivo.

27

Aquel 2 de diciembre que partió la historia de Colombia en dos, quedó marcado en nuestra memoria con las imágenes que vimos en la televisión y que tanto nos costó creer. Anabel salió de la cocina con el radiecito pegado a la oreja y gritando ¡prendan, prendan el televisor! Perla se levantó de la máquina de coser y cuando Libia llegó a la sala ya Mireya y Marta miraban boquiabiertas. En París era casi la una de la mañana, Flávia y yo nos habíamos quedado dormidos viendo una película que la Mudita seguía con entusiasmo y, por casualidad, en una tanda de comerciales a la Mudita le dio por cambiar el canal y se encontró con las escenas que nadie olvida. Ella nos sacudió con fuerza a Flávia y a mí, que estábamos echados a su lado, nos señaló la pantalla y en nuestro amodorramiento sólo vimos a un hombre gordo que yacía tendido y sangrando sobre un tejado. La Mudita me explicó con sus manos locuaces que habían matado a El Que Sabemos.

Libia no alcanzó a sentarse. Apenas vio al muerto sobre las tejas rotas, con bigote hitleriano y rodeado de soldados que hacían con los dedos la v de la victoria, les dijo a las otras: prepárense para lo peor porque ese muerto nos lo van a cobrar a todos. Luego se encerró en su cuarto. Marta preguntó angustiada ¿más bombas?, y Mireya le reprochó a Anabel: decidite, Anabel, o el radio o el televisor, pero el ruido de las dos cosas nos va a enloquecer. Perla seguía hechizada mirando la noticia, y sólo al rato dijo no sé si llorar o reírme. La Mudita me preguntó ¿y ahora qué?, ¿qué va a pasar?, ¿qué va a ser de Colombia? Sus manos preguntaron nerviosas y luego se quedaron abiertas esperando mi respuesta. No sé, Florencia, le dije mientras veía cómo en una camilla descolgaban, de un segundo piso, a El Que Sabemos, tan muerto como sus víctimas. No sé qué va a pasar, le dije, lo único que sé es que el monstruo sigue vivo, así ahora todo el mundo piense lo contrario.

Tal vez sea cierto que aquella tarde fue histórica para Colombia, pero también es cierto que no ha cambiado mucho desde entonces. Y no creo que vaya a cambiar nunca mientras haya colombianos sobre la Tierra. Esa noche pensé en Graciela y en Buriticá, en el revuelo que estarían viviendo, Graciela en su escondite y Buriticá en su nuevo trono. Muerto El Que Sabemos, Buriticá era el sucesor. Yo al menos me había escapado a tiempo de la agitación y mi deber, entonces, era concentrar todos mis esfuerzos en la conquista de Francia. Ya habían pasado varios meses y era hora de trepar otro peldaño. Todos los días me le encomendaba a la Santa Suerte para que me diera otro chance, hasta que me oyó en su infinita generosidad.

—*Yo preciso de un gran favor* —me dijo Flávia,

Las oportunidades no siempre se dejan ver y casi siempre andan ocultas en la cotidianidad. No era la primera vez que Flávia me pedía un favor, pero esa sí iba a ser la última.

Por lo poco que le entendí supe que estaba en papeleos con la oficina de Inmigración, algo relacionado con su solicitud de residencia y con otras vueltas en la embajada de Brasil, que no podía atender esa tarde a una de sus clientas a domicilio, que por favor fuera yo a atenderla y le dijera que ella iría la semana siguiente.

—Es una clienta muy especial —me dijo.

—¿Qué tengo que llevar? —pregunté.

—Nada —dijo—. *Madame tiene seu proprio kit.*

Apenas puse el pie en Courcelles sentí una energía premonitoria, como la de alguien que entra en terrenos ajenos pero los siente como propios, como cuando uno mira alrededor y dice esto es lo mío. Lo reafirmé en cada paso, cuando subí y entré, cuando le anuncié a la criada que yo venía a atender a madame de Cressay. Lo sentí mientras esperé en el vestíbulo. Oí que adentro, en algún cuarto, un hombre y una mujer discutían en voz alta, y aunque la situación pudo haber sido incómoda para alguien más, para mí esas voces estaban impregnadas de elegancia y nobleza. Eran gritos de gente rica y sólo por eso era un placer oírlos gritar.

Entre la discusión de la pareja se filtraban sonidos ancestrales, y el eco de reyes y príncipes sonaba atrapado en los objetos maravillosos. Estuve quieto y firme esperando alguna orden pero mis ojos no daban abasto con los detalles, ni el olfato con el abolengo que emanaba de cada cosa. En un retrato al óleo estaba la que tendría que ser la señora. En una pose sin esfuerzo, dejaba ver dos virtudes que rara vez se juntan: elegancia y naturalidad, y un matiz de insolencia en su belleza.

La criada me dijo que esperara un momento. Pasé un dedo sobre una mesa y me subió un escalofrío desde la uña hasta el pecho. Si no me calmaba me iban a fallar las tijeras, el cepillo y los lápices. Entendí que si dejaba ver el musgo tercermundista, esa oportunidad iba a quedar enterrada bajo tierra y para siempre. Caminé hacia un espejo palaciego y vi que todavía estaba a tiempo para dejar de ser el que había llegado y salir convertido en el que soñé desde niño. La emoción me había fruncido los labios y dilatado las fosas, pero todavía estaba a tiempo para invocar el mejor recuerdo que tenía de los cuentos de hadas: espejito, espejito, dime quién es el más bonito. Cerré los ojos para verme como el príncipe del cuento y, en un ligero temblor, percibí los destellos de la buena suerte. Un portazo me hizo abrir los ojos y sacudirme.

El hombre que pasó veloz frente a mí, y al que le hice una ligera reverencia cuando se detuvo dos segundos para mirarme, era el conde Adolphe de Cressay, el mismo que un tiempo después fue cayendo en desgracia, justo después de que se hubiera casado con Perla. A ella le dije tenés razón, Perla, estoy viendo a milord muy desmejorado. Esa vez, ella no se inmutó y me dijo los años no vienen solos, Vidal. Le pregunté ¿será que llamamos al médico? Ella reviró ¡para qué!, ¿o es que acaso los años tienen cura? Milord insistía en que se sentía bien, que eran cosas del clima pero nunca lo había visto tan agitado en otros veranos. Perla me dijo: a esa edad cada verano cuenta. Le dije él nunca ha reconocido sus achaques. Ella dijo nunca los va a reconocer mientras esté con vos. Le pregunté a milord si se estaba tomando cumplidamente su medicina. *Mais oui, Vidal, tous le jours, tous le matins*. Perla asintió y dijo yo misma se lo recuerdo todas las mañanas.

El mismo que se desvanecía ante nuestros ojos fue el que salió ofuscado, esa mañana, después de discutir con su primera esposa. Luego apareció la criada y me dijo que podía pasar al cuarto de madame, y me pidió que la siguiera. Ella se quedó en la puerta y me indicó que pasara.

La cortina apenas estaba a medio abrir y la poca luz que había era la que entraba por aquel pedazo de ventana. La cama estaba vacía y revuelta, y me pareció raro que, a las cuatro de la tarde, todavía no estuviera arreglada. No vi a nadie. Saludé para anunciarme y para que apareciera la señora, pero nadie contestó. Lo único que oí fue el ruido de una arcada, en otro lado. Vi un tocador largo con cinco cabezas plásticas con pelucas, todas distintas pero del mismo tono. Iba a irme cuando otra vez retumbó el rugido de alguien que vomitaba. Salí al pasillo y la criada ya se había ido. Oí que vaciaron el sanitario. Se abrió la puerta del baño y apareció la señora casi desmadejada, con un pañuelo en la boca, en bata de noche y con la cabeza calva.

—Sigue, Flávia —dijo a través del pañuelo, y caminó vacilante hasta dejarse caer en la cama.

—Flávia no pudo venir, madame —le dije—. Pensé que le habían avisado.

Yo en la puerta y ella en la cama éramos, todavía, dos bultos irreconocibles en la penumbra. Ella hizo un esfuerzo para incorporarse, al tiempo que estiró el brazo para tratar de encender la lámpara, pero ninguno de los dos impulsos le funcionó.

—¿Quién es usted, entonces? ¿Qué hace aquí? —dijo tratando de mostrar fortaleza en la voz, pero a medida que hablaba, las palabras se le iban diluyendo en el intento.

—Flávia me envió, madame. Pensé que ella la había llamado.

—Váyase —me dijo, con lo que le alcanzó de esfuerzo.

Fue como si la bolita de una ruleta hubiera pasado de largo sobre el número al que yo le había apostado todas las fichas. Otra vuelta y la bolita siguió rodando, otra vuelta…

—Que tenga una buena tarde, madame —dije y me alejé de la puerta.

La ruleta comenzó a girar despacio. La bolita rebotó sobre varios números. Una vuelta más y la bolita…

—Espere —dijo madame, desde el cuarto.

—¿Sí, madame?

—Abra la ventana, por favor, me estoy quedando sin aire.

La bolita cayó en mi número. Ella necesitaba aire y yo luz para que ella me viera. Abrí las cortinas y subí la ventana. La señora seguía con los ojos cerrados y se ventilaba con el pañuelo.

—¿Se siente bien? —le pregunté.

—No —dijo, meneando la cabeza—. Y no vuelva a preguntármelo.

Abrió los ojos un segundo para mirarme, los volvió a cerrar y, al instante, los volvió a abrir. Se quedó mirándome. Me pareció que algo la perturbó. Me preguntó:

—¿Qué hora es?

—Las cuatro y diez, madame.

—Empiece —dijo.

Me acerqué y le pregunté:

—¿Prefiere que sea ahí en su cama, madame?

—A mí no tiene que hacerme nada. Arréglelas a ellas —y señaló las pelucas sobre el tocador.

Me mostró la caja con los cepillos, junto a un portarretrato donde había una señora que nada tenía que ver con la que jadeaba en la cama. No tuve que fingir la tristeza grande que sentí. Ella notó que me quedé mirando la foto y me dijo:

—Y apenas es de hace un año.

Tomé el portarretrato y lo miré con atención. La miré a ella y le dije:

—Si me permite un atrevimiento, madame.

—¿Cómo te llamas?

—Vidal —le dije. Luego insistí—: si me permite un atrevimiento…

Sin soltar la foto me acuclillé junto a la cama para decirle, de frente y muy despacio:

—Déjeme devolverle algo que le pertenece, madame.

Sin dejar de mirarme, se llevó otra vez el pañuelo a la boca. Le dije, con su retrato en mi pecho:

—No entregue antes de tiempo lo que nunca van a quitarle.

Sus ojos se iban aguando en cada parpadeo, pero ni con ellos encharcados dejó de mirarme. Se quitó el pañuelo de la boca y me preguntó:

—¿Alguna vez un monstruo te ha dicho lo hermoso que eres?

Esa noche le dije a la Mudita: era todo o nada, Florencia. Los ojos de ella parecían a punto de saltar. Le dije sólo tenía diez segundos para entrar y quedarme o para salir y no volver, y en ese tiempo tuve que relacionar lo que iba viendo con lo que iba entendiendo: vómito, pelucas, enfermedad… A mí todo me agarró por sorpresa pero si algo tenía claro era que no podía delatar esa sorpresa y que, por el contrario, tenía que moverme con toda familiaridad. La Mudita me dijo, con señas, que ella tampoco sabía nada de la señora Suzanne, que Flávia era muy prudente y nunca hablaba de sus clientes, y lo peor, interpretó la Mudita, es que Flávia era muy celosa con sus clientes exclusivos, como la señora Suzanne. Yo no le estoy quitando nada, le dije, ni siquiera sé si la señora me va a volver a llamar, yo simplemente le ofrecí lo mejor de mis servicios y dejé abierta la puerta, eso sí, por si algún día tengo que volver a entrar. La Mudita hizo un gesto de peligro y una mueca de advertencia. Con todo y eso, no te imaginás lo mal que Flávia le arregla las pelucas, le dije; se las deja como pelo de maniquí. La Mudita me preguntó que yo dónde y cuándo había aprendido a peinar pelucas. Le dije nunca, en ninguna parte, hoy fue la primera vez, pero sólo tuve que imaginarme que cada cabeza de plástico era la cabeza de una reina. La Mudita me preguntó que si la señora había quedado contenta con mi trabajo. Con decirte, Florencia, le contesté, que ella misma me contó que cuando estaba sola no se ponía peluca, y cuando la dejé se quedó con la peluca puesta. Además, le hice un masaje que le devolvió el color a la cara. La Mudita hizo una mueca de complicidad. Yo la imité. Y antes de que llegara Flávia, le hice a la Mudita la pregunta que me estaba muriendo por hacer: Florencia, ¿qué sabés del esposo de la señora Suzanne?

Milord se llevó la mano al pecho, donde se gestaba una atrofia ventricular izquierda, para decirme que tenía una horrible corazonada. En la cocina, Perla confirmó el presentimiento de milord cuando le echó a la sopa dos cucharadas más de sal. En Medellín, y también en la cocina, Libia rebuscaba entre los peroles, refunfuñando: por aquí tiene que estar, yo la dejé por aquí, sin saber que alguien se le había adelantado y le había botado la cajita de octanyl que ella misma había escondido. En el apartamento de Ilinka yo me servía un vodka para resbalar el doxepin que ya tenía en la boca. Ilinka dormía, profunda en su cama, abrazada al oso.

Anabel siente que se enferma apenas sale al boulevard de Courcelles y no ve a Tiburón por ningún lado. Lo llama a voces pero el perro no aparece. Arriba, en el apartamento, Perla está roja de ira hablando por teléfono con Modot. El abogado le está haciendo ver los riesgos que ella corre por no haber atendido la citación del juez. Si tiene tantas ganas de verme, le dice Perla, pues que el juez venga acá. Modot le dice así no funcionan las cosas en este país, madame. Ella dice pues aquí y en cualquier parte si uno quiere ver a alguien, va y lo busca. Él dice me temo que cuando vayan a buscarla será para arrestarla. Ella vocifera ah, entonces usted también está de acuerdo con ellos. Él dice lo único que sé, madame, es que su actitud la vuelve más sospechosa. Lo único que yo sé, Modot, dice ella, es que cuando aparezca Vidal los va a mandar a todos para la mierda. Perla cuelga de un golpe. Anabel entra y cierra la puerta de otro golpe. Perla le pregunta:

—¿Y ahora qué te pasa?

—Eso mismo te pregunto yo —dice Anabel—. ¿Ahora qué te pasa?

—A mí, nada —dice Perla.

—Pues a mí tampoco —dice Anabel y sale para la cocina. Perla la sigue y le reclama:

—Cuántas veces te he dicho que no cerrés la puerta.

Anabel se da vuelta y, sin pensar, le responde:

—Pues por dejarla abierta fue que se salió.

—¿Se salió? —pregunta Perla, extrañada—. ¿Quién? ¿Vidal?

Anabel se atraganta, carraspea, tose. Se hace la boba y pregunta:

—¿Vas a almorzar ya o más tarde?

—¿Has estado bebiendo, Anabel?

—No me hagás caso. Fue que pasé muy mala noche.

—No te preocupés —dice Perla—, que yo nunca te he hecho caso.

A punto de salir de la cocina se detiene, piensa y le pregunta a Anabel:

—¿Por casualidad no has visto un revólver que estaba guardado por ahí?

—¿Un revólver?

—El revólver de Adolphe —dice Perla—. Una vez Vidal me lo mostró, pero no sé dónde lo guardó.

—Pues yo no he visto nada.

—Pues si lo ves me avisás, pero no lo vas a tocar.

—¿Vas a almorzar ya? —le pregunta Anabel.

—No —dice Perla—. Me voy a echar un sueñito a ver si se me aparece Vidal y me dice dónde metió el bendito revólver.

Perla se va y Anabel le dice, desde la cocina:

—¡En vez de pistolas te deberías conseguir un perro!

Perla se echa en la cama y cierra los ojos, murmura ¿dónde lo pusiste, Vidal?, y al rato se profundiza. Yo también me quedé dormido y me pareció sentir una mano en el hombro. Pregunté angustiado ¿Juan?, pero vi que era Perla. ¿Quién es Juan?, me preguntó. Le dije ¿qué querés, Perla? Me dijo ¿con quién estabas soñando?, ¿quién es Juan?, ¿dónde escondiste el revólver, Vidal? No le respondí sino que miré entre mis piernas. Ella también se dio cuenta de que yo tenía una erección. Volteó la cabeza y me dijo ¡qué horror! Antes de que se fuera, le dije dejame seguir soñando tranquilo. Ella dice ¿tranquilo?, sos un vicioso, Vidal. Luego cada uno regresa a su propio sueño.

Más tarde me desperté y vi que Ilinka estaba haciendo café. El sonido mañanero de tazas y platos, junto con el burbujeo que anuncia el café, me ha parecido siempre un sonido maternal. Aquella era la primera mañana después de descubrir su jaula y de habernos chupado los dedos. No recordaba que hubiera pasado algo entre ella y yo, pero entre nosotros flotaba esa sensación que atolondra a quienes han tenido una primera noche de amor. Me vio despierto y me sonrió, yo le devolví una sonrisa medio dormida. Nos miramos como dos niños de ocho años que acaban de ennoviarse. A pesar de mi resaca, todavía no me invadía la depresión. Ilinka se acercó silenciosa, me ofreció café y se sentó junto a mí a mirar las ventanas del frente. Desde hacía meses me estaba mereciendo aquel instante de paz. Al rato le dije:

—Quiero volver a tu jaula.

—No creo que te paguen por echarte a mis pies —dijo.

—Estoy dispuesto a pagar para que me dejen hacerlo.

No dijo nada, simplemente asintió mientras tomaba café.

(—Cuando eras chiquito —me dice— me metías la manito a la boca para que yo te la chupara. Y no te gustaba chuparte tu dedo sino el mío.

—¿Y eso quiere decir algo? —le pregunto.

—Qué importa lo que quiera decir. ¿Eso en qué cambia las cosas? Eras feliz y punto.

—¿Y si vuelvo a chuparte la mano puedo volver a ser feliz?

—No —me dice—. Seguramente ahora hay otras cosas que te dan más placer.

De todas maneras, ella se mira su mano vieja. La aprieta en un puño y la esconde. Sigue mirando hacia afuera y señala al frente:

—Aquélla, por ejemplo, la que está preparando café.

Me paro a su lado y miro. Me dice:

—No sé qué se chupó, pero tiene una cara de felicidad…).

Flávia traía cara de brava y yo ya me imaginaba el porqué. A mí, en cambio, la cara se me torcía tratando de disimular tanta alegría. Flávia me dijo aquí todos somos gente profesional, todos respetamos nuestra profesión y nos respetamos entre nosotros mismos. Yo iba a hablar pero ella levantó la mano y me calló: voy a imaginarme que no manipulaste nada y que tú eres tan profesional y respetuoso como todos nosotros. Volvió a levantar la mano en mi segundo intento por hablar, me dijo: ella insiste en que vayas tú. Como Flávia estaba decidida a no dejarme hablar, no lo intenté más. Ella me dijo: hoy, a las tres. Todo lo dijo en estricto francés, sin dejar de mirarme con severidad. Los músculos de mi cara seguían saltando, le dije que sí con la cabeza. Ya para terminar, ella me dijo en portugués *você nunca poderá me pagar, Vidal*. No muy lejos, la Mudita se había quedado paralizada, con un secador prendido, mirándonos con la consternación sellada en la cara. Con la misma expresión que puso Clémenti cuando Perla le dijo que necesitaba hablar con él para mostrarle dónde podía encontrar a su hermano.

—Usted está loca, señora —dijo Clémenti.

—Puede que sí —dijo Perla—. Pero recuerde que también soy bruja, usted mismo me lo ha dicho en esos sobres que me manda.

—Usted está enferma.

—A su hermano no se lo comió el leopardo ese.

—Guepardo.

—Su hermano está vivo, Clémenti, y yo le puedo decir dónde.

Perla quería contárselo, pero no deseaba que Clémenti fuera a su apartamento. Se citaron en la esquina de Haussmann y Caumartin. Luego entraron a un café. Perla le dice:

—¿Sabe que saludé a otro cojo pensando que era usted?

Clémenti le dice:

—Si sólo vino a eso…

Lo interrumpe el golpe seco de un libro enorme que ella descarga sobre la mesa.

—¿Sabe qué es esto? —le pregunta Perla.

—Un atlas —dice Clémenti—. De mi tío.

—De mi esposo —dice Perla.

—Asesinado —dice Clémenti.

—Tiene razón —dice Perla—. Lo asesinó la vejez.

Perla abre el atlas en la página que había marcado. Saca las gafas de su bolso. No lo voy a demorar, le dice a Clémenti. Le da vuelta al libro para que él pueda leer. Ella pone un dedo sobre un círculo trazado en el norte de África.

—¿Tobruk? —pregunta Clémenti.

—Cuando los atacó el animal, el niño salió corriendo muerto de miedo —dice Perla—, y corrió, corrió, corrió hasta que se le ampollaron los piecitos.

Clémenti suelta una carcajada que le inflama la cara. Le pregunta a Perla:

—¿Sabe cuántos kilómetros hay entre Kericho y Tobruk?

—Lo único que yo sé —dice ella— es que el miedo hace volar. Además, fue su hermano el que me dijo que estaba ahí. Lo he visto varias noches seguidas. El pobre niño me muestra un mapa y me señala dónde está.

—¿Niño? —pregunta Clémenti, a las carcajadas—. ¿Sabe cuántos años tendría Jacques ahora?

—El que me habla es el niño que una vez Adolphe me mostró en una foto. No me estoy inventando nada, señor, los mensajes nocturnos son así —se atreve a tomarle la mano a Clémenti y, suplicante, le dice—: no sea cruel. Vaya búsquelo, vaya por su hermano a Tobruk.

Clémenti suelta la mano y le pregunta:

—¿Y no le dio la dirección?

Perla cierra los ojos, se echa para atrás y, muy pausadamente, le dice:

—Lo vi entrar a una casa con una puerta azul.

Clémenti estalla en otra carcajada. Cuando puede, le dice a Perla:

—Lástima, señora, lástima que la vayan a encarcelar porque me doy cuenta de que me habría divertido mucho con usted.

Que nos íbamos a divertir, que íbamos a viajar, que una casa por allí, otra villa por allá, que no nos iba a alcanzar la vida para gastarnos la plata que íbamos a conseguir, y mirá, me dijo Perla, mirá en lo que andamos, se nos está acabando la vida y casi no hemos salido de este apartamento. Estábamos desayunando pero yo no había comenzado a comer esperando a que llegara milord, y mientras el desayuno se enfriaba, Perla me iba soltando la dosis de cantaleta diaria. Que los restaurantes más finos, que los mejores hoteles, que los espectáculos de lujo, y mirá, Vidal, mi única diversión es armar rompecabezas con ese vejestorio. Pellizqué un pedazo de pan porque ya me sonaba el estómago y milord nada que llegaba. Le dije a Perla te voy a cumplir lo que te prometí. Con la punta del tenedor pesqué un poco de huevo y lo mastiqué rápido para que milord no se diera cuenta de que había empezado sin él. Le dije a Perla carajo, Perla, se te fue la mano en sal. Ella se hizo la sorprendida y me dijo pero si apenas le eché una pizca. Comió de su plato fingiendo normalidad. Me dijo tu huevo no está salado sino frío, más bien andá a ver qué le pasó al señor. Cuando me iba a levantar sentí los pasos arrastrados de milord. Ahí viene, dije. Toqué la jarra de leche para ver si seguía caliente y vi que Perla se atragantó cuando vio a Milord. Él llegó bañado, bien peinado, con saco y fular, con zapatos de cuero, pero se le olvidó ponerse el pantalón. Me levanté rápido y se lo dije al oído. Me fui con él al cuarto. Perla quedó con la boca abierta y entumecida por el asombro, el pecado y la sal.

Desde arriba vi que de enfrente salió un muchacho que, en otra época, pude haber sido yo cuando salía, como él, lleno de ímpetu a encontrarme con mi buena estrella. A pesar de que lo vi borroso, había una luz en ese muchacho que me recordó los días en que mi resplandor contagió a Suzanne. La velocidad de sus pasos y la seguridad en su andar me despertaron el recuerdo del tiempo en que fui remedio y no enfermedad. De haber llegado antes tal vez hasta habría podido curar a Suzanne, pero mi historia y la de ella parecían trazadas para que su agonía y su muerte me ayudaran a trepar. Tal vez nadie muere en vano y es posible que detrás de toda muerte haya más que cielo, alma, vida después de esta vida, más que la larga lista de mentiras que tantas veces llega intacta al momento de morir y que nos hace partir en medio de la total perplejidad. O tal vez cuando me pase el efecto del bupropión vuelva a asegurar que nadie sabe lo que es estar muerto.

Y mientras pienso con insistencia en la muerte, Perla piensa en fiestas. Le dice a Anabel vamos a hacerle una fiesta grande a Vidal, la fiesta más grande que haya tenido. Va a mi cuarto a buscar mi agenda, la abre y dice voy a invitar a mucha gente, a todos sus amigos. Anabel le pregunta ¿y cómo vas a hacer para invitarlo a él? Pues muy fácil, dice Perla y le pide a Anabel que le consiga una hoja para hacer la lista, le dice ¿cómo llegan a las fiestas los que no están invitados?, muy fácil: se riega el rumor, se habla de la fiesta por todos lados, se comenta de lo grande y de lo buena que va a ser y de tanto andar de boca en boca nadie se la va a querer perder, y con lo que le gustan a Vidal las fiestas va a ser el primero en llegar. Se sienta en mi cama, pone la hoja blanca sobre la agenda, parece que fuera a escribir algo pero la mano queda trémula en el aire.

(—No sé cómo terminará esta historia, pero a mí me encantan los finales felices —dice ella).

28

Suzanne insistía en que la dejara vomitar sola y yo insistía en tomarle la mano mientras se le escapaba la vida por boca y nariz. No alcanzaba a llegar al baño y vomitaba sobre un tazón que yo corría a ponerle debajo. Qué horror, decía apenas podía hablar. Si es por mí, madame, no tiene por qué preocuparse. Ella decía es por todo, Vidal. Cuando se le pasaba el efecto de la quimio yo trataba de que recuperara su vida normal hasta la próxima sesión.

Pero un día no hubo más sesiones. Los médicos coincidieron en que no había nada que hacer. Se la iba a llevar la enfermedad y la iba a moler antes de llevársela. Igual a como me iba a suceder un tiempo después.

Esa tarde, la del pronóstico definitivo, la encontré sentada en la sala, todavía con vestido de calle pero sin peluca, fumándose un cigarrillo y con la mirada perdida en cualquier punto. En tono cariñoso, le reclamé: pero qué está haciendo, madame. Ella, sin dejar de mirar a la nada, me dijo: todo se acabó, Vidal. Lo dijo sin derramar una lágrima y yo, en cambio, no pude contenerme y lloré por tristeza y también por frustración. Hasta ese momento yo no había entrado en contacto directo con milord, y mientras ella me decía ayúdame a vivir bien el tiempo que me queda, yo me preguntaba en qué iba a quedar yo si ella moría. Me incluí en su agonía y le dije el tiempo que nos queda a los dos, madame.

Llamé a Perla a contarle que Suzanne se iba a morir y me dijo qué novedad, querido, todos nos vamos a morir. Sí, le dije, pero es muy distinto cuando a uno le dicen cuándo. Me dijo mirá, querido, ese "cuándo", para todos, puede ser cualquier día. Me lamenté: primero se me fue Graciela y ahora se me va a ir Suzanne. Perla me dijo y yo también me voy a ir, ya me jarté en esta casa, ya no me aguanto más las pataletas de mamá, me cansé de armar rompecabezas mientras espero una llamada tuya, resultaste un ingrato, Vidal. ¿Qué me estás diciendo?, le pregunté, ¿para dónde te vas a ir? Ella me dijo para Yarumal, para cualquier pueblo o para donde sea. Le dije tenés que confiar en mí. Ella dijo no es cuestión de confianza sino de realidad, no tengo que mirar un mapa para saber que Yarumal me queda más cerquita que París. Le dije esas distancias no se deben medir en metros, y no se miden hacia el frente sino hacia arriba. Ay, Vidal, me dijo, yo cada vez que miro hacia arriba veo caer a alguno que se ilusionó con las alturas, acordate que es más humano caminar que volar. Le dije no se me olvida, pero tampoco se me olvida que allá yo no caminaba sino que me arrastraba. Ella me dijo pues ya que andás volando, ¿por qué no venís y me sacás de aquí? Le dije porque ni siquiera voy a poder caminar cuando se muera Suzanne. Perla me dijo pude yo, después de lo de Sandrita…

¿Puede caminar, madame? La respuesta de Suzanne fue llenar de aire los pulmones y extenderme la mano para que la ayudara a levantar. ¿Podés caminar, mamá?, le preguntó Perla a Libia, que le respondió con un manotazo al aire, intentó pararse sin ayuda pero el impulso no le alcanzó y volvió a caer en la cama, con todo el peso de su corpulencia. *Et vous, milord?* Él apenas podía arrastrar los pies, había perdido cualquier rastro de vigor, no había pasado tanto tiempo como para que no quedara nada del que apenas me saludaba cuando yo iba a arreglar a Suzanne.

Ella llenó los pulmones de aire y me dijo esta noche vamos a salir a comer con Adolphe. Le pregunté qué peluca quería usar y ella me dijo ¿entendiste bien, Vidal? Tú y yo vamos a salir con Adolphe. Me puse un dedo sobre el pecho como preguntándole ¿yo? Ella me dijo: él me lo ha pedido. Con el mismo dedo señalé hacia cualquier punto del apartamento, como preguntando ¿él? Y para no seguir hablando con los dedos, como la Mudita, le dije estoy muy agradecido, madame, pero no creo que los deba importunar. Ella dijo ¿crees que me divierte salir a cenar sola con Adolphe? Me miré del pecho a los pies y le dije no estoy preparado, madame, no estoy vestido para una cena. Eso lo arreglo yo, dijo Suzanne. Una hora más tarde yo andaba lleno de bolsas con ropa nueva, con cargo a la tarjeta de crédito de milord, tratando de que no se me notara la dicha máxima que mi cuerpo podía contener: comprar, comprar y comprar.

No es una cena, es una fiesta, explica Perla con paciencia. Se cambia el teléfono de oreja mientras la otra persona responde. Perla dice no sé cuál es la diferencia entre fiesta y recepción, aquí en París, madame Drunat, lo importante es que vamos a celebrar. Espera a que la otra hable y dice: el regreso de Vidal. La otra habla y Perla dice: no sé dónde está, pero hay que celebrar su regreso. Madame Drunat habla y Perla dice pues cuando vuelva nos va a decir dónde estuvo. Perla asiente un par de veces con la cabeza, resopla, le hace algunas muecas a Anabel, dice sí, sí, por favor llámeme. Se despide, cuelga y, ofuscada, dice: otra que quedó en confirmar. Toma la lista y lee: madame Menet: signo de interrogación; el señor Gilles: signo de interrogación; el señor y la señora Rozzi: signo de interrogación; y ahora esta malparida: signo de interrogación. Mira a Anabel y le dice ¿por qué no dicen de una vez que no? Va a la cocina por un vaso, se sirve un trago y dice estos franceses son tan tacaños que seguramente piensan que les vamos a cobrar lo que van a beber y a comer. Se toma medio vaso en dos tragos, se pasa la lengua por los labios y dice: no sé por qué la gente se complica tanto con lo fácil que es disfrutar. Anabel le dice yo creo que nadie ha podido entender muy bien el cuento de Vidal. ¿Cuál cuento?, ¿de qué cuento me estás hablando?, pregunta Perla. Anabel dice pues de todo lo que le ha pasado a Vidal. Perla pregunta ¿te parece que eso es un cuento?, y se sirve más trago. Anabel le dice es una historia muy enredada, muy difícil de creer. ¿Qué es lo que no creen?, pregunta Perla, ¿que a Vidal se lo tragó la tierra?, ¿que desapareció?, ¿lo has visto últimamente por aquí? Anabel dice nadie sabe lo que está pasando. Perla le dice te equivocás, él sabe muy bien lo que está pasando.

Perla va a la nevera a buscar hielo, y antes de abrirla suelta una exhalación y se lleva la mano al pecho. Señala una foto mía, pegada con un imán, en la puerta de la nevera. ¿Vos pusiste esta foto aquí?, pregunta y Anabel dice yo en esta casa no pongo ni quito nada. Perla dice Vidal nunca dejaría poner una foto así. Anabel se acerca, pregunta ¿qué tiene? Miralo, dice Perla, mirale la mirada. Anabel dice parece un preso. Parece triste, dice Perla, parece que quisiera decir algo. Parece enfermo, dice Anabel, parece un muerto con los ojos abiertos. Perla dice no digás güevonadas, Anabel, más bien acompañame a rezar. Pero si estás borracha, dice Anabel. ¡Y qué!, los borrachos también somos piadosos, dice Perla. Agarra a Anabel del brazo y la lleva con ella, le dice vení recémosle a san Antonio para que me ayude a encontrar ese revólver. Anabel dice ¿el revólver?, yo pensé que le rezabas para que te ayudara a encontrar a Vidal. Perla le dice: también, pero aquí están pasando cosas muy extrañas, Anabel, y ese revólver lo vamos a necesitar.

(—¿En qué año se murió Anabel? —le pregunto.

—Ay, no, no —se lleva la mano a la frente y dice—: hoy no me pongás a echar cuentas que pasé una noche horrible.

—Pero si te sentí roncar toda la noche.

—Pues sí —me dice—, pero toda la noche soñé que no había dormido nada y me desperté como si de verdad no hubiera pegado el ojo).

Ilinka le había pedido permiso al dueño de Les Trois Doigts para entrar a la jaula con su perro. El perro era yo y me echaba a sus pies narcotizado con una pastilla de éxtasis, con dos de sertraline y con lo que cualquier caritativo me pasara entre los barrotes. Alguien movió la jaula y el balanceo me inquietó. Ilinka me clavó la punta de su tacón en la espalda para que no me fuera a levantar. Abajo, varios celebraron con brincos mi gesto de dolor. Sin buscarlo, en esa jaula podía encontrar la salida a mi mal y mi salvación. Sólo tenía que aprender a encontrar la felicidad en el dolor, como los que ven en la muerte su redención. Gozar como aquel crucificado que suplicó castigo y sangre para coronarse como el rey de los masoquistas. Y aunque yo no tenía vocación para destronarlo, intenté ponerme de pie con el único propósito de que Ilinka me aplastara otra vez con su tacón filudo.

Enjaulado, pisoteado y drogado acompañé a Ilinka durante varias semanas, de miércoles a domingo, a Los Tres Dedos. También me pasé del sofá a la cama, solamente a dormir, a lo sumo con una mano entrelazada con la de ella. Una mañana le dije: dentro de poco vamos a estar juntos las veinticuatro horas. Y para que ella no confundiera lo dicho con una promesa de amor, le expliqué: cuando me interne en el hospital. Ella me dijo si te internas no podrás ir al bar. ¿Por qué no?, pregunté, voy a estar en la cúspide del dolor, hasta puedo despertar envidia. Ilinka dijo tal vez a ellos pero no a mí. Le dije ya no seré tu perro fino sino uno de la calle, sarnoso y cadavérico. Ella preguntó ¿como el que vi en el apartamento de Perla? Yo no vi nada, le dije. Yo sí, dijo Ilinka, y él también me vio, me miró como miran los niños pobres serbios. Le dije: entonces ese debe de ser Tiburón.

Perla le dice a Anabel:

—¿Te acordás del perro ese que se mantenía abajo?

Anabel se entumece de la cabeza a los pies. Menos mal Perla no espera respuesta y dice:

—Pues no lo volví a ver.

Anabel levanta los hombros y dice:

—Jum.

Perla dice:

—A lo mejor lo atropelló un carro, como a Miky. ¿Te acordás de Miky, Anabel? —preguntó y soltó una carcajada fofa.

—A Miky lo mató Vidal —dice Anabel.

—Callate. Esa cosa murió aplastada, como mueren casi todos los perros.

—Lo mató Vidal —insiste Anabel.

—Mirá —dice Perla—. No voy a pelear con vos porque voy para el banco y me espera una pelea muy brava con ellos. No voy a gastarme con vos las fuerzas que necesito.

—¿Te siguieron robando?

—Todos los bancos roban, Anabel, pero éstos ya son descarados, me están robando en las narices —dice mientras saca unos papeles de un cajón—: aquí están las pruebas, pero ni para qué te las muestro si no sabés leer.

—Sé contar —dice Anabel.

—Pues aquí están las cantidades y las fechas en que me hicieron los robos.

—Hay algo que no me cuadra —dice Anabel—. Me parece muy raro que todos esos robos hayan sucedido desde que desapareció Vidal.

—Qué tiene de raro —dice Perla—, con todas las cosas raras que han pasado desde que él desapareció.

Milord me preguntó ¿desde hace cuánto tiempo te fuiste de tu casa? Le dije: hace un poco más de un año, milord.

Y Suzanne me preguntó ¿y no has pensado en regresar? No, madame, le dije, todavía no he conseguido lo que busco. Milord me preguntó ah, ¿y qué buscas? Lo miré con ganas de responderle la verdad, pero en cambio dije crecer, milord, quiero crecer. Suzanne no había probado bocado y él apenas había hurgado en el plato. Yo no entendía muy bien por qué habían armado ese plan para salir a cenar, pero recordé que había sido milord el que había hecho la invitación.

En algún momento Suzanne se sintió mal y me pidió que la llevara al baño. Aunque era un baño para mujeres, entré con ella y hasta cerré con seguro para que madame pudiera hacer lo que quisiera con tranquilidad. No vomitó sino que se sentó en la tapa del sanitario y gritó. Dio tres gritos fuertes como si la hubieran golpeado tres veces. Luego tomó aire para reponerse y me dijo duele mucho, Vidal. Saqué de su bolso unos polvos y un labial y traté de borrar su calvario. Lo único que logré fue ponerle color a la dolencia.

Volvimos a la mesa y no encontramos a milord. Supusimos que también había ido al baño, pero como no regresaba decidí ir a buscarlo.

También estaba sentado en la tapa del sanitario, tenía la cabeza metida entre las manos y cuando me miró le vi los ojos rojos y congestionados. En esa pose y con ese semblante, milord daba la impresión de estar más cagando que llorando. Me dijo: desde aquí se oyeron sus gritos. Se puso de pie, muy despacio, y me dijo se encierra para quejarse, no quiere mostrarme su dolor. Le dije hay que hacer algo, milord, lo que le dan ya no la calma. Me dijo hay drogas más efectivas pero también la van aislando. Se recostó contra la pared y otra vez se tapó los ojos con la mano. Yo no sabía cómo consolar a alguien de una dignidad mayor. ¿Cómo se consuela a un rey? No sabía si ofrecerle mi hombro o si mi mano sobre el suyo lo podría ayudar. Pero como los baños eran mi territorio, ahí mismo iba a encontrar milord su consuelo y yo mi protección. Suzanne tendría que morir sola, como todos los mortales. Y a mí, como cualquier mortal, me dieron ganas de orinar. No abracé a milord ni le puse el hombro para que llorara. Aproveché que se había tapado la cara y me fui al orinal. No había terminado de jugar con mi chorro contra la loza cuando sentí una presencia a mis espaldas, la sombra de un ángel, el resplandor de mi buena estrella y una respiración tibia en mi nuca. Siempre que la emoción es con mi cuerpo me da frío y debilidad, un desmadejamiento delicioso que no me impidió apretarme la verga para endurecerla, y para que esos ojos que miraban por encima de mi hombro encontraran alivio contemplando lo que tanto deseaban en secreto.

Milord ni parpadeaba. Parecía concentrado en el espacio donde buscaba encajar la ficha del rompecabezas que tenía en la mano. Eso pensó Perla cuando lo vio estático y con la mirada fija en un punto del paisaje, pero el brazo de milord comenzó a temblar sin control, sin soltar la ficha, eso sí. Perla salió en carrera a llamarme. ¡Se está muriendo!, me dijo. Llegué a verlo y él seguía sentado, con el brazo estirado como si buscara, afanosamente, un sitio para dejar la piecita, pero sus ojos ya no miraban el rompecabezas sino hacia adentro. Estaba lívido. ¿Está vivo?, me preguntó Perla. Lo llamé varias veces y él no contestó, le agarré el brazo tembloroso y le toqué la cara: está helado, dije. Lo abracé y lo levanté, y en el envión constaté que de milord sólo iban quedando su ropa y los huesos.

Lo cargué como un bebé hasta su cama, como cargué siempre a Suzanne de un lado a otro, cuando la pobre apenas podía señalar dónde quería que la depositara. A veces señalaba alguna peluca y yo entendía que quería que se la pusiera y que la maquillara. Ya puedo peinarla, madame, ya le está saliendo el pelo. Con esfuerzo se llevaba la mano a la cabeza para tantear las hilachas que le quedaban. Una vez, con frases incompletas y lánguidas, me pidió que la ayudara a levantar, me dijo vamos a vaciar el ropero, las cosas de la casa las va a necesitar Adolphe, y después tú, pero mi ropa no les va a servir. Me pidió que sacara todo: los vestidos de gala, los abrigos de piel, los trajes de calle, las bufandas de seda y las de cachemir, zapatos, sandalias, todo fino, un ropero digno de una de las mujeres más bellas a la que el cáncer, que no le importa la belleza ni el dinero, se estaba llevando. Algo de esto le tiene que servir a ella, dijo Suzanne. Me molestaba su actitud fatalista y hasta el despropósito de meter a Perla en aquellas ropas. Le dije esa ropa es suya y la va a seguir luciendo, madame. Suzanne no me puso atención, me dijo ¿qué tan alta es? Yo estiré mi brazo a la altura de su codo, pero no para mostrarle que hasta ahí llegaba Perla sino para tomárselo y obligarla a mirarme, le insistí aquí nadie se ha muerto todavía, madame. Ella me miró con el mismo cansancio de las tantas veces que pusimos el tema. Y guardó el mismo silencio al que acudía cada vez que le decía usted no se va a morir, madame. Luego dijo: sólo voy a quedarme con uno, el que mejor vaya con el ataúd.

A pesar de los preparativos que ella hacía para cuando muriera, nunca dejé de inventarle esperanzas. Hice reservaciones, madame, para que comamos en Le Procope, el próximo martes. Ella apenas manoteaba como despreciando un mal chiste. Estoy planeando un par de semanas en Deauville, madame. Ella, con sorna, me preguntaba ¿tú y yo solos, Vidal? Pero casi siempre dormía, arrullada por la morfina, en un sueño quieto y profundo.

¿Duerme?, me preguntó milord. Yo asentí y él me hizo señas para que saliéramos del cuarto. Me invitó a pasar a su estudio y me ofreció un trago. Sin muchos rodeos, me dijo quiero que también te quedes aquí en las noches. Me explicó que se sentía mucho más tranquilo cuando Suzanne estaba bajo mi cuidado, que mi presencia la reconfortaba, que había espacio de sobra para que me acomodara. Me dijo: y por supuesto también hablaremos de un sueldo. Yo, amordazado por la emoción, apenas pude decirle estoy muy agradecido, milord. Él se acercó y cuando estuvimos cara a cara, me dijo, mirándome a la boca, soy yo quien te da las gracias.

Nada tenía que ver el milord de entonces con el que un tiempo después dijo ya me siento mejor. Y no es que hubieran pasado tantos años sino muchas cosas. Viéndolo ahí tendido, tratando de recuperar el aliento en su cama, haciendo esfuerzos para hacerme creer que no pasaba nada, entendí que no es el tiempo sino las huellas las que evidencian el rastro de lo que nos va pasando. Cada pisada deja una marca y si los pasos son en falso, las marcas dejarán constancia de que el andar fue equivocado. Como en mi caso. De los pasos firmes y gloriosos con los que me desplazaba por el apartamento de Courcelles pasé a una jaula en la que apenas gateaba, desnudo y maltratado.

En las ventanas del frente, la mujer que escupía cumplió con su ritual diario y sagrado. Un hombre cerró las cortinas en pleno día. Una vieja miraba acodada hacia la calle. Alguien arrojó un libro por la ventana y las manos del que se la pasaba escribiendo se quedaron quietas sobre el teclado. Ilinka me curaba las heridas que ella misma me causaba, y el placer del algodón y el yodo en sus manos sanadoras me hacía soñar con nuevas heridas. Me siento mejor, Ilinka. Ella me dijo no voy a hacerte nada esta noche, por favor no insistas. Le dije por favor, Ilinka, no dejes de hacerme daño, es lo único que me hace bien.

Je me sens bien mieux, me dijo milord con una expresión que no podía ser peor. ¿Qué pasa?, preguntó Perla. Le dije que milord ya se siente mucho mejor, pero de todas maneras voy a llamar al médico. ¡Para qué!, exclamó ella, ¿no ves que ya está hablando? Le dije a milord: quiero que el médico lo vea, pero él negó con la cabeza. Perla me dijo ¿sí ves?, él tampoco quiere. Le pregunté ¿y quién más no quiere? Ella preguntó ¿quién más? Pues como dijiste "tampoco", le contesté.

Otra que dice tampoco es Flávia, cuando Perla le pregunta si puede asistir a mi fiesta de regreso.

—*É uma festa ó um jantar?* —pregunta Flávia

—Vos también —dice Perla.

—*Eu qué?*

—Mirá, Flávia, podés venir llena o con hambre, como te dé la gana, que aquí va a haber comida y trago.

—*Quando es?*

—El próximo viernes.

—*El Vidal estará lá?*

—Pues claro —dice Perla—. La fiesta es para él.

—*Tem certeza?*

—Estoy segura.

Flávia se queda callada. Perla le da golpecitos con el lápiz a la libreta. Como la otra no se decide, Perla le pregunta:

—¿Entonces, Flávia? Tenés que decidir ya porque hay muchos invitados en lista de espera.

—*Eu acho que também não posso ir.*

—¿También o tampoco? —pregunta Perla.

—Tampoco —dice Flávia.

—Ah —dice Perla y tacha de la lista los nombres de Flávia y José Roberto—. No hay problema —dice—. Después le explicás a Vidal por qué no viniste.

Cuelga y le dice a Anabel: ahora lo único que falta es que la muda tampoco venga.

A la Mudita la traicionó su cara y dejó ver, con una expresión amarga, lo que sintió cuando le anuncié que me iba a vivir al apartamento de los condes. Sus manos también se pusieron tristes cuando preguntaron ¿cuándo? Mañana mismo, Florencia, madame está muy mal y necesita compañía. Con señas apesadumbradas me dijo ¿vas a cuidar a una enferma? Le dije la señora necesita mucho más que cuidados médicos, necesita que la quieran en sus últimos días. ¿Y el marido?, preguntó a señas la Mudita. Quedé pensativo, luego le dije: el cariño del marido no le alcanza. Ella me preguntó con las manos ¿por qué? Le dije porque es un cariño compartido.

Esa noche la Mudita y yo vimos televisión hasta tarde. Ella no paró de lagrimear mientras estuvimos juntos. Cuando me fui a dormir la dejé desconsolada, abrazada a un cojín. Casi al amanecer, en medio de la penumbra, pude ver una sombra pequeña que se metía a mi cama. ¿Qué te pasa, Florencia? La sombra de los brazos de la Mudita se agitaba sobre mí como un anuncio de lo que imaginé que quería conmigo. Me adelanté y le dije no puedo, Florencia. Entonces ella prendió la lámpara para decirme que sólo necesitaba hablar conmigo. ¿No puede ser mañana?, le pregunté y ella me dijo que mañana ya me habría ido. Y me dijo que además no estaba segura de si mañana iba a ser capaz de contarme lo que me iba a contar. ¿Qué es lo que pasa, Florencia? Me preguntó si yo sabía quién era ella. Le dije que sí, y me di cuenta de que la Mudita había estado bebiendo. ¿Tomaste algo, Florencia? Ella asintió. ¿Qué tomaste? Se me acercó a la nariz y me sopló. Qué es eso, ¿whisky? La Mudita negó y con los índices trazó en el aire una copa de vino, luego manoteó para preguntarme, otra vez, si yo sabía quién era ella. Flávia me contó parte de tu historia, le dije, y ella esbozó con gestos ¿qué parte? Le dije la historia del aeropuerto, de la droga que tu mamá pegó con cinta adhesiva en tu cuerpo, que las descubrieron y a ella la metieron a la cárcel. Con los ojos aguados y con las manos temblando la Mudita me preguntó qué más sabía. Le dije sé que antes de que te llamaran "la mudita" te decían "la mulita", que te daban ataques de llanto y que por eso nadie volvió a tocar el tema, y que sientes un odio muy grande por tu mamá. Ella sacudió furiosa la cabeza, insistió en preguntarme qué más sabía. Le dije: sé que puedes hablar, Florencia. Sacudió con más fuerza la cabeza y gruñó algo que pudo haber sido una serie de noes. Clavó la cara contra la almohada y lloró un buen rato mientras yo le acariciaba el pelo. ¿Qué te pasa, Florencia?

Me tomó mucho tiempo descifrar las señas inseguras de la Mudita, y mucha paciencia. Por sus gestos entendí que no era fácil, así tuviera el habla, contar lo que por primera vez ella trataba de contar. Necesitó mucha gesticulación y dibujos en el aire, mucha actuación dramática para explicarme que lo del aeropuerto fue más que la droga y más que las cintas que le arrancaron con brusquedad de su cuerpo. Deduje de su mímica ruidosa que el hombre que la esculcó fue más allá de lo que su oficio le permitía y abusó de la Mudita con la misma intensidad que ella me representó. Las manos de Florencia se debatieron para contarme algo que parecía peor, algo grave que tenía que ver con su mamá y que me cuesta aceptar, pero por la conmoción de la Mudita deduje que todo pasó frente a los ojos de su mamá que, cómplice y pasiva, permitió que el aduanero se sobrepasara a cambio de no delatarlas. Y como en ese punto la Mudita estaba al borde de la convulsión, sólo pude atar cabos con sus señas incompletas para conjeturar que el hombre las traicionó después de cometer la infamia, que llamó a otros guardias y a la mamá de la Mudita la hizo poner presa. A Florencia le advirtió que si hablaba, le arrancaría la lengua y la buscaría para repetir lo que acababa de hacerle.

No sé si la venció el cansancio, el vino que la envalentonó o el llanto que la acompañó en el esfuerzo por contarme su historia. Se quedó profunda sobre mi hombro, aunque hasta dormida parecía perturbada. Yo, en cambio, estuve todo el tiempo despierto hasta cuando, una hora después, la Mudita abrió los ojos y me saludó callada con su sonrisa nerviosa.

29

Te equivocaste respecto a Vidal, mamá, le dijo Perla a Libia, reíte lo bien que le está yendo desde que se fue a vivir con los condes. Libia le preguntó ¿a cambio de qué? ¿De qué?, preguntó Perla. Sí, dijo Libia, porque nadie llega gratis tan alto. Perla le dijo a cambio de su inteligencia, de su talento, de su hermosura, de sus capacidades… Pues sí, dijo Libia, a lo mejor les hizo creer todo eso. Perla se rebulló molesta en el asiento, Libia se meció en su silla mirando hacia el cielo, las dos estaban en el patio haciendo tiempo mientras caía la tarde. De otro lado de la casa les llegó el sonsonete de una telenovela.

¿Qué hora es?, preguntó Libia y Perla se miró la muñeca pero no traía el reloj puesto, dijo se me olvidó ponerme el reloj después de lavar los platos. Libia dijo pues debe ser hora de mi pastilla. Eran casi las seis de la tarde y ninguna ciudad del mundo es tan maravillosa como Medellín a esa hora. ¿Qué pastilla?, preguntó Perla. La de los pies, dijo Libia. ¿Y ahora qué tenés en los pies?, preguntó Perla. Libia contestó ya no me caben los zapatos. Perla le sugirió ¿y por qué no te comprás unos más grandes? Libia se miró los pies y dijo ¿y qué hago con las pastillas?

El teléfono timbró y Libia gritó ¡contesten! Marta gritó ¡contesten! Desde su cuarto Mireya gritó lo mismo, ¡contesten! El teléfono siguió timbrando un buen rato, sonaron las chancletas de Anabel acercándose. ¡Contesten!, ¡contesten! Finalmente Anabel levantó el teléfono, Marta gritó ¿quién es? Mireya desde su cuarto gritó ¿quién es? ¿Quién es?, gritó Perla desde el patio y Anabel les gritó a todas: colgaron.

Yo era el que había llamado para contarle a Perla que milord y Suzanne querían nombrarme su heredero.

El teléfono sigue timbrando y Anabel le pregunta a Perla ¿no vas a contestar? No, ahora no puedo, dice Perla. Está en el estudio abriendo libros y luego tirándolos al suelo. El que llama es Modot y deja un mensaje en el contestador pidiéndole a Perla que lo llame con urgencia porque hay rumores de una orden de arresto. ¿Qué estás buscando?, pregunta Anabel y Perla le responde: el revólver. Vidal me dijo que estaba dentro de un libro. ¿Cuándo te lo dijo?, pregunta Anabel. Perla le dice: anoche, en un sueño. Anabel pregunta ¿en un libro? Sí, dice Perla, en un libro hueco. Se encarama a una silla para alcanzar los que están más arriba, y dice yo no sé cómo alguien puede botar tanta plata en libros. Anabel le dice me parece que el que llamó fue el abogado, ahí dejó un mensaje. Perla dice a la mierda el abogado, más bien vení a ayudarme. Anabel toma unos libros pequeños que le quedan a la mano, los abre imitando a Perla porque la verdad no entiende muy bien qué es lo que busca la otra. Perla le dice ¿creés que dentro de un libro de ese tamañito puede caber un revólver? Anabel apenas mira el libro que tiene abierto. Perla le dice buscá en los grandes, animal, donde quepa un revólver capaz de matar un caballo.

Me desperté de un brinco y mi exaltación también despertó a Ilinka. Me preguntó ¿qué pasa?, ¿qué hora es? Yo tenía los ojos cerrados y jadeaba intentando definir qué parte de mi angustia correspondía a la realidad y cuál a la pesadilla. A veces se juntan y es cuando uno dice, como le dije a Ilinka: tengo un mal presentimiento.

No me mirés así, Vidal, me dijo Perla, no es lo que vos estás creyendo. Le dije pues el médico dice que parece que milord no se estuviera tomando sus remedios. Ella dijo pero si vos estás ahí cuando él se los toma. Le dije tiene la presión por las nubes. Perla dijo a mí no me echés la culpa de nada, Vidal, que yo en esta casa no cuento. A pesar de que milord estaba dormido, parecía que estuviera haciendo fuerza para respirar. Perla me preguntó ¿y qué le recetó el médico? Me acerqué a la mesa de noche, tomé los frascos de propanolol y losartan y le dije: hay que duplicarle las dosis por un par de semanas y observar a ver si hay mejoría. La miré y, muy enfáticamente, le dije y nada de sal en las comidas, ¿me entendiste? Perla asintió y dijo por mí no hay problema, ya me acostumbré a la simpleza de esta casa. Miró a milord dormido y arqueó la boca y las cejas para fingir lástima.

Milord miró a Suzanne dormida y fingió que se limpiaba una lágrima en el borde del ojo. Me preguntó, en voz baja, ¿viste sus fotos de cuando era joven? Yo también la miraba callado. Milord dijo su estirpe no parecía de este mundo, era de una belleza que conmovía. Le dije: a mí todavía me parece hermosa. Milord se puso frente a mí, muy cerca, y susurrando me dijo ella me acostumbró a la belleza, Vidal, es lo que más voy a extrañar cuando ella… Fingió que se le desmoronaban las palabras. Dijo: la hermosura, Vidal… Puse cara de no entender, con la intención de que mi desconcierto lo hiciera hablar sin rodeos. Él dijo ella me acostumbró. Me lamenté de que esa situación me hubiera agarrado sin mirarme antes en un espejo. Milord dijo sólo una belleza comparable a la de ella podría… ¿Podría qué, milord?, le pregunté. Me dijo sólo alguien con una belleza imposible, Vidal. Le pregunté ¿quién, milord? Estábamos tan pegados que cada exhalación me impregnaba su aroma de café con leche. Me dijo, a manera de queja: alguien cuya belleza y juventud no coinciden con la oferta de un viejo.

Cuéntame cosas tuyas, Vidal, me dijo Suzanne y yo le advertí ¿quiere que le dé un infarto, madame? En los pocos ratos en que estaba despierta yo me acostaba a su lado y le contaba historias. Ella me decía no voy a tener tiempo de conocerte más, Vidal, invéntate una vida, cuéntame qué vas a hacer en tu futuro. Yo le dije no hay nada que inventar, madame, toda la vida voy a estar junto a usted. Las conversaciones eran muy cortas porque se desconectaba apenas le hacía efecto la morfina. Pero yo seguía ahí, en su cama, para que me encontrara a su lado cuando despertara.

Milord me llamaba cuando Suzanne dormía y me invitaba a conversar a su estudio. Yo llevaba el monitor conmigo por si ella despertaba. Una noche él me preguntó ¿sabes conducir, Vidal? Le dije sólo en lo plano, milord. Me dijo: hace mucho que no uso el carro, vamos a dar una vuelta, y no te preocupes que no hay muchas lomas en París. Me guió por señas hasta que nos metimos en las avenidas impúdicas del bosque de Boulogne, donde emergía de la flora toda la fauna sexual de París. Despacio, me dijo milord, atento a cada aparición: las putas, los travestis, los transexuales. Voltea por allí, Vidal. Aparecieron los negros con sus chorizos monumentales. Despacio, Vidal. Los que golpeaban la ventanilla de milord con sus vergas. Gira más adelante a la derecha, ordenó milord, infló sus pulmones y botó el aire con lentitud. Despacio, Vidal. Entonces aparecieron los niños, los que como yo empezaron antes de tiempo, los angelitos necios que estremecieron a milord. Te dije que despacio, Vidal. Milord tomaba y botaba aire como si se preparara para estar mucho tiempo bajo el agua. De pronto, señaló al frente con el dedo pero no supe qué quiso mostrar. ¿Sí, milord? No dijo nada. Yo sólo vi a un niño hermoso que ya tenía la verguita irritada de tanto sobársela. Me atreví a preguntarle ¿quiere parar, milord? No, dijo, mejor no pares, sólo da otra vuelta más.

¿Dónde estabas?, me preguntó Suzanne. Le dije en el estudio, madame, estaba con milord. Me dijo no mientas, Vidal, los sentí salir. Mentí a medias y le dije hablamos un rato en el estudio, luego él se sintió afligido y me pidió que diéramos un paseo. Ella añadió: por el bois de Boulogne. No supe qué decir, bajé la cabeza, no me imaginaba que Suzanne conociera las *petites débauches nocturnes* de milord. Ella me dijo nunca dejes que pare o que meta a alguien al carro, Vidal, no te lo pido por mí sino por él. Le dije, avergonzado, no se preocupe, madame, que no vuelvo a dejarla sola. Ella dijo vete con él, pero cuídalo.

Milord recibió tembloroso el vaso de agua y la dosis de propanolol que le pasó Perla. Libia sacó la lengua con devoción y comulgó una dosis triple de falmonox. La Mudita se lanzó desesperada sobre la cama en la que dormí cuando vivía con ella, y mordió las sábanas con rabia. Yo introduje dos veces la tarjeta en el cajero electrónico y dos veces apareció el letrero que decía que había sido bloqueada por seguridad. Anabel prende un cigarrillo en una de las veladoras de mi altar, mira el gran retrato y dice: de verdad que eras berracamente hermoso, cabrón. Perla abre la Sagrada Biblia, levanta con emoción la tapa interior y grita ¡lo encontré!

El monstruo celebró el hallazgo de Perla y se frotó las garras como cada vez que veía que alguien se armaba. Pasó una de sus lenguas por las heridas y comprobó que ya casi todas estaban cicatrizadas. Se alegró, botó humo por la trompa y asfixió a ochenta, meneó la cola como un perro contento y de paso se llevó a ciento sesenta y cinco. De camino para Les Trois Doigts, dos descargas en el cielo me anunciaron que el monstruo se alistaba para salir, más dispuesto que nunca, a continuar con sus cagadas.

Antes de entrar, intenté en otros cajeros electrónicos y todos me rechazaron la tarjeta. De todas maneras, me gasté la plata que había llevado esa noche en un gramo de coca y en media botella de vodka que me tomé antes de meterme a la jaula. Ilinka se negaba a pisotearme, traté de agarrarle el pie para descargarlo sobre mis güevas pero ella era más fuerte que yo. Me alteré más de la cuenta y tuvieron que sacarme de la jaula. Una mujer caritativa me dio varios latigazos que me hicieron sangrar las nalgas. Los ojos de Ilinka chispeaban por los agujeros de la capucha.

Yo no era el único descontrolado. Perla también se había tomado casi una botella de aguardiente en compañía de Anabel. En un momento de la noche se habían peleado, como siempre, y Anabel se fue para su cuarto. Al rato volvió a salir y encontró a Perla manipulando el revólver. Le preguntó ¿cómo se llaman los cuadros que vos hacés? Perla le dijo ¿no dizque no me ibas a volver a hablar en tu puta vida? Anabel le dijo necesito que me hagás un cuadro de esos. ¿Qué?, dijo Perla, ¿un *collage*? Sí, eso, dijo Anabel y le extendió a Perla el recorte de revista en el que aparecía un hombre anunciando una loción, y una foto de ella, de las que se tomó para el pasaporte. Perla le preguntó ¿y eso qué es? Anabel le dijo necesito que me pongás junto a mi papá. Perla dejó de rotar el tambor del revólver, abrió la boca para soltar una carcajada pero se le atravesó un pasmo y no se pudo reír, apenas pudo señalar el recorte de la revista. Anabel le dijo recortalo a él y me recortás a mí y nos ponés juntos. Perla por fin exclamó ¡¿tu papá?!, y Anabel asintió. Entonces a Perla le salió la carcajada que se le había embolatado, se reclinó contra el espaldar, se tiró al piso, se revolcó sobre el tapete, todo sin soltar el revólver y sin dejar de reírse. Anabel se mordió el labio y arrugó, sin darse cuenta, la fotico y el papel. Le dijo a Perla, despacio y con veneno: algún día, malparida, un perro te va a arrancar el corazón.

Casi siempre, después de salir de Les Trois Doigts, Ilinka y yo caminábamos un rato para despejar la cabeza y los pulmones, y recuperar el equilibrio con el amanecer de París. Ella escuchaba mis incoherencias y yo sus planes de hacerse enfermera, de dejar el bar, el apartamento y buscarse un lugar mejor. Le dije cuando esté muerto no me vuelvo a levantar temprano, no voy a trabajar, ni a hacer filas ni diligencias, me voy a dedicar a dormir día y noche, como un buen muerto. Ella me dijo cuando te internes en el hospital voy a pedir que me dejen cuidarte y van a darse cuenta de mis aptitudes para la enfermería. Le dije no vas a escaparte hoy de hacerme curaciones: tengo las nalgas heridas. Tienes las nalgas hermosas, dijo Ilinka. Le pregunté ¿todavía? Me dijo todavía eres hermoso, Vidal.

Nos acercamos a otro cajero electrónico y le dicté los números para que ella marcara pero tampoco funcionó. ¿Estás seguro de que no equivocaste la clave?, preguntó. Es la que he marcado siempre, le dije. Lo intentamos dos veces más y vimos cómo la máquina se tragó, sin contemplaciones, la tarjeta. Ilinka hurgó con las uñas en la ranura, me dijo tal vez confundiste los números. Tal vez, le dije, ahora lo confundo todo.

Parece que la proximidad de la muerte nos confunde, invierte los polos y justo cuando uno creía que la gracia de vivir era entender, al final, de qué se trataba la vida, justo ahí con la muerte encima, en cuestión de minutos todo se altera. Reinan el desorden y la decepción, y nos vamos tan confundidos como llegamos. Para la muestra, la confusión de Suzanne. En vísperas de su muerte se despertó una tarde y me preguntó si yo había hecho ya las tareas del colegio, y luego me pidió, en un lánguido entusiasmo: trae los cuadernos y hacemos las tareas juntos. En los linderos de la muerte Suzanne cayó en un tiempo inexistente, junto a un hijo que nunca tuvo. Milord no estaba conmigo para ayudarme a salir de ese apuro, por lo que decidí que lo mejor era seguirle la corriente hasta cuando me comunicara con los médicos. Busqué un cuaderno y me senté a su lado. Ella me dijo no le digas a tu profesora que mamá te está ayudando en las tareas.

Los médicos dijeron que podría ser pasajero y que así como se perdió en el tiempo, en cualquier momento podía regresar. Pero no fue como ellos dijeron. Si yo iba a salir, Suzanne me decía si no te abrigas bien no puedes ir a jugar al parque. Y en las noches me preguntaba ¿quieres que te lea un cuento? Me atreví a decirle no soy su hijo, madame, soy Vidal. Una sombra le bañó la cara, comenzó a negar angustiada con la cabeza, mientras yo, arrepentido, no sabía cómo sacarla a ella de la verdad y regresarla al engaño.

Lo que yo vi, en cambio, no fue un espejismo, como dijo Ilinka, producido por mi síndrome de abstinencia. Me había quedado sin tarjeta y sin dinero, sin ansiolíticos ni psicotrópicos, y días después me vacié en la boca la última gota de licor. Al comienzo lo tomé con relativa calma porque ella sacó del hospital un par de frascos de doxepin y me los dosificó, rigurosamente, a pesar de mis sobresaltos. Pero el día en que me dio la última cápsula me dijo tenemos varios problemas, Vidal. Me expuso la situación y sus riesgos: si la pillaban robando la botarían a la calle y yo ya no tenía dinero para responder por ella. Lo que ganaba no era suficiente para comprarme trago ni drogas en la esquina, ni alcanzaba para la propina que le dábamos al administrador de Les Trois Doigts para que me dejara subir a la jaula. Ella podía darme comida y alojamiento, como hasta ahora, pero más no puedo, Vidal, dijo. Con el último doxepin licuado en las venas yo no tenía por qué alterarme y tomé su resolución con calma. Incluso no me inmuté cuando me dijo ya no tienes una sino dos enfermedades, Vidal. Ahora estoy convencida de que tienes que internarte.

No fue una alucinación, así ya tuviera las pupilas dilatadas, la presión sanguínea por el suelo, temblores y sofocones de calor y frío. Así no hubiera dormido en toda la noche puedo jurar que lo vi, o que me vi al amanecer cuando me asomé a la ventana y vi que el que escribía también seguía despierto, y al igual que yo, porque era yo mismo, se asomó a la ventana y me vio.

(Pasé toda la noche escribiendo y al amanecer me paré junto a la ventana. Miré al frente, hacia donde ella miraba en el día con tanta insistencia, y vi lo que ella seguramente buscaba. Corrí a despertarla.

—¿Qué pasa? —me pregunta.

—Vení, rápido, quiero mostrarte algo.

—¿A estas horas?

—Sí, vamos rápido antes de que me vaya de la otra ventana).

Fui a despertar a Ilinka, le dije ven rápido, necesito mostrarte algo. ¿A estas horas?, me preguntó. Sí, rápido, le insistí. Como ya antes la había despertado así, en la mitad de lo que ella consideraba delirios, esta vez se demoró un poco más en levantarse. Volví a la ventana pero ya no había nadie, ni siquiera las manos sobre el teclado ni la luz que lo alumbraba, nada que me ayudara a convencer a Ilinka cuando le dije, ahogado en mis propias palabras: creo que también soy parte de otra historia.

(—Alguna vez me pareció haberte visto allá —me dice—, pero cuando te buscaba para que te vieras, te esfumabas de esa ventana.

—Como una aparición —le digo.

—Pues parecías de carne y hueso. Si no hubieras estado a mi lado, juraría que eras vos mismo.

—Uno, sin saberlo, puede ser protagonista de otra historia.

—Lo que he dicho siempre —me dice—: uno no puede confiar ni en su propio cuerpo).

A medida que se acercaba el día de mi fiesta de bienvenida, la excitación y la ansiedad se fueron apoderando de Perla, y esos días se la pasó completamente borracha. Y armada, porque no descuidó el revólver un solo instante. Modot intentó convencerla de que no entorpeciera el proceso que había en su contra, que colaborara con la ley, pero ella le respondió altanera: que colabore una mierda, Modot, todo esto se acaba el viernes cuando vuelva Vidal. Venga, lo invito, venga a la fiesta y vea usted mismo con sus ojos cómo van a quedar boquiabiertos todos esos hijueputas. Él le dijo si es así, dígale a Vidal que me llame en cuanto pueda. Elle le preguntó ¿no va a venir, Modot? No, madame, dijo él, no creo que la situación esté para fiestas.

Otras que no estarían para celebrar eran las colombianas. Cada una sacó una excusa: Gloria de Mejía tenía que ayudarle a la esposa del cónsul a preparar una recepción. Luz Helena tenía un coctel en una inmobiliaria y Fiona Franco dizque tenía que despachar el vuelo de Avianca que salía para Bogotá. A cada una Perla le juró que jamás la volvería a tratar, a todas les dijo: y si me las encuentro en la calle es mejor que corran, malparidas. Tres veces colgó furiosa y a la tercera le pregunta a Anabel ¿y vos de qué te reís? Anabel, por joderla, le dice ¿para cuántos hago comida? Perla va a responder algo pero desvía la mirada a un sobre que entra veloz por debajo de la puerta. Le recrimina a Anabel:

—¡Por qué la cerraste!

Perla corre hasta la puerta. Anabel corre detrás y le dice:

—Porque el viento apagaba las velas.

Perla abre rápidamente, Anabel llega junto a ella, las dos miran a los lados y ven a la Mudita con el dedo puesto en el botón del ascensor. La Mudita las mira espantada y antes de salir en carrera, les dice, con voz y con palabras que nunca le habían oído:

—¡Yo no fui! ¡Yo no fui!

La Mudita desaparece escaleras abajo. Perla y Anabel se miran lelas entre sí.

—¿Habló? —pregunta Perla.

—Me parece que sí. ¿O hizo ruidos?

—Fueron palabras —dice Perla—. Y con palabras me va a tener que explicar por qué me amenazaba con esas cartas.

Anabel mira el sobre, que sigue en el piso, y dice:

—Me parece que la Mudita tampoco va a venir a la fiesta.

A todos nos atacó un temblor. A Perla, de sólo imaginarse que yo no fuera a llegar a la fiesta. A Libia, cuando se dio cuenta de que sus frascos de pastillas se estaban quedando vacíos. Tembló milord cuando vio de nuevo al niño que se vendía en bois de Boulogne. Tembló Anabel cuando Perla le dijo estás oliendo a puro perro. Tembló la Mudita con el sonido de su propia voz. Tembló Suzanne cuando el cáncer se tomó el último resguardo de su cuerpo, y yo, que no estaba únicamente poseído por una violenta convulsión, sino que, abrazado a mi oso y descargando agua por la nariz, veía como en una proyección las imágenes que anunciaban el desenlace de mis presentimientos. Tembló Ilinka cuando le dije: creo que es hora de regresar.

Se sentó junto a mí y me dijo estás confundiendo la realidad con la imaginación. Es el resultado de una abstinencia brusca, Vidal; tu organismo está buscando afanosamente los efectos de todo lo que le metías. Yo abrazaba a mi oso y ella se abrazaba a mí. Me suplicó ven conmigo al hospital. Le dije voy a hacerte caso, Ilinka, pero primero tengo que ir a donde Perla. Ella dijo tú te internas y luego yo le aviso a ella. No, le dije, tengo que ir rápido, Perla está armada. Ilinka me preguntó ¿cómo sabes que tiene un arma? Le dije porque está desesperada y la desesperación tiene la horma de un gatillo. Ella dijo la desesperación también produce delirios, Vidal, y tú estás delirando. Le dije voy a ir a donde Perla y después vuelvo contigo y vemos si todavía hay algo que se pueda hacer por mí. Ilinka me agarró del pelo y me obligó a mirarla, me dijo me lo tienes que jurar.

Los médicos dijeron: lo que se pueda hacer por ella está más allá del alcance de nuestras manos, sólo podemos ofrecerle una muerte sin sufrimiento. Algo que en ese instante yo entendí como matar a Suzanne antes de que la mate el dolor. Dormida día y noche, o desconectada de la realidad cuando estaba despierta, Suzanne era un cadáver que respiraba. Ese recuerdo me sirve para vislumbrar lo que no veré de mí en la etapa terminal.

A pesar de su estado no la desamparé. Milord me decía no es sano que te quedes ahí viéndola morir. Pero como para mí la belleza era un don opuesto a la muerte, todos los días le arreglé el pelo, le puse crema en el cuerpo y colorete y labial en la cara. Milord me dijo: yo le decía a Suzanne que lo lamentable en nosotros no era que no tuviéramos herederos para dejarles nuestros bienes materiales, sino que el legado de su belleza desaparecería con ella; por suerte llegaste tú. Le pregunté ¿cree que por eso ella me confundió con un hijo? Él dijo no te confundió, Vidal, la belleza tira tanto como la sangre, no creas que es por capricho que te vamos a nombrar nuestro heredero.

Perla me preguntó ¿estás seguro de que todo lo de la herencia ya está arreglado? No me tomés a mal, Vidal, pero ese señor se nos puede morir en cualquier momento. Milord venía en caída libre y en lugar de ayudarlo, Perla y yo nos enfrascamos en discusiones relacionadas con nuestro porvenir, que tuvieron que ver con el final acelerado de milord. Perla me decía los viejos se tienen que morir, Vidal, todos nos tenemos que morir y nada te ganás con mantenerlo vivo, como si fuera un papa, a punta de esfuerzos ridículos. Yo le decía pero cuál es el afán, Perla, tarde o temprano vamos a disfrutar de lo que nos va a dejar. Perla dio varios pasos hacia atrás, deslizó la mano de arriba abajo para mostrarme el cuerpo y me dijo mirame, Vidal, mirame bien; ¿vos creés que yo estoy como para esperar?, ¿querés que te confiese mi edad? Ese señor se va a morir, Vidal, pero yo también estoy en la fila y no muy lejos de él. Yo iba a hablar pero ella me dijo dejame terminar. Y siguió: ya estoy harta de mierda en esta vida y con la que le hemos limpiado a ese señor, es suficiente. Intenté hablar de nuevo pero me interrumpió: suficiente, Vidal.

(Ahora los dos permanecemos junto a la ventana y miramos hacia el mismo punto. Le digo:

—Voy a tener que inventarme unas escaleras para esta historia.

—¿Para qué?

—Para que alguien ruede por ellas después de un empujón).

Allá está, me dijo milord cuando las luces del carro alumbraron al niño. Pasa despacio, Vidal. Apenas nos estamos moviendo, milord, le dije. Pasamos a su lado y el niño se soltó el botón, abrió lentamente la bragueta y cuando la cremallera bajó al tope, apareció la verguita. Le dije déjeme le arreglo este asunto, milord. Él me dijo sigue, Vidal, no pares. Doblé en la esquina para dar, como de costumbre, una vuelta más. Me atreví a decirle no lo entiendo, milord, si usted quisiera… Me dijo no hay nada que entender, Vidal, la sexualidad es tan insondable como el más allá. Y justo cuando mencionó los territorios de la muerte sonó su celular, lo respondió nervioso, cambió su expresión libidinosa por la palidez total, le agradeció a quien lo había llamado y me dijo: Suzanne ha muerto, Vidal.

Un año después llegaron hasta mi cuarto los gritos de Perla. A diferencia de sus gritos constantes aquéllos sonaron distinto, muy parecidos a los que soltó en la mitad del río, con el agua al cuello, cuando la corriente se llevó a Sandrita. Corrí al estudio y la encontré desparramada en la silla, con la mano en el pecho, sin aire para respirar pero con suficiente aliento para seguir con sus alaridos. A sus pies, junto a la mesita volcada y zambullido entre las dos mil fichas del rompecabezas, yacía el cuerpo sin vida de milord.

Perla le sube el volumen a la música, se sirve más trago y, sola, comienza a bailar. Dice, en voz alta, ¡empezó la fiesta, carajo! En su cuarto, Anabel apaga el radiecito, toma un vaso de la alacena y se va para el salón. En Medellín, Libia sale de correría por el barrio y, de puerta en puerta, comienza a recolectar medicinas dizque para llevárselas a los pobres. Escondido en algún lugar de la Tierra, al monstruo le suenan las tripas del hambre.

(—¿Qué es esa manchita que tenés ahí en el cuello?
—No sé —le digo—. Debe ser un pelo enterrado).

Al igual que la última vez que fui, la puerta sigue abierta, pero contrario al silencio de aquella vez, ahora la música sacude cada ladrillo del edificio. Yo también soy distinto del que llegó a este apartamento esa noche en que Ilinka estuvo decidida a dejarme. Hoy no hay miedo, no hay dudas, voy a asumir lo que Perla piense de mi enfermedad y mi deformación. Voy a presentarme como un invitado más a su fiesta. Si dudo y tiemblo es porque mi cuerpo está pidiendo a gritos algo con qué volar.

Me acerco y del apartamento sale Dayessi como una tromba y se choca contra mí. Me mira, suelta una carcajada y me dice *excuse moi, monsieur*. Sigue de largo dando tumbos hasta el ascensor, sólo con un zapato puesto y con el otro en la mano, sin tacón. Avanzo hasta el vano de la puerta y desde ahí contemplo una fiesta de dos. Tres, con la que se fue. Tres, ahora conmigo.

Llevadas por la borrachera y el estruendo de tambores, trombones y trompetas, por la fuerza de la música que obliga a bailar, bailan abrazadas Perla y Anabel, como si una no quisiera dejar caer a la otra. Bailan y giran y se cruzan las piernas, mejilla con mejilla y con los ojos cerrados como si para cada una no existiera otra pareja posible. Dan dos vueltas más y se separan, cada una gira por su cuenta, y en una de esas vueltas Anabel abre los ojos y me ve.

Si antes se rió Dayessi cuando me vio, y ahora se ríe Anabel, es porque me excedí en el maquillaje, las pinturas de

Ilinka con las que traté de disimular la palidez y el sudor. O tal vez el mismo sudor desvaneció los polvos y el maquillaje derramado es el que las ha hecho reír. Anabel le pone una mano a Perla en el hombro para que pare de bailar, estira el otro brazo y me señala. Le pregunta:

—¿Ese quién es?

Perla voltea y me mira. Abre los ojos grandes y se ríe. Se acerca sin dejar de bailar como los que sacan a bailar bailando. Yo también me acerco a ella, que sigue riéndose hasta que llega hasta mí y me abraza. Me exprime fuerte sin parar de menearse, pegada a mí como si quisiera meterme en su baile. Entonces bailamos. Me dice algo que no oigo por el volumen de la música.

—¿Qué me dijiste?

Ella hace bocina con las manos y exclama:

—¡Pensé que te había pasado algo horrible!

Se abraza otra vez a mí y yo la aprieto con la fuerza que me queda. Siento que lleva algo duro en la cintura. Perla suelta otra carcajada, se levanta la camisa y saca el revólver. Lo levanta apuntando al techo y dice:

—¡No llorés, Vidal, bailá tranquilo que yo no voy a permitir que te vuelvan a llevar!

Me pasa de su trago para que beba. Y bebo hasta el fondo, el cuerpo me lo agradece y me integro al baile desgarbado de Perla y Anabel.

Y por bailar con la música a tope no oímos el timbre del teléfono y perdemos esa llamada, desde Medellín, en la que nos iban a decir que Libia había entrado en un sueño muy profundo y no despertaba por más que la sacudían.

Por bailar no nos damos cuenta de que abajo llega una patrulla de la policía judicial y que, desde otro carro, Clémenti ve bajar a varios hombres armados. No los sentimos llamar, subir y entrar. Ni escuchamos los ladridos desesperados de Tiburón que, encerrado en el cuarto de Anabel, se afana por advertirnos la llegada de los extraños. Por estar bailando no observo las caras de los policías cuando ven a Perla apuntándoles con el revólver. Por bailar no nos damos cuenta de que el monstruo levanta una de sus mil patas para descargarla, sin vacilación, sobre nosotros.

(—¿Sabés qué andan diciendo de nosotros dos? —me pregunta.

—¿Qué dicen?

—Que vos y yo ya estamos muertos).

Planeta

España
Av. Diagonal, 662-664
08034 Barcelona (España)
Tel. (34) 93 492 80 36
Fax (34) 93 496 70 58
Mail: info@planetaint.com
www.planeta.es

P.º Recoletos, 4, 3.ª planta
28001 Madrid (España)
Tel. (34) 91 423 03 00
Fax (34) 91 423 03 25
Mail: info@planetaint.com
www.planeta.es

Argentina
Av. Independencia, 1668
C1100 ABQ Buenos Aires
(Argentina)
Tel. (5411) 4382 40 43/45
Fax (5411) 4383 37 93
Mail: info@eplaneta.com.ar
www.editorialplaneta.com.ar

Brasil
Rua Ministro Rocha Azevedo, 346 -
8.º andar
Bairro Cerqueira César
01410-000 São Paulo (Brasil)
Tel. (5511) 3087 88 88
Fax (5511) 3898 20 39

Chile
Av. 11 de Septiembre, 2353, piso 16
Torre San Ramón, Providencia
Santiago (Chile)
Tel. Gerencia (562) 431 05 20
Fax (562) 431 05 14
Mail: info@planeta.cl
www.editorialplaneta.cl

Colombia
Calle 73, 7-60, pisos 7 al 11
Bogotá, D.C. (Colombia)
Tel. (571) 607 99 97
Fax (571) 607 99 76
Mail: info@planeta.com.co
www.editorialplaneta.com.co

Ecuador
Whymper, N27-166, y A. Orellana,
Quito (Ecuador)
Tel. (5932) 290 89 99
Fax (5932) 250 72 34
Mail: planeta@access.net.ec
www.editorialplaneta.com.ec

Estados Unidos y Centroamérica
2057 NW 87th Avenue
33172 Miami, Florida (USA)
Tel. (1305) 470 0016
Fax (1305) 470 62 67
Mail: infosales@planetapublishing.com
www.planeta.es

México
Av. Insurgentes Sur, 1898, piso 11
Torre Siglum, Colonia Florida, CP-01030
Delegación Álvaro Obregón
México, D.F. (México)
Tel. (52) 55 53 22 36 10
Fax (52) 55 53 22 36 36
Mail: info@planeta.com.mx
www.editorialplaneta.com.mx
www.planeta.com.mx

Perú
Grupo Editor
Jirón Talara, 223
Jesús María, Lima (Perú)
Tel. (511) 424 56 57
Fax (511) 424 51 49
www.editorialplaneta.com.co

Portugal
Publicações Dom Quixote
Rua Ivone Silva, 6, 2.º
1050-124 Lisboa (Portugal)
Tel. (351) 21 120 90 00
Fax (351) 21 120 90 39
Mail: editorial@dquixote.pt
www.dquixote.pt

Uruguay
Cuareim, 1647
11100 Montevideo (Uruguay)
Tel. (5982) 901 40 26
Fax (5982) 902 25 50
Mail: info@planeta.com.uy
www.editorialplaneta.com.uy

Venezuela
Calle Madrid, entre New York y Trinidad
Quinta Toscanella
Las Mercedes, Caracas (Venezuela)
Tel. (58212) 991 33 38
Fax (58212) 991 37 92
Mail: info@planeta.com.ve
www.editorialplaneta.com.ve

Grupo 🌐 Planeta   Planeta es un sello editorial del Grupo Planeta   www.planeta.es